Fink, Gottlob

Memoiren

Fink, Gottlob

Memoiren

Inktank publishing, 2018

www.inktank-publishing.com

ISBN/EAN: 9783747795446

All rights reserved

This is a reprint of a historical out of copyright text that has been re-manufactured for better reading and printing by our unique software. Inktank publishing retains all rights of this specific copy which is marked with an invisible watermark.

Chateaubriand's

Memoiren.

Deutsch

von

Dr. Gottlob Fink.

Vierter Theil.

Stuttgart.
Franckh'sche Verlagsbuchhandlung.
1850.

Vorbereitende Entwürfe zu dem Krieg gegen Rußland. — Napoleon's Verlegenheit.

Bonaparte ſah keine Feinde mehr, und da er nicht wußte, wo er Reiche herbekommen ſollte, hatte er ſich in Ermangelung eines Beſſeren für ſeinen Bruder das Königreich Holland angeeignet. Im Herzen Napoleon's war jedoch eine heimliche Feindſchaft gegen Alexander zurückgeblieben, welche ſich von dem Zeitpunkte des Todes des Herzogs von Enghien herſchrieb. Er war eiferſüchtig auf Rußlands Macht; er wußte, was dieſes Reich vermochte und um welchen Preis er die Siege von Friedland und Eylau erkauft hatte. Die Zuſammenkünfte in Tilſit und Erfurt, die gezwungenen Waffenſtillſtände, ein Friede, der ſich mit Bonaparte's Charakter nicht vertrug, Freundſchaftserklärungen, Händedrücke, Umarmungen, phantaſtiſche Pläne zu gemeinſamen Eroberungen, das Alles ließ den Haß bloß in den Hintergrund treten. Es gab auf dem Continent ein Land und Hauptſtädte, die Napoleon noch nicht betreten hatte, ein dem franzöſiſchen Reiche noch feſt gegenüberſtehendes Reich: die beiden Koloſſe mußten ſich meſſen. Bonaparte hatte bei ſeiner Vergrößerung Frankreichs die Ruſſen angetroffen, wie Trajan die Gothen, als er die Donau überſchritt.

Die ihm eigene Ruhe, welche, ſeit er ſich der Religion wieder zugewandt hatte, von einer wahren Frömmigkeit unterſtützt wurde,

machte Alexander zum Frieden geneigt; er würde ihn nie gebrochen haben, wenn man ihn nicht dazu veranlaßt hätte. Das Jahr 1811 ging ganz unter Zurüstungen hin. Rußland lud das bezwungene Oestreich und das seufzende Preußen ein, sich mit ihm zu verbinden, falls es angegriffen werden sollte; England kam mit seinem Gelde zu Hülfe. Das Beispiel der Spanier hatte die Sympathien der Völker erweckt; schon begann sich der Tugendbund zu bilden, der allmälig das junge Deutschland in sich vereinigte.

Bonaparte unterhandelte, gab Versprechungen; er machte dem König von Preußen Hoffnung auf den Besitz der russisch-deutschen Provinzen; der König von Sachsen und Oestreich schmeichelten sich mit einer Vergrößerung ihrer Staaten durch die Ueberbleibsel Polens; Fürsten des Rheinbundes träumten von ihnen dienlichen Gebietsveränderungen; es gab kein Land, womit Napoleon nicht Frankreich zu vergrößern dachte, obwohl dieses schon über Europa hinausreichte; namentlich gedachte er zu dieser Vergrößerung Spanien zu verwenden.

General Sebastiani sagte zu ihm: „Und Ihr Bruder?"

Napoleon erwiederte: „Was liegt an meinem Bruder! Gibt man ein Königreich wie Spanien hin?"

Der Gebieter verfügte mit Einem Worte über das Königreich, welches Ludwig XIV so viel Opfer gekostet und ihm so viel Unglück gebracht hatte; allein er behielt es nicht so lange. Was aber die Völker anbetrifft, so hat wohl nie ein Mensch ihnen weniger Rechnung getragen und sie mehr verachtet, als Bonaparte. Er warf der Königsmeute, die er mit der Peitsche in der Hand zur Jagd führte, Stücke davon vor.

„Attila," sagt Jornandes, „führte einen Haufen tributpflichtiger Fürsten mit sich, welche mit Furcht und Zittern auf einen Wink des Herrn der Monarchen warteten, um auszuführen, was ihnen geboten würde."

Bevor Napoleon mit seinen Verbündeten, Oestreich und Preußen

und mit dem aus Königen und Fürsten bestehenden Rheinbunde, in Rußland einmarschirte, wollte er erst seine beiden Flügel, welche die beiden Enden Europa's berührten, sicher stellen; er suchte zwei Verträge zu schließen, den einen im Süden mit Constantinopel, den andern im Norden mit Stockholm. Diese Verträge kamen nicht zu Stande.

Zur Zeit seines Consulates hatte Napoleon wieder Einverständnisse mit der Pforte angeknüpft; Selim und Bonaparte hatten sich gegenseitig ihre Bildnisse geschenkt und unterhielten eine geheime Correspondenz. Napoleon schrieb seinem Gevatter den 3. April 1807 von Ostende aus:

„Du hast Dich als würdigen Abkömmling der Selim und Soliman gezeigt. Vertraue mir alle Deine Bedürfnisse an; ich bin mächtig genug und Deine Wohlfahrt liegt mir sowohl aus Freundschaft als der Politik wegen hinreichend am Herzen, um Dir Nichts zu verweigern."

Ein allerliebster Erguß der Zärtlichkeit zwischen zwei Sultanen, die, sich schnäbelnd, mit einander plaudern, wie Saint-Simon gesagt hätte.

Als Selim gestürzt war, kommt Napoleon zu dem russischen System zurück und denkt an eine Theilung der Türkei mit Alexander; allein von einer neuen Fluth von Ideen überwältigt, entschließt er sich zu dem Einfall in das moskowitische Reich. Aber erst am 21. März 1812 trägt er Mahmud sein Bündniß an, indem er plötzlich hunderttausend Türken an die Donau verlangt. Für diese Armee bietet er der Pforte die Walachei und Moldau an. Die Russen waren ihm zuvorgekommen; ihr Vertrag stand auf dem Punkte, abgeschlossen zu werden, und ward den 8. Mai 1812 unterzeichnet.

Gleicherweise sah sich Bonaparte im Norden durch die Ereignisse getäuscht. Wie die Türken die Krim bedrohen, so hätten die Schweden einen Einfall in Finnland machen können, nach dieser

1*

Schlußfolgerung wäre Rußland, mit zwei Kriegen auf dem Halſe, in die Unmöglichkeit verſetzt geweſen, ſeine Kräfte gegen Frankreich zu ſammeln. Das hieße der Politik ein weites Feld einräumen, wenn die Welt ſich heutzutage durch die Mittheilung der Ideen und durch die Eiſenbahnen in moraliſcher wie in phyſiſcher Beziehung nicht näher gerückt wäre. Stockholm befolgte ſeine Nationalpolitik und fand ſich mit Petersburg ab.

Nachdem Guſtav IV 1807 das durch die Franzoſen beſetzte Pommern und 1808 das durch Rußland überfallene Finnland verloren hatte, war er abgeſetzt worden. Ein Biedermann, aber ein Thor, hat Guſtav die Zahl der auf Erden irrenden Könige vermehrt und ich habe ihm einen Empfehlungsbrief an die Mönche des heiligen Grabes gegeben; am Grabe Chriſti muß man ſich tröſten. Guſtav's Oheim wurde an die Stelle ſeines entthronten Neffen geſetzt.

Bernadotte, welcher das franzöſiſche Armeecorps in Pommern befehligt, hatte ſich die Achtung der Schweden erworben; ſie warfen die Augen auf ihn, und Bernadotte ward erwählt, die Lücke auszufüllen, welche durch den Tod des kurz zuvor erwählten Prinzen von Holſtein-Auguſtenburg, Erbprinzen von Schweden, entſtanden war. Napoleon ſah die Wahl ſeines ehemaligen Waffengefährten ungern.

Bonaparte's und Bernadotte's Feindſchaft datirte ſich von lange her; Bernadotte hatte ſich dem 18. Brumaire widerſetzt und dann durch ſeine Beredtſamkeit und den Einfluß, den er auf die Gemüther ausübte, zu jenen Zwiſtigkeiten beigetragen, welche Moreau vor einen Gerichtshof führten. Bonaparte rächte ſich nach ſeiner Weiſe, indem er ſeinen Charakter verächtlich zu machen ſuchte. Nach Moreau's Verurtheilung ſchenkte er Bernadotte ein dem verurtheilten General weggenommenes Haus in der Straße Anjou, und der Schwager Joſeph Bonaparte's wagte in Folge einer damals gäng und gäben Schwäche nicht, dieſe wenig ehren-

volle Freigebigkeit von der Hand zu weiſen. Grosbois ward Berthier gegeben. Nachdem das Schickſal auf ſolche Weiſe das Scepter Karl's XII in die Hände eines Landsmannes Heinrich's IV gelegt hatte, lieh ſich Karl Johann dem Ehrgeize Napoleon's nicht; er hielt es für ſicherer, ſtatt Napoleon, den fernen Feind, Alexander, ſeinen Nachbar, zum Verbündeten zu haben, erklärte ſich neutral, rieth zum Frieden und bot ſich als Vermittler zwiſchen Rußland und Frankreich an.

Bonaparte geräth in Wuth und ruft: „Er, der Elende, will mir Rathſchläge ertheilen, will mir Geſetze vorſchreiben! Ein Menſch, der Alles durch meine Güte iſt! Welche Undankbarkeit! Ich werde ihn zu zwingen wiſſen, meinem Machtſpruche Folge zu leiſten!"

In Folge dieſer Drohungen unterzeichnete Bernadotte den 24. März 1812 den Vertrag von Petersburg.

Man frage nicht, mit welchem Rechte Bonaparte Bernadotte einen Elenden hieß; denn er, Bonaparte, vergaß, daß er, weder von höherer Abſtammung war, noch einen andern Urſprung als die Revolution und die Waffen hatte. Dieſe beleidigende Sprache zeugte weder von ererbter Hoheit des Ranges, noch von Seelengröße. Bernadotte war nicht undankbar, er verdankte der Güte Napoleon's Nichts.

Der Kaiſer hatte ſich in einen Monarchen nach altem Schlag umgewandelt, welcher ſich Alles zuſchreibt, nur von ſich ſelbſt ſpricht und zu belohnen oder zu ſtrafen glaubt, wenn er ſagt, er ſei zufrieden oder unzufrieden. Viele unter der Krone verlebten Jahrhunderte, eine lange Reihe von Gräbern in Saint-Denis würden dergleichen Anmaßungen nicht entſchuldigen.

Das Schickſal führte aus den Vereinigten Staaten und dem Norden Europa's zwei edle Franzoſen auf dem nämlichen Schlachtfeld zuſammen, um einen Mann zu bekriegen, gegen den ſie ſich zuerſt verbunden und der ſie dann getrennt hatte. Soldat oder König, keiner dachte damals, daß es ein Verbrechen ſei, den

Unterdrücker der Freiheit zu stürzen. Bernadotte siegte, Moreau unterlag. Die in ihrer Jugend zerstreuten Männer sind kräftige Wanderer; sie gehen rasch einen Weg, den schwächere Männer nur mit langsamen Schritten zurücklegen.

Der Kaiser unternimmt den Feldzug nach Rußland. — Einwürfe. — Fehler Napoleon's.

Es mangelte Bonaparte nicht an Warnungen, um von dem russischen Kriege abzustehen; der Herzog von Friaul, der Graf von Ségur, der Herzog von Vicenza, die er zu Rath gezogen hatte, setzten diesem Unternehmen eine Menge Einwendungen entgegen.

„Man soll," sagte der Letztere beherzt (Geschichte der großen Armee), „indem man sich des Festlands und selbst der Staaten der Familie seines Verbündeten bemächtigt, diesen Verbündeten nicht der Mißachtung des Continentalsystems anklagen. Wenn die französischen Armeen Europa überziehen, wie darf man den Russen Vorwürfe über die Aufstellung einer Armee machen? Sollte man sich über alle diese deutschen Völker hinauswerfen, deren von uns geschlagene Wunden noch nicht vernarbt sind? Schon erkannten sich die Franzosen nicht mehr inmitten eines Vaterlandes, welches keine natürliche Grenze einschränkte. Wer wird denn das eigentliche Frankreich vertheidigen, wenn es so verlassen ist?" —

„Mein Ruf," entgegnete der Kaiser.

Medea hatte diese Antwort geliefert, Napoleon rief selbst das Trauerspiel auf sich herab.

Er kündigte den Plan an, alle waffenfähige Mannschaft des Kaiserreichs in einem Ban und Arrière-ban auf Kriegsfuß zu setzen. In seinem Gedächtniß verwirrte sich die Zeit mit den

Erinnerungen. Auf den Einwurf, daß noch verſchiedene Parteien in dem Kaiſerreiche beſtünden, antwortete er:

„Die Royaliſten fürchten mein Verderben mehr, als ſie es wünſchen. Das Nützlichſte und Schwierigſte, was ich gethan habe, war, den revolutionären Strom aufzuhalten, der Alles verſchlungen hätte. Ihr fürchtet für mein Leben im Kriege? Mich tödten, mich, das iſt unmöglich; habe ich denn den Willen des Schickſals ſchon erfüllt? Ich fühle mich gegen ein Ziel hingetrieben, das ich nicht kenne. Wenn ich es erreicht habe, genügt ein Atom, mich zu vernichten.“

Das war wieder Nachahmung: die Vandalen in Afrika und Alarich in Italien behaupteten, nur einem übernatürlichen Antriebe zu folgen: divino jussu perurgeri.

Der unſinnige nnd ſchimpfliche Streit mit dem Papſt vermehrte die Gefahren der Stellung Bonaparte's, der Kardinal Feſch beſchwor ihn, ſich nicht die Feindſchaft des Himmels und der Erde zugleich zuzuziehen. Napoleon nahm ſeinen Oheim bei der Hand, führte ihn an ein Fenſter — es war Nacht — und ſagte zu ihm:

„Sehen Sie jenen Stern?“

„Nein, Sire.“

„Sehen Sie genau hin.“

„Sire, ich ſehe ihn nicht.“

„Wohlan, ich ſehe ihn.“

„Auch Sie, ſagte Bonaparte einſt zu Herrn von Caulaincourt, „auch Sie ſind ein Ruſſe geworden.“

„Oft,“ verſichert Herr von Ségur, „ſah man ihn (Napoleon) halb liegend auf ſeinem Sopha, in tiefes Nachdenkend verſunken, dann fuhr er plötzlich und mit Ausrufungen in die Höhe, er glaubt, ſeinen Namen zu hören und fragt: Wer ruft mich?“

Als der Valafré ſich ſeiner Kataſtrophe näherte ſtieg er auf die Terraſſe des Schloſſes von Blois, genannt le Perche aux Bretons; hier ſah man ihn unter dem herbſtlichen Himmel, vor

ſich eine weithin ſich ausdehnende öde Landſchaft, mit großen Schritten und unter wüthenden Geberden hin- und hergehen. In ſeinen erſprießlichen Bedenklichkeiten äußerte ſich dann Bonaparte:

„Nichts um mich her iſt für einen ſo weitgreifenden Krieg gehörig vorbereitet, man muß ihn noch drei Jahre verſchieben.

Er erbot ſich, dem Czar zu erklären, daß er weder mittelbar noch unmittelbar zu der Wiederherſtellung eines Königreichs Polen beitragen wolle: das alte und das neue Frankreich haben dieſes treue und unglückliche Land gleicherweiſe im Stich gelaſſen.

Unter allen von Bonaparte begangenen politiſchen Fehlern iſt dieſer Verrath einer der größten. Er erklärte nachher, daß er nur aus Furcht, ſeinem Schwiegervater zu mißfallen, nicht ohne Weiteres zu einer Wiederherſtellung geſchritten ſei. Bonaparte war wohl der Mann, ſich durch Familienrückſichten beſtimmen zu laſſen! es iſt dieß eine ſo ſchwache Entſchuldigung, daß man ſie, wenn er ſie vorbringt, gleichſam als eine Verwünſchung ſeiner Heirath mit Marie Louiſe betrachten darf. Weit entfernt, dieſe Heirath in gleichem Sinne genommen zu haben, hatte der Kaiſer von Rußland ausgerufen:

„So wäre ich denn in meine Wälder eingeſchloſſen.“

Bonaparte war ganz einfach durch die Antipathie, welche er gegen die Freiheit der Völker hegte, verblendet.

Bei dem erſten Einfall der franzöſiſchen Armee hatte der Prinz Poniatowski polniſche Truppen organiſirt; es hatten ſich politiſche Vereine gebildet, Frankreich hielt in unmittelbarer Folge zwei Geſandte in Warſchau, den Erzbiſchof von Malines und Herrn von Bignon. Die Polen, dieſe Franzoſen des Nordens, von Charakter tapfer und leicht wie wir, redeten unſere Sprache, ſie liebten uns wie Brüder, ſie gaben ihr Leben mit einer Treue für uns hin, in welcher eine tiefe Abneigung gegen die Ruſſen athmete. Frankreich hatte ſie einſt zu Grunde gerichtet, ihm kam es zu, ihr politiſches Leben wieder herzuſtellen. War man denn dieſem Volke, dem Retter der Chriſtenheit, Nichts ſchuldig? Ich

ſagte es Alexander in Verona: „Wenn Ew. Majeſtät Polen nicht wiederherſtellt, wird ſie genöthigt ſein, es auszutilgen.“ Die Behauptung, daß dieſes Königreich durch ſeine geographiſche Lage zur Unterdrückung verdammt iſt, mißt den Hügeln und Flüſſen zu viel Einfluß bei; zwanzig Völker haben, mit der einzigen Schutzwehr ihres Muthes verſehen, ihre Unabhängigkeit bewahrt und Italien iſt trotz der Vormauer der Alpen von Jedem, der dieſelben überſchreiten wollte, unterjocht worden. Es wäre billiger, ein anderes Mißgeſchick in's Auge zu faſſen, das nämlich, daß kriegeriſche Völker, wenn ſie Bewohner weiter Ebenen ſind, gleichſam verdammt ſcheinen, Eroberungskriege zu führen; denn aus den Ebenen ſind die verſchiedenen Eroberer Europa's hervorgebrochen.

Weit entfernt, Polen zu begünſtigen, verlangte man, ſeine Soldaten ſollten die Nationalcocarde annehmen; arm, wie es war, bürdete man ihm die Unterhaltung einer franzöſiſchen Armee von 80,000 Mann auf; das Großherzogthum Warſchau war dem König von Sachſen verſprochen. Wäre Polen wieder zu einem Königreiche umgeſtaltet worden, ſo hätte der ſlaviſche Stamm vom baltiſchen bis zum ſchwarzen Meere ſeine Unabhängigkeit wieder erlangt. Selbſt während Napoleon die Polen im Stiche ließ und ſich ihrer bloß bediente, verlangten ſie, man ſolle ſie den Vortrab bilden laſſen; ſie rühmten ſich, ohne uns allein in Moskau einziehen zu können: ein ungelegener Vorſchlag! Der bewaffnete Dichter, Bonaparte, war wieder erſchienen; er wollte den Kreml beſteigen, um von dieſem herab zu ſingen und ein Decret über die Theater zu unterzeichnen.

Was man auch heutzutage zum Lobe Bonaparte's, dieſes großen Demokraten, veröffentlichen mag, ſein Haß gegen conſtitutionelle Regierungen war unüberwindlich und verließ ihn ſelbſt dann nicht, als er die drohenden Wüſten Rußlands betreten hatte. Der Senator Wibicki brachte ihm die Beſchlüſſe des Reichstags von Warſchau nach Wilna.

„An Ihnen iſt es,“ ſagte er in ſeiner gottvergeſſenen Ueber-

treibung, „an Ihnen, der Sie dem Jahrhundert ſeine Geſchichte dictiren und in dem die Kraft der Vorſehung wohnt, an Ihnen iſt es, Anſtrengungen zu begünſtigen, welchen Sie Ihren Beifall zollen müſſen.“

Er, Wibicki, kam nämlich, um Napoleon den Großen zu bitten, er möchte bloß die Worte ausſprechen: Das Königreich Polen ſoll und das Königreich Polen wird beſtehen! Die Polen werden ſich den Befehlen eines Führers unterwerfen, vor welchem die Jahrhunderte nur ein Augenblick ſind, der Raum nur ein Punkt iſt.

Napoleon antwortete:

Edelleute, Abgeordnete der polniſchen Conföderation, ich habe Eure Vorſchläge mit Theilnahme vernommen; Polen, ich werde denken und handeln, wie Ihr; ich hätte in der Verſammlung zu Warſchau geſtimmt, wie Ihr. Die Liebe zum Vaterlande iſt die erſte Pflicht des gebildeten Menſchen.

„In meiner Lage habe ich viele Intereſſen zu vereinigen und viele Pflichten zu erfüllen. Hätte ich während der erſten, zweiten oder dritten Theilung Polens regiert, ſo würde ich meine Völker zu ſeiner Vertheidigung bewaffnet haben.

„Ich liebe Eure Nation. Sechzehn Jahre hindurch habe ich Eure Soldaten auf den Feldern Italiens und Spaniens an meiner Seite geſehen. Eure Handlungen haben meinen Beifall, ich heiße die Anſtrengungen, die Ihr machen wollt, gut, ich werde Alles thun, was von mir abhängt, um Eure Entſchlüſſe zu unterſtützen.

„Bei meinem erſten Einrücken in Polen habe ich ſchon die nämliche Sprache gegen Euch geführt. Nur muß ich hinzufügen, daß ich dem Kaiſer von Oeſtreich für den ungeſchmälerten Beſitz ſeiner Provinzen gebürgt habe und kein Verfahren oder keine Bewegung gutheißen kann, welche dahinzielt, den friedlichen Beſitz der ihm noch bleibenden Provinzen zu ſtören.

„Ich werde dieſe Ergebenheit Eures Landes, welche Euch der Theilnahme ſo würdig macht und Euch ſo viele Anſprüche auf

meine Achtung und meinen Schutz erwirbt, durch Alles, was die Verhältniſſe mir immer geſtatten mögen, zu belohnen wiſſen.

An's Kreuz geſchlagen für die Erlöſung der Nationen, iſt Polen dennoch verlaſſen worden; man hat ſein Leiden niederträchtig verhöhnt, man hat ihm den Schwamm mit Eſſig dargereicht, als es am Kreuze der Freiheit ſprach: „Mich dürſtet, sitio!"

„Wenn die Freiheit," ruft Mickiewicz, „ſich auf den Thron der Welt ſetzen wird, ſo wird ſie Gericht halten über die Nationen. Sie wird zu Frankreich ſagen: Ich habe dich gerufen und du haſt mich nicht gehört: gehe daher in die Sklaverei."

„Sollten," ſagt der Abbé von Lamennais, „ſo viele Opfer, ſo viele Arbeiten fruchtlos ſein? Sollten die heiligen Märtyrer nur ewige Sklaverei in die Felder des Vaterlandes geſäet haben? Was hört ihr in dieſen Wäldern? Das traurige Rauſchen des Windes. Was ſeht ihr über dieſe Ebenen ziehen? Den Zugvogel, der eine Ruheſtätte ſucht."

Zuſammenkunft in Dresden. — Bonaparte muſtert ſeine Armee und kommt am Ufer des Niemen an.

Am 9. Mai 1812 ging Napoleon zur Armee ab und begab ſich nach Dresden. In Dresden verſammelte er die zerſtreuten Kräfte des Rheinbundes und zum erſten und letzten Male ſetzte er dieſe von ihm fabricirte Maſchine in Bewegung.

Mitten unter den aus ihrer Heimath verſchlagenen Meiſterwerken, welche die Sonne Italiens vermiſſen, findet eine Zuſammenkunft des Kaiſers Napoleon und der Kaiſerin Marie Louiſe, des Kaiſers und der Kaiſerin von Oeſtreich und einer Schaar von großen und kleinen Fürſten ſtatt. Dieſe Fürſten beeifern ſich, aus ihren verſchiedenen Höfen die untergeordneten Cirkel des erſten Hofes zu bilden; ſie machen ſich das Vaſallenthum ſtreitig, der Eine will Kanzler des Unterlieutenants von Brienne werden, der

Andere ſein Almoſenier. Die Geſchichte Karl's des Großen wird von der Gelehrſamkeit der deutſchen Kanzleien ausgebeutet, je höher man ſtand, deſto kriechender benahm man ſich. „Eine Frau von Montmorency," ſagt Bonaparte in Las Caſes, „hätte ſich auf die Kniee geworfen, um der Kaiſerin die Schuhe zu binden."

Als Bonaparte ſich im Palaſt zu Dresden zu einem glänzenden Gala begab, ſchritt er mit dem Hut auf dem Kopfe voraus; entblößten Hauptes folgte Franz II, ſeine Tochter, die Kaiſerin Marie Louiſe begleitend, hintendrein zog in ehrfurchtsvollem Schweigen und buntem Durcheinander der Schwarm der übrigen Fürſten. Die Kaiſerin von Oeſtreich fehlte beim Gefolge, ſie ſchützte Unpäßlichkeit vor und verließ ihre Gemächer nur in der Sänfte, um Napoleon, den ſie verabſcheute, den Arm nicht geben zu müſſen. Der letzte Reſt von edlen Geſinnungen hatte ſich in das Herz der Frauen zurückgezogen.

Ein einziger König, der König von Preußen, wurde Anfangs entfernt gehalten.

„Was will dieſer Fürſt von mir?" rief Bonaparte ungeduldig. „Iſt er nicht überläſtig genug mit ſeinen Briefen? Warum will er mich noch mit ſeiner Gegenwart verfolgen? Ich bedarf ſeiner nicht."

Harte Worte gegenüber dem Unglück, die am Vorabend des Unglücks ausgeſprochen wurden.

Das große Verbrechen Friedrich Wilhelm's beſtand in den Augen des Republikaners Bonaparte darin, die Sache der Könige verlaſſen zu haben. Die Unterhandlungen des Berliner Hofes mit dem Directorium verriethen in dieſem Fürſten, wie Bonaparte zu ſagen pflegte, eine furchtſame, eigennützige Politik, welche ihre Würde und das allgemeine Intereſſe der Throne kleinlichen Gebietsvergrößerungen opferte. Wenn er auf der Karte das neue Preußen betrachtete, rief er: „Iſt es möglich, daß ich dieſem Menſchen ſo viel Land gelaſſen habe!" Von den drei Commiſſarien

der Verbündeten, welche ihn nach Frejus führten, war der preußische Commissär der einzige, den Bonaparte schlecht empfing und mit dem er Nichts zu thun haben wollte. Man hat die geheime Ursache dieser Abneigung des Kaisers gegen Wilhelm gesucht und sie in diesen und jenen Privatumständen zu finden geglaubt; wenn ich den Tod des Herzogs von Enghien erwähne, glaube ich der Wahrheit am nächsten gekommen zu sein.

Bonaparte wartete in Dresden das Vorrücken seiner Armeecolonnen ab. Marlborough, der in eben dieser Stadt Karl XII. besuchte, nahm auf einer Karte einen Strich wahr, der in Moskau ausslief; hieraus entnahm er, daß der Monarch diesen Weg eingeschlagen und sich nicht in den Krieg des Abendlandes mischen werde.

Obgleich Bonaparte den Plan seines Einfalls nicht offen eingestand, konnte er ihn doch nicht verbergen; hiefür brachte er bei den Diplomaten drei Beschwerdegründe vor, nämlich den Ukas vom 31. December 1810, welcher gewisse Einfuhren nach Rußland verbot und durch dieses Verbot das Continentalsystem unwirksam machte; die Protestation Alexander's gegen die Einverleibung des Herzogthums Oldenburg und die Rüstungen Rußlands.

Wäre man nicht an den Mißbrauch der Worte gewöhnt gewesen, so würde man gestaunt haben, als rechtmäßige Kriegserklärung die Zollverordnungen eines unabhängigen Staates und die Verletzungen eines von diesem Staate nicht angenommenen Systems vorgeben zu sehen. Was aber die Einverleibung des Herzogthums Oldenburg und die Rüstungen Rußlands betrifft, so habe ich schon bemerkt, daß der Herzog von Vicenza gewagt hatte, Napoleon die Vermessenheit seiner Vorwürfe vor Augen zu halten. Die Gerechtigkeit ist so heilig, sie scheint zu einem guten Erfolge der Unternehmungen so nothwendig, daß selbst diejenigen, welche sie mit Füßen treten, nur nach ihren Grundsätzen zu handeln behaupten.

Indeſſen wurde der General Lauriſton nach Petersburg und der Graf von Narbonne in's Hauptquartier Alexander's geſchickt: Boten mit verdächtigen Friedensworten und gutem Willen. Der Abbé von Pradt war an den polniſchen Reichstag abgeſandt worden, bei ſeiner Rückkehr von demſelben gab er ſeinem Gebieter den Beinamen Jupiter-Scapin. Der Graf von Narbonne meldete, daß Alexander ohne Bangen und ohne Prahlerei den Krieg einem ſchimpflichen Frieden vorziehe. Der Czar zollte Napoleon immer eine ungekünſtelte Bewunderung, behauptete jedoch, die Sache der Ruſſen ſei eine gerechte und ſein ehrgeiziger Freund habe Unrecht. Dieſe in den moskowitiſchen Bülletins ausgedrückte Wahrheit erhielt das Gepräge des Nationalgeiſtes, indem Bonaparte zum Antichriſt geſtempelt wurde.

Napoleon verläßt Dresden am 22. Mai 1812, zieht durch Poſen und Thorn und ſieht dort, wie die Polen durch ſeine anderen Verbündeten geplündert werden. Er fährt die Weichſel hinab und hält ſich in Danzig, Königsberg und Gumbinnen auf.

Unterwegs muſterte er ſeine verſchiedenen Truppen; mit den alten Soldaten ſpricht er von den Pyramiden, von Marengo, Auſterlitz, Jena, Friedland; mit den jungen Leuten beſchäftigt er ſich, indem er ſich über ihre Bedürfniſſe, ihre Ausrüſtungen, ihren Sold, ihre Hauptleute erkundigt; er ſpielte in dieſem Augenblick den Gütigen.

Einfall in Rußland. — Wilna; der polniſche Senator Wibicki; der ruſſiſche Parlamentär Balaſcheff. — Smolensk. — Murat. — Der Sohn Platow's.

Als Bonaparte den Niemen überſchritt, erkannten fünfundachtzig Millionen fünfmalhunderttauſend Seelen ſeine Oberherrſchaft oder die ſeiner Familie an, die Hälfte der chriſtlichen Bevölkerung gehorchte ihm; ſeine Befehle wurden in einem Raum von

19 Grad Breite und 30 Grad Länge vollſtreckt. Noch nie hat man ein rieſenhafteres Unternehmen geſehen, noch wird man je wieder ein ſolches ſehen.

Am 22. Juni erklärt Napoleon in ſeinem Hauptquartier in Wilkowiski öffentlich den Krieg:

„Soldaten, der zweite polniſche Krieg hat begonnen; der erſte endete in Tilſit; Rußland wird durch ſein Verhängniß fortgeriſſen, ſein Geſchick muß ſich erfüllen.“

Moskau antwortet dieſer noch jungen Stimme durch den Mund ſeines hundertundzehn Jahre alten Metropolitans:

„Die Stadt Moskau empfängt Alexander, ihren Chriſtus, wie die Arme treuer Söhne eine Mutter, und ſingt Hoſianna! Gepriesen ſei, der da kommt!“

Bonaparte wandte ſich an das Schickſal, Alexander an die Vorſehung.

In der Nacht des 23. Juni 1812 erblickte Napoleon den Niemen und befahl, drei Brücken darüber zu ſchlagen. Gegen Abend des folgenden Tages ſetzen einige Sapeurs in einem Schiffe über den Fluß, finden aber Niemand auf dem andern Ufer. Endlich kommt ein Koſakenoffizier, der eine Patrouille befehligt, auf ſie zu und fragt ſie, wer ſie ſeien?

„Franzoſen.“

„Warum kommt Ihr nach Rußland?“

„Um Euch zu bekriegen.“

Der Koſak verſchwindet im Gehölz; drei Sapeurs feuern gegen den Wald; man beantwortet es nicht; allgemeines Stillſchweigen.

Bonaparte lag einen ganzen Tag kraftlos hingeſtreckt, doch ohne Ruhe; er fühlte, daß ihm Etwas entwich. Die Colonnen unſerer Armeen rückten, von der Dunkelheit begünſtigt, durch den Wald von Pilwisky vor, wie die Hunnen, die von einer Hindin in Sümpfe geführt wurden. Man ſah den Niemen nicht; um ihn zu erkennen, mußte man an ſeinen Ufern ſtehen.

Um die Mittagszeit ſah man ſtatt moskowitiſcher Bataillone

oder der ihren Befreiern entgegen eilenden lithauiſchen Bevölkerung bloß nackten Sand und öde Wälder. „Dreihundert Schritte vom Fluſſe entfernt, erblickte man auf dem höchſtgelegenen Punkte das Zelt des Kaiſers. Rings um daſſelbe waren alle Hügel, Abhänge und Thäler mit Menſchen und Pferden bedeckt. (Ségur.)

Die ſämmtliche Streitmacht, die Napoleon gehorchte, belief ſich auf ſechshundertachtzigtauſend dreihundert Mann Fußvolk und hundertſiebenzigtauſend achthundert und fünfzig Pferde. Im Erbfolgekrieg hatte Ludwig XIV ſechshunderttauſend Mann unter Waffen, lauter Franzoſen. Die active Infanterie unter dem unmittelbaren Befehl Bonaparte's war in zehn Corps eingetheilt. Dieſe Corps beſtanden aus zwanzigtauſend Italienern, achtzigtauſend Mann vom Rheinbund, dreißigtauſend Polen, dreißigtauſend Oeſtreichern, zwanzigtauſend Preußen und zweihundertſiebenzigtauſend Franzoſen.

Die Armee paſſirte den Niemen, Napoleon ſelbſt überſchreitet die verhängnißvolle Brücke und ſetzt den Fuß auf ruſſiſche Erde. Er hält ſtill und ſieht ſeine Soldaten an ſich vorbei defiliren, dann entzieht er ſich den Blicken und galoppirt auf's Gerathewohl in einen Wald, als ob er zum Rath von Geiſtern auf der Haide gerufen wäre. Er kommt zurück, er horcht, die Armee horchte; man bildet ſich ein, fernen Kanonendonner zu hören, man war voller Freude; es war nur ein Gewitter; die Kämpfe lagen weiter zurück. Bonaparte fand ein Obdach in einem verlaſſenen Kloſter, dem doppelten Aſyl des Friedens.

Man hat erzählt, daß das Pferd unter Napoleon ſtürzte, und man hörte murmeln: „Das iſt eine üble Vorbedeutung; ein Römer ginge zurück.“ Alte Geſchichte von Scipio, Wilhelm dem Baſtard, Eduard III und Malesherbes, als er vor das Revolutionstribunal ging.

Die Truppen brauchten drei Tage zum Uebergang, ſie ordneten ſich und rückten vor. Napoleon beeilte ſich auf dem Marſch; die Zeit rief ihm, wie Boſſuet ſagt, zu: Vorwärts! vorwärts!“

In Wilna empfing Bonaparte den Senator Wibicki vom

Reichstag zu Warschau; auch ein russischer Parlamentär, Balaſcheff, ſtellt ſich ihm vor; er erklärt, daß man jetzt noch unterhandeln könne, daß Alexander nicht der Angreifer ſei und daß die Franzoſen Rußland ohne vorausgegangene Kriegserklärung betreten hätten. Napoleon antwortet, daß Alexander nur ein Paradegeneral ſei, daß Alexander bloß drei Generäle beſitze: Kutuzoff, um welchen er, Bonaparte, ſich nicht kümmere, weil er ein Ruſſe ſei; Beningſen, ſchon vor ſechs Jahren zu alt und jetzt kindiſch; Barclay, den General des Rückzugs. Der Herzog von Vicenza, welcher glaubte, im Geſpräche durch Bonaparte beleidigt worden zu ſein, unterbrach ihn mit erzürnter Stimme und den Worten:

„Ich bin ein guter Franzoſe, ich habe es bewieſen, und beweiſe es gerade dadurch, indem ich wiederhole, daß dieſer Krieg unpolitiſch und gefährlich iſt, daß die Armee Frankreich und den Kaiſer verderben wird.“

Bonaparte hatte zu dem ruſſiſchen Geſandten geſagt: „Glauben Sie, ich kümmere mich Etwas um Eure polniſchen Jakobiner?“ Frau von Staël erwähnte dieſer letztern Aeußerung; ſie war durch ihre hohen Verbindungen immer wohlunterrichtet und beſtätigt das Vorhandenſein eines Briefes, der durch einen Miniſter Bonaparte's an Herrn von Romanzow geſchrieben und in welchem der Vorſchlag gemacht wurde, die Namen Polens und der Polen aus den europäiſchen Urkunden zu ſtreichen: ein mehr als hinlänglicher Beweis der Abneigung Napoleon's gegen ſeine tapferen Supplicanten.

Bonaparte erkundigte ſich in Gegenwart Balaſcheff's nach der Zahl der Kirchen Moskau's; nach erfolgter Antwort rief er: „Wie, ſo viel Kirchen in einer Zeit, wo man nicht mehr chriſtlich iſt.

„Um Vergebung, Sire,“ erwiederte der Moskowite, „die Ruſſen und Spanier ſind es noch.“

Nachdem Balaſcheff mit unannehmbaren Vorſchlägen zurückgeſchickt worden war, erloſch der letzte Schein von Frieden. Die Bülletins ſagten: „Da ſehen wir alſo dieſes ruſſiſche Reich, das von ferne ſo furchtbar erſcheint! Es iſt eine Wüſte. Alexander

braucht mehr Zeit, um ſeine Rekruten zu ſammeln, als Napoleon, um nach Moskau zu gelangen.

Als Bonaparte Witepsk erreicht, hatte er einen Augenblick den Gedanken, hier ſtehen zu bleiben. Als er nach einem neuen Rückzuge Barclay's in ſein Hauptquartier zurückkehrte, warf er ſeinen Degen auf die Karten und rief: „Hier bleibe ich ſtehen! mein Feldzug von 1812 iſt beendigt; der von 1813 wird das Uebrige thun."

Wohl ihm, wenn er an dieſem Entſchluſſe, den alle ſeine Generäle ihm riethen, feſtgehalten hätte! Er hatte ſich geſchmeichelt, neue Friedensvorſchläge zu erhalten; als er Nichts kommen ſah, langweilte es ihn; er ſtand nur zwanzig Tagmärſche von Moskau entfernt.

„Moskau, die heilige Stadt!" wiederholte er. Sein Blick funkelte, ſeine Miene wurde wild; der Befehl zum Aufbruch wird gegeben. Man macht ihm Vorſtellungen, er verachtet ſie; Daru, den er befragt, antwortet ihm, „daß er weder den Zweck noch die Nothwendigkeit eines ſolchen Krieges einſehe." Der Kaiſer erwiederte ihm: „Hält man mich für einen Wahnſinnigen, meint man, ich führe bloß aus Liebhaberei Krieg?" Hatte man nicht ihn, den Kaiſer ſelbſt, ſagen hören, der ſpaniſche und der ruſſiſche Krieg ſeien zwei an Frankreich freſſende Geſchwüre? Allein um Frieden zu ſchließen, bedurfte es zweier Parteien und man empfing nicht einen einzigen Brief von Alexander.

Und dieſe Geſchwüre, von wem rührten ſie her? Solche Inconſequenzen gehen unbeachtet hin und verwandeln ſich ſelbſt im Nothfall in Beweiſe einer treuherzigen Aufrichtigkeit Napoleon's.

Bonaparte glaubte ſich herabzuwürdigen, wenn er bei einem Fehler, den er erkannte, innehielt. Seine Soldaten beklagen ſich, ihn nur noch in den Augenblicken des Kampfes zu ſehen, und zwar bloß, um ſie in den Tod zu führen, nie aber, um ſie neu zu beleben; doch er iſt taub für dieſe Klagen. Bei der Nachricht von dem Frieden zwiſchen den Ruſſen und den Türken zeigt er

ſich betroffen; ſie hält ihn aber nicht ab und er ſtürzt ſich nach Smolensk.

Die Proclamationen der Ruſſen ſagten: Er (Napoleon) kommt, den Verrath im Herzen und die Redlichkeit auf den Lippen; er kommt, um uns mit ſeinen Sklavenlegionen zu feſſeln. Laßt uns das Kreuz in unſeren Herzen und die Waffen in unſeren Händen tragen; laßt uns dieſem Löwen die Zähne ausreißen; zerſchmettern wir den Tyrannen, der die Erde verheert."

Auf den Höhen von Smolensk findet Napoleon die ruſſiſche Armee wieder, die aus hundert und zwanzig tauſend Mann beſtand. „Ich habe ſie!" ruft er. Am 17. bei Tagesanbruch verfolgt Belliard eine Bande Koſaken und wirft ſie in den Dnieper; bei einer Wendung erblickt man die feindliche Armee auf der Straße nach Moskau; ſie zog ſich zurück. Der Traum Bonaparte's entwiſcht ihm abermals. Murat, welcher zu der unnützen Verfolgung nur zu viel beigetragen hatte, wünſchte in ſeiner Verzweiflung zu ſterben. Er weigerte ſich, eine unſerer Batterien, die durch das Feuer der noch nicht geräumten Citadelle von Smolensk zerſchmettert worden war, zu verlaſſen.

„Zieht Euch Alle zurück; laßt mich allein hier!" rief er. Nun fand ein furchtbarer Sturm gegen dieſe Citadelle ſtatt; auf den amphitheatraliſch ſich erhebenden Höhen aufgeſtellt, ſchaute unſere Armee dem unter ihr tobenden Kampfe zu, und wenn ſie die Stürmenden ſich durch das Feuer und den Kartätſchenhagel ſtürzen ſah, klatſchte ſie in die Hände, wie ſie es beim Anblick der Ruinen Thebens gethan hatte.

In der Nacht zieht eine Feuersbrunſt die Blicke auf ſich. Ein Untergebener Davouſt's erklimmt die Mauern, kommt durch den Rauch hindurch in der Citadelle an; der Ton einiger entfernten Stimmen gelangt an ſein Ohr; die Piſtole in der Hand wendet er ſich nach dieſer Seite und fällt zu ſeinem großen Erſtaunen in die Hände einer befreundeten Patrouille. Die Ruſſen hatten die Stadt verlaſſen und Poniatowsky's Polen ſie beſetzt.

2*

Durch ſein außergewöhnliches Coſtüm und den Charakter ſeiner Tapferkeit, welche der ihrigen glich, erregte Murat die Bewunderung der Koſaken. Eines Tages, als er auf ihre Banden einen wüthenden Angriff machte, ſprengt er auf ſie zu, ſchilt ſie und commandirt ihnen; die Koſaken verſtehen ihn nicht, errathen aber, was er meint, kehren um und gehorchen dem Befehle des feindlichen Generals.

Als wir in Paris den Hetman Platow ſahen, kannten wir ſein väterliches Herzeleid nicht. Im Jahr 1812 hatte er einen Sohn, ſchön wie der Orient; dieſer Sohn ritt einen prächtigen Schimmel aus der Ukraine; der ſiebenzehnjährige Krieger kämpfte mit der Unerſchrockenheit des Alters, welches blüht und hofft; ein polniſcher Uhlane tödtete ihn. Die Koſaken küſſen dem auf ein Bärenfell ausgeſtreckten Todten ehrerbietig die Hand. Sie beten Trauergebete, beerdigen ihn auf einem mit Fichten bedeckten Hügel; dann deſiliren ſie, ihre Pferde an der Hand führend und die Spitze ihrer Lanze gegen die Erde gekehrt, am Grabe vorbei. Man glaubte die von dem Geſchichtſchreiber der Gothen beſchriebenen Leichenfeierlichkeiten oder die prätorianiſchen Cohorten zu ſehen, wie ſie ihre Ruthenbündel vor der Aſche des Germanicus umkehrten, versi fasces.

„Der Wind ſchüttelt die Schneeflocken zur Erde, die der Frühling des Nordens in ſeinen Haaren trägt.“ (Sämunds Edda.)

Rückzug der Ruſſen. — Der Boryſthenes. — Bedrängniß Bonaparte's. — Kutuzoff erſetzt Barclay im Oberbefehl der ruſſiſchen Armee. — Schlacht bei der Moskowa oder bei Borodino. — Bülletin. — Anblick des Schlachtfeldes.

Bonaparte ſchrieb von Smolensk aus nach Frankreich, daß er Herr der ruſſiſchen Salinen ſei und daß ſein Schatzmeiſter auf achtzig Millionen mehr zählen könne.

Rußland floh gegen den Pol zu; die Gutsherren verließen ihre hölzernen Schlöſſer und flüchteten ſich mit ihren Familien, ihren Leibeigenen und ihrem Vieh. Der Dnieper oder vormalige Boryſthenes, deſſen Gewäſſer einſt von Wladimir für heilig erklärt worden waren, war überſchritten. Dieſer Fluß hatte den civiliſirten Völkern Einwanderungen der Barbaren geſchickt; jetzt mußte er die Einwanderungen civiliſirter Völker dulden. Seine Wildheit unter einem griechiſchen Namen verbergend, erinnerte er ſich nicht einmal mehr der erſten Wanderungen der Slaven; er fuhr fort, ungekannt durch ſeine Wälder hinzufließen und, ſtatt der Kinder Odin's, Shwals und Parfümerien für die Frauen von Petersburg und Warſchau in ſeinen Barken zu tragen. Seine Geſchichte für die Welt beginnt erſt im Oſten der Gebirge, wo die Altäre Alexander's ſind.

Von Smolensk konnte man ebenſo gut eine Armee nach St. Petersburg als nach Moskau führen. Smolensk hätte den Sieger ermahnen ſollen, hier anzuhalten; er hatte einen Augenblick Luſt dazu. „Entmuthigt, ſprach der Kaiſer von dem Plane, in Smolensk ſtehen zu bleiben," ſagt Herr Fain.

In den Feldlazarethen begann es bereits an Allem zu mangeln. Der General Gourgaud erzählt, daß der General Lariboiſſière genöthigt war, das Werg von ſeinen Kanonen abzunehmen, um die Verwundeten zu verbinden. Allein Bonaparte ward fortgeriſſen; er fand ſeine Luſt daran, an beiden Enden Europa's die zwei Morgenröthen zu betrachten, welche ſeine Armeen in brennenden Ebenen und auf Eisfeldern beleuchteten

In dem engen Kreiſe ſeines Ritterthums lief Roland der Angelika nach, die Eroberer erſten Ranges verfolgen eine höhere Herrſcherin; für ſie gibt es keine Ruhe, bevor ſie jene mit Thürmen gekrönte Gottheit, die Gattin der Zeit, die Tochter des Himmels und Mutter der Götter, in ihre Arme gedrückt haben. Von ſich ſelbſt ganz erfüllt, bezog Bonaparte Alles auf ſeine Perſon; Napoleon hatte ſich Napoleon's bemächtigt, es war Nichts mehr

in ihm, als er. Bis dahin hatte er nur berühmte Orte durchzogen, jetzt schritt er auf einer Straße ohne Namen hin, welcher entlang Peter der Große kaum einen oberflächlichen Entwurf von den künftigen Städten eines Reiches, das noch kein Jahrhundert zählte, gemacht hatte. Wenn die Beispiele zur Lehre dienten, so hätte die Erinnerung an Karl XII, der durch Smolensk zog, um Moskau zu suchen, Bonaparte beunruhigen müssen.

Bei Kolodrino fand ein mörderisches Gefecht statt; die Leichen der Franzosen hatte man in größter Eile begraben, so daß Napoleon den Umfang seines Verlustes nicht beurtheilen konnte.

Zu Dorogobouj Begegnung eines Russen mit einem auf die Brust hinabreichenden Barte von blendender Weiße, der zu alt, um seiner Familie zu folgen, allein bei seinem Herd zurückgeblieben war; er hatte zu Ende der Herrschaft Peter's des Großen Wunder mit angesehen und war jetzt mit stillschweigender Entrüstung Zeuge der Verheerung seines Landes.

Eine Reihe angebotener und verweigerter Schlachten führte die Franzosen auf das Feld von der Moskowa. Bei jedem Bivouak berathschlagte der Kaiser mit seinen Generälen und hörte, auf Tannenzweigen sitzend oder mit einer russischen Kugel spielend, die er hin und herstieß, ihrem Streite zu.

Barclay, ein Pastor aus Liefland und später General, war der Urheber dieses Rückzugssystems, das dem Herbste Zeit ließ, über den Feind hereinzubrechen; eine Hofintrigue stürzte ihn. Der alte Kutuzoff, welcher bei Austerlitz geschlagen wurde, weil man seinen Rath, den Kampf bis zu der Ankunft des Prinzen Karl aufzuschieben, nicht befolgt hatte, trat an die Stelle Barclay's. Die Russen sahen in Kutuzoff einen General ihrer Nation, einen Zögling Suwaroff's, den Besieger des Großveziers im Jahr 1811 und den Stifter des für Rußland damals so nothwendigen Friedens mit der Pforte. Mitlerweile zeigt sich ein moskowitischer Officier bei den Vorposten Davoust's; er war nur mit unbestimmten

Vorſchlägen beauftragt, ſeine wirkliche Miſſion ſchien im Beobachten und Ausſpähen zu beſtehen; man zeigte ihm Alles. Die ſorgloſe und unerſchrockene franzöſiſche Neugier fragte ihn, welchen Ort man zwiſchen Biazma und Moskau fände: „Pultawa," antwortete er.

Auf den Höhen von Borodino angekommen, ſieht Bonaparte endlich die ruſſiſche Armee gelagert und furchtbar verſchanzt. Sie zählte hundertzwanzigtauſend Mann und ſechshundert Kanonen; von Seite der Franzoſen gleiche Streitmacht. Der Marſchall Davouſt, welcher den linken Flügel der Ruſſen recognoscirt hatte, macht Napoleon den Vorſchlag, den Feind zu umgehen. „Das würde mir zu viel Zeit rauben," antwortete der Kaiſer. Davouſt beſteht darauf; er macht ſich anheiſchig, dieſes Manöver vor ſechs Uhr Morgens ausgeführt zu haben; Napoleon unterbricht ihn barſch mit den Worten: „Ach, Sie ſind immer dafür, den Feind zu umgehen."

Man hatte im moskowitiſchen Lager eine große Bewegung bemerkt; die Truppen ſtanden unter Waffen; von den Popen und Archimandriten umgeben, während die Sinnbilder der Religion und ein aus den Ruinen von Smolensk gerettetes Heiligenbild ihm vorangetragen werden, redet Kutuzoff ſeinen Soldaten vom Himmel und vom Vaterlande und nennt Napoleon den Weltdeſpoten.

Mitten unter den Kriegsliedern und den mit Schmerzenstönen gemiſchten Triumphchören im franzöſiſchen Lager hört man auch hier eine chriſtliche Stimme; ſie unterſcheidet ſich von allen andern; es iſt der heilige Hymnus, der allein unter der Wölbung des Tempels emporſteigt. Der Soldat, deſſen ruhige und doch bewegte Stimme zuletzt wiederhallt, iſt der Aide-de-camp des Marſchalls, welcher die Cavallerie der Garde befehligte. Dieſer Aide-de-camp hat ſich bei allen Schlachten des ruſſiſchen Feldzugs betheiligt; von Napoleon ſpricht er wie ſeine größten Bewunderer, anerkennt aber auch ſeine Schwächen; lügenhafte Erzählungen weist er zurück und erklärt, daß die begangenen Fehler von dem Hochmuth

des Führers und der Gottesvergessenheit seiner Feldherren herrührten.

„In dem russischen Lager," sagte der Oberstlieutenant von Baudus, „feierte man diesen Vorabend eines Tages, welcher für so viele Tapfere der letzte sein sollte." . . . . . .

. . . . . .

„Das durch die Frömmigkeit des Feindes meinen Augen gebotene Schauspiel, so wie die Spötteleien, die es bei einer nur zu großen Anzahl von Offizieren in unseren Reihen hervorrief, erinnerte mich, daß selbst der größte unserer Könige, Karl der Große, sich angetrieben fühlte, die gefährlichste seiner Unternehmungen mit religiösen Ceremonien zu beginnen . . . . . Ach ohne Zweifel befand sich unter diesen verirrten Christen eine große Zahl, die in ihrer Treuherzigkeit das Gebet noch für heilig hielten; denn wenn auch die Russen an der Moskowa besiegt wurden, so bewies doch einige Monate später unsere gänzliche Vernichtung, deren sie sich in keiner Weise rühmen können, da sie das offenkundige Werk der Vorsehung war, daß ihr Flehen ein nur zu geneigtes Gehör gefunden hatte."

Aber wo war der Czar? Er hatte so eben der flüchtigen Frau von Staël bescheiden bekannt, daß er bedaure, kein großer Feldherr zu sein. In diesem Augenblick erschien in unsern Bivouaks Herr von Beauffet, Palastoffizier. Die friedlichen Gehölze von Saint-Cloud verlassend und den schrecklichen Spuren unserer Armee folgend, kam er am Vorabend des Leichenbegängnisses bei der Moskowa an; er brachte das Portrait des Königs von Rom, das Marie Louise dem Kaiser sandte. Herr Fain und Herr von Ségur schildern die Gefühle, von denen Bonaparte bei diesem Anblick ergriffen wurde; nach der Aussage des General Gourgaud rief Bonaparte, nachdem er das Bildniß betrachtet hatte: „Entfernt ihn, er sieht zu früh ein Schlachtfeld."

Der Tag, welcher dem Sturme voranging, war ungemein ruhig. „Diese Art von Klugheit," sagt Herr von Baudus, „welche

man anwendet, um so grausame Tollheiten vorzubereiten hat etwas Erniedrigendes für die menschliche Vernunft, wenn man in dem Alter, das ich erreicht habe, mit kaltem Blute daran denkt; denn in meiner Jugend fand ich das sehr schön."

Gegen Abend des 6. dictirte Bonaparte folgende Proclamation, die jedoch der Mehrzahl der Soldaten erst nach dem Siege bekannt wurde:

Soldaten, die so ersehnte Schlacht steht nun vor der Thüre. Jetzt hängt der Sieg von Euch ab, er ist uns nothwendig und wird uns Ueberfluß und eine baldige Rückkehr in's Vaterland bringen. Benehmet Euch wie bei Austerlitz, Friedland, Witepsk und Smolensk, und möge die späteste Nachwelt von Eurer Tapferkeit an diesem Tage reden, möge man von Euch sagen: Er war bei jener Schlacht unter den Mauern Moskau's."

Bonaparte brachte die Nacht in großer Angst zu; bald glaubte er, die Feinde zögen sich zurück, bald fürchtete er die Entblößung seiner Soldaten und die Mattigkeit seiner Offiziere. Er wußte, daß man in seiner Umgebung sagte: „Zu welchem Zwecke hat man uns 800 Meilen zurücklegen lassen, wenn wir nur Morastwasser, Hungersnoth und Nachtlager auf Aschenhaufen finden sollen? Jedes Jahr wird der Krieg bedeutender; neue Eroberungen zwingen uns, neue Feinde zu suchen. Bald wird ihm Europa nicht mehr genügen; er wird Asien noch haben müssen."

In der That hatte Bonaparte den Lauf der Flüsse, die sich in die Wolga stürzen, nicht gleichgültig betrachtet; für Babylon geboren, hatte er es schon auf einem andern Wege gesucht. Aufgehalten bei Jaffa, dem westlichen Eingang Asiens, aufgehalten bei Moskau, an dem nördlichen Thore desselben Asiens, starb er in den Meeren, welche jenen Welttheil bespülen, wo der Mensch erstand und die Sonne aufzustehen scheint.

Mitten in der Nacht ließ Napoleon einen seiner Aides-de-camp rufen, dieser traf ihn, das Haupt in beide Hände gestützt.

„Was ist der Krieg?" sagte er. „Ein barbarisches Handwerk,

deſſen ganze Kunſt darin beſteht, auf einem gewiſſen Punkte der Stärkſte zu ſein."

Er beklagt ſich über die Unbeſtändigkeit des Glückes; er befiehlt, die Stellung des Feindes zu recognosciren; man meldet ihm, daß die Feuer noch ebenſo ſtark und in gleicher Anzahl leuchten; er beruhigt ſich. Um fünf Uhr Morgens läßt ihn Ney um den Befehl zum Angriff bitten; Bonaparte tritt aus ſeinem Zelte und ruft: „Laßt uns die Thore von Moskau öffnen." Es wird Tag; Napoleon ruft, auf den ſich röthenden Oſten zeigend: „Das iſt die Sonne von Auſterlitz!"

Mojaisk, den 12. September 1812.

Auszug aus dem achtzehnten Bülletin der großen Armee.

. . . . . .

„Am 6. recognoscirte der Kaiſer um zwei Uhr Morgens die feindlichen Vorpoſten; man brachte den Tag damit zu, ſich gehörig zu orientiren. Der Feind hatte eine ſehr compacte Stellung.

Dieſe Stellung ſchien eine ſchöne und ſtarke. Es war leicht, den Feind durch ein Manöver zum Aufgeben derſelben zu nöthigen; allein das hätte die Dinge wieder in den vorigen Stand gebracht.

. . . . . .

Am 7. um 6 Uhr Morgens, begann der General Graf Sorbier, welcher die rechte Batterie mit der Reſerve der Garde-Artillerie beſetzt hatte, das Feuer.

Um halb ſieben Uhr wird der General Compans verwundet. Um ſieben Uhr iſt das Pferd des Fürſten von Eckmühl getödtet...

Um ſieben Uhr ſetzt ſich der Marſchall Herzog von Elchingen in Bewegung und wendet ſich unter dem Schutze von ſechzig Kanonen, die der General Foucher Abends zuvor gegen das Centrum

des Feindes aufſtellen ließ, gegen eben dieſes Centrum. Tauſend Kanonen ſpeien von der einen wie von der andern Seite den Tod.

Um acht Uhr iſt der Feind aus ſeinen Stellungen gewichen, ſind ſeine Redouten genommen und krönt unſere Artillerie ihre Bruſtwehren . . . . . .

. . . . . .

Dem Feinde bleiben noch ſeine Redouten auf dem rechten Flügel; der General Graf Morand marſchirt auf ſie los und nimmt ſie, kann ſich jedoch, von allen Seiten angegriffen, um neun Uhr Morgens dort nicht länger halten. Ermuthigt durch dieſen Erfolg, läßt der Feind ſeine Reſerve und ſeine letzten Truppen vorrücken, um das Glück noch einmal zu verſuchen. Die ruſſiſche Kaiſergarde nimmt ebenfalls Theil daran. Er greift unſer Centrum an, an welches ſich unſer rechter Flügel angelehnt hat. Man fürchtet einen Augenblick, er werde das abgebrannte Dorf wieder nehmen; die Diviſion Friant verfügt ſich hin; achtzig franzöſiſche Kanonen halten Anfangs die feindlichen Colonnen, die zwei Stunden lang compact unter dem Kartätſchenhagel ſtehen, weder vorzurücken wagen, noch weichen wollen, und die Hoffnung auf den Sieg aufgeben, auf und vernichten ſie nachher. Der König von Neapel macht der Ungewißheit ein Ende; er läßt das vierte Cavalleriecorps laden, das in die Lücken eindringt, welche das Geſchoß unſerer Kanonen in den dicht geſchloſſenen Maſſen der Ruſſen und den Schwadronen ihrer Küraſſire eingeriſſen hat, und der Feind ſtiebt auf allen Seiten in wilder Unordnung auseinander...

. . . . . .

Es iſt zwei Uhr Nachmittags, alle Hoffnung verläßt den Feind; die Schlacht iſt beendigt, nur die Kanonade dauert noch fort; er ſchlägt ſich noch, um ſich das Leben und den Rückzug, nicht aber den Sieg zu erkämpfen.

Unſer Totalverluſt kann ſich auf zehntauſend Mann, der des Feindes auf vierzig- oder fünfzigtauſend Mann belaufen. Noch nie hat man ein ſolches Schlachtfeld geſehen. Auf je ſechs Leichen

kamen ein Franzoſe und fünf Ruſſen. Vierzig Generäle ſind getödtet, verwundet oder gefangen worden; der General Bagration iſt verwundet.

Wir haben den Diviſionsgeneral Graf Montbrun verloren, der durch einen Kanonenſchuß getödtet wurde, und eine Stunde nachher den General Graf Caulaincourt, der an die Stelle des Getödteten beordert ward, gleichfalls durch einen Kanonenſchuß.

Die Brigadegeneräle Compère, Plauzonne, Marion, Huart ſind todt, ſieben bis acht Generäle verwundet, doch die Mehrzahl nur leicht. Der Fürſt von Eckmühl hat keinen Schaden genommen. Die franzöſiſchen Truppen haben ſich mit Ruhm bedeckt und ihre große Ueberlegenheit über die ruſſiſchen bewieſen.

Das iſt in kurzen Worten die Skizze von der Schlacht an der Moskowa, die zwei Stunden hinter Moſaisk und fünfundzwanzig Stunden vor Moskau geliefert wurde.

Der Kaiſer kam nie in Gefahr; weder die Garde zu Fuß, noch die zu Pferd hat einen Mann verloren. Der Sieg war nie ungewiß. Wenn der aus ſeinen Stellungen getriebene Feind dieſe nicht wieder zu nehmen geſucht hätte, ſo wäre unſer Verluſt ſtärker geweſen, als der ſeine; allein er hat ſeine Armee zerſtört, indem er ſie von acht Uhr Morgens bis zwei Uhr Nachmittags dem Feuer unſerer Batterien ausgeſetzt ließ und hartnäckig das Verlorene wieder zu erobern ſuchte. Das iſt die Urſache ſeines unermeßlichen Verluſtes."

Dieſes kalte Bülletin, das eine Menge wichtiger Umſtände verſchweigt, gibt entfernt keine Idee von der Schlacht an der Moskowa und beſonders von dem gräßlichen Gemetzel bei der großen Redoute; achtzigtauſend Mann wurden kampfunfähig gemacht, dreißigtauſend davon gehörten Frankreich an. Auguſt von la Rochejacquelein, dem das Geſicht durch einen Säbelhieb geſpalten wurde, gerieth in die Gefangenſchaft der Moskewiten; er erinnerte an andere Kämpfe und an eine andere Fahne. Als Bonaparte das faſt ganz aufgeriebene einundſechzigſte Regiment muſterte, fragte

er den Oberſten deſſelben: „Oberſt, wo haben Sie eines Ihrer Bataillone?“ — „Sire, es iſt in der Redoute.“ Die Ruſſen behaupteten und behaupten immer noch, die Schlacht gewonnen zu haben; ſie wollen auf den Höhen von Borodino zum Andenken ihrer Todten eine Triumphſäule errichten.

„Der Bericht des Herrn von Ségur mag ergänzen, was in dem Büllettin Bonaparte's mangelt:

Der Kaiſer,“ ſagt er, „durchritt das Schlachtfeld. Nie bot ein ſolches einen ſo ſchauerlichen Anblick dar. Alles trug dazu bei: ein trüber Himmel, ein kalter Regen, ein heftiger Wind, Wohnungen, die in Aſche lagen, eine aufgewühlte, mit Ruinen und Trümmern bedeckte Ebene; am Horizonte das traurige dunkle Grün der Bäume des Nordens; überall Soldaten, die unter den Leichen umherirrten, um ſich ſelbſt in den Torniſtern ihrer todten Kameraden Lebensmittel zu ſuchen; furchtbare Wunden, denn die ruſſiſchen Kugeln ſind größer als die unſrigen; ſtille Bivouaks, keine Geſänge, kein Geplauder mehr: ein dumpfes, finſteres Schweigen.

Um die Adler herum ſah man den Reſt der Offiziere und Unteroffiziere und einige Soldaten verſammelt, und zwar kaum ſo viel, als zur Bewachung der Fahne nothwendig waren. Ihre Kleider waren in der Hitze des Kampfes zerriſſen worden, von Pulver geſchwärzt und mit Blut bedeckt, und doch ließen ſich in dieſen Fetzen, dieſem Elend, dieſem Unglück eine ſtolze Miene wahrnehmen und ſogar beim Erſcheinen des Kaiſers einige, zwar ſeltene und herausgeforderte, Siegesrufe vernehmen; denn in dieſer Armee, die zu gleicher Zeit zur Auflöſung und Begeiſterung fähig war, urtheilte Jeder über die Lage Aller . . . . . .

. . . . . .

„Der Kaiſer konnte ſeinen Sieg nur nach der Zahl der Todten anſchlagen. Der Boden war mit auf den Redouten ausgeſtreckten Franzoſen ſo überſäet, daß die Redouten mehr dieſen, als den noch aufrecht Gebliebenen anzugehören und mehr getödtete als lebendige Sieger da zu ſein ſchienen.

Unter der Menge von Leichen, über welche man ſchreiten mußte, um Napoleon zu folgen, trat der Fuß eines Pferdes einen Verwundeten und entriß ihm ein letztes Lebens- und Schmerzeszeichen. Der Kaiſer, der bis dahin ſtumm geblieben war, wie ſein Sieg, und der ſich beim Anblick ſo vieler Opfer beklommen fühlte, machte endlich ſeinen Empfindungen in Ausrufen der Entrüſtung Luft und erleichterte ſein Herz durch vielſeitige Sorgfalt, die er dieſen Unglücklichen angedeihen ließ. Dann hieß er die ihn begleitenden Offiziere ſich zerſtreuen, um den Verwundeten, welche man von allen Seiten rufen hörte, Beiſtand zu leiſten.

„Man fand ihrer beſonders viele in Schluchten, in welche die meiſten der Unſern geſtürzt worden waren und wohin ſich auch Mehrere geſchleppt hatten, um beſſer vor dem Feinde und dem Sturme geſchützt zu ſein. Die Einen ſprachen ſtöhnend den Namen ihres Vaterlandes oder ihrer Mutter aus; das waren die Jüngſten. Die Aelteſten erwarteten den Tod entweder mit kalter, gleichgültiger oder mit bitterer Miene, ohne ſich zu einer Bitte oder Klage herabzulaſſen; Andere verlangten, man möchte ſie auf der Stelle tödten; man eilte jedoch raſch an ſolchen Unglücklichen vorbei, gegen die man weder das nutzloſe Erbarmen haben konnte, ihnen Beiſtand zu leiſten, noch das grauſame Erbarmen haben wollte, ihnen den Todesſtoß zu geben.“

So berichtet Herr von Ségur. Schmach über die Siege, welche nicht in der Vertheidigung des Vaterlandes erfochten wurden, ſondern bloß der Eitelkeit eines Eroberers fröhnen!

Die aus fünfundzwanzigtauſend Mann Kerntruppen beſtehende Garde ward an der Moskowa nicht in den Kampf verflochten; Bonaparte verweigerte es unter verſchiedenen Vorwänden. Gegen ſeine Gewohnheit hielt er ſich entfernt vom Feuer und konnte den Manövern nicht mit eigenen Augen folgen. Er ſaß entweder auf einer ſchon eingenommenen Redoute oder ging in ihrer Nähe auf und nieder. Als man ihn von dem Tode ſeiner Generäle benach-

richtigte, machte er eine Geberde der Ergebung. Man nahm dieſe Gleichgültigkeit mit Staunen wahr, und Ney rief:

„Was thut er hinter der Armee? Dort nimmt er nur das Mißgeſchick und nicht die Erfolge wahr. Da er nicht mehr perſönlich Krieg führt, da er nicht mehr General iſt und allenthalben den Kaiſer ſpielen will, ſo ſoll er in die Tuilerien zurückkehren und uns an ſeiner Stelle Generäle ſein laſſen.“

Murat geſtand, daß er Napoleon's Genie an dieſem großen Tage nicht mehr erkannt habe.

Maßloſe Bewunderer haben Napoleon's Theilnahmloſigkeit den mehrfachen Schmerzen zugeſchrieben, von denen er damals, wie ſie verſichern, befallen war; ſie behaupten, er ſei alle Augenblicke genöthigt geweſen, vom Pferde zu ſteigen, und ſei oft, den Kopf an eine Kanone gelehnt, unbeweglich geblieben. Das mag ſein; eine vorübergehende Unpäßlichkeit konnte in dieſem Augenblick zur Lähmung ſeiner Energie beitragen; wenn man aber bedenkt, daß er dieſe Energie in dem ſächſiſchen Feldzuge und in ſeinem berühmten franzöſiſchen Feldzuge wieder fand, ſo muß man nach einer andern Urſache ſeiner Unthätigkeit bei Borodino ſuchen. Wie! Sie geſtehen in Ihrem Bülletin, daß es leicht war, den Feind durch ein Manöver zum Aufgeben ſeiner ſchönen Stellung zu nöthigen; aber daß dieſes die Dinge in den vorigen Stand zurück verſetzt hätte; und Sie, die Sie Geiſtesthätigkeit genug beſitzen, um ſo viele Tauſende unſerer Soldaten zum Tode zu verdammen. Sie beſitzen nicht Körperkraft genug, um Ihrer Garde zu befehlen, ihnen wenigſtens zu Hülfe zu eilen? Es läßt ſich dieſes nicht anders als durch die Natur des Mannes ſelbſt erklären; das Mißgeſchick brach herein und er erſtarrte bei der erſten Berührung deſſelben. Napoleon's Größe war nicht von jener Art, die dem Unglück angehört; nur im Glück beſaß er ſeine vollen Fähigkeiten; für das Unglück war er nicht geſchaffen.

———

Vorrücken der Franzoſen. — Roſtopſchin. — Bonaparte auf dem Berge des Heils. — Anblick von Moskau. — Einzug Napoleon's im Kreml. — Der Brand von Moskau. — Bonaparte erreicht mit Mühe Petrowski. — Roſtopſchin's Inſchrift. — Aufenthalt auf den Ruinen von Moskau. — Bonaparte's Beſchäftigungen.

Zwiſchen der Moskowa und Moskau lieferte Murat vor Mojaisk ein Gefecht. Man marſchirte in die Stadt ein, in welcher man zehntauſend Todte und Sterbende fand; die Todten warf man zu den Fenſtern hinaus, um die Lebendigen beherbergen zu können. Die Ruſſen zogen ſich in guter Ordnung gegen Moskau zurück.

Am Abend des 13. Septembers hatte Kutuzoff einen Kriegsrath verſammelt; die ſämmtlichen Generäle erklärten, daß Moskau nicht das Vaterland ſei. Buturlin, der nämliche Offizier, den Alexander in's Lager des Herrn Herzogs von Angoulême in Spanien ſchickte, gibt in ſeiner Geſchichte des ruſſiſchen Feldzugs — und Barclay in ſeinen Rechtfertigungsmemoiren die Beweggründe an, welche das Gutachten des Rathes beſtimmten. Kutuzoff ſchlug dem König von Neapel einen Waffenſtillſtand vor, während die ruſſiſchen Soldaten durch die alte Hauptſtadt der Czaren marſchirten. Der Waffenſtillſtand ward angenommen, denn die Franzoſen wollten die Stadt erhalten; Murat allein folgte der kaiſerlichen Arrièregarde auf den Ferſen und unſere Grenadiere traten in die Fußſtapfen der ſich zurückziehenden ruſſiſchen Grenadiere. Napoleon war noch weit von dem Siege, den er ſchon in den Händen zu haben glaubte. Hinter Kutuzoff ſtand Roſtopſchin.

Der Graf Roſtopſchin war Gouverneur von Moskau. Die Rache verſprach vom Himmel herabzuſteigen; ein ungeheurer, mit großen Koſten verfertigter Luftballon ſollte über der franzöſiſchen Armee ſchweben, den Kaiſer unter Tauſenden herauswählen und

ſich in einem Eiſen- und Feuerregen auf ſein Haupt niederlaſſen. Beim Verſuche brachen die Flügel des Luftſchiffes und man mußte auf die Bombe aus den Wolken verzichten; doch das Material zum Feuerwerk blieb Roſtopſchin. Während man ſich nach einem Bülletin Kutuzoff's in dem übrigen Theile des Reiches noch mit dem Siege ſchmeichelte, war die Nachricht von dem Unglück bei Borodino ſchon nach Moskau gelangt. Roſtopſchin hatte verſchiedene Proclamationen in gereimter Proſa erlaſſen; er ſagte:

„Auf, Moskowiten, meine Freunde, auch wir wollen marſchiren! Wir werden hunderttauſend Mann verſammeln, das Bild der heiligen Jungfrau und hundertfünfzig Kanonen mit uns führen und Allem ein Ende machen."

Er rieth den Bewohnern, ſich einfach mit Miſtgabeln zu bewaffnen, da ein Franzoſe nicht mehr als eine Garbe wöge.

Man weiß, daß Roſtopſchin jede Theilnahme am Brand von Moskau von ſich abgelehnt hat; ebenſo weiß man, daß Alexander ſich über dieſen Punkt nie erklärt hat. Wollte Roſtopſchin den Vorwürfen des Adels und der Kaufmannſchaft, deren Vermögen dadurch zu Grunde gerichtet wurde, entgehen? Fürchtete Alexander von der Akademie ein Barbar geheißen zu werden? Dieſes Jahrhundert iſt ſo jämmerlich, Bonaparte hatte alle Größen deſſelben ſo ganz aufgekauft, daß, wenn etwas Edles geſchah, Jeder die Urheberſchaft leugnete und die Verantwortlichkeit dafür von ſich ablehnte.

Der Brand von Moskau wird ein heldenmüthiger Entſchluß bleiben, welcher die Unabhängigkeit eines Volkes rettete und zu der Befreiung mehrerer anderer beitrug. Numantia hat ſeine Rechte auf die Bewunderung der Menſchen nicht verloren. Was liegt daran, ob Moskau verbrannt worden iſt? War es nicht ſchon ſiebenmal abgebrannt? Steht es heutzutage nicht wieder herrlich und verjüngt da, obwohl Napoleon in ſeinem einundzwanzigſten Bülletin prophezeit hatte, der Brand dieſer Hauptſtadt werde Rußland um hundert Jahre zurückbringen? „Selbſt das Unglück von Moskau," ſagt die bewunderungswürdige

Frau von Staël, diente zur Wiedergeburt des Reiches; dieſe religiöſe Stadt ſank hin wie ein Märtyrer, deſſen vergoſſenes Blut den ihn überlebenden Brüdern neue Kräfte verleiht.“ (Zehn Jahre der Verbannung.)

Wie ſtünde es mit den Nationen, wenn Bonaparte vom Kreml herab die Welt mit ſeinem Deſpotismus wie mit einem Leichentuch bedeckt hätte? Die Rechte des Menſchengeſchlechtes gehen Allem vor. Wäre die Erde eine Kugel, die in die Luft geſprengt werden könnte, ſo würde ich nicht zögern, Feuer darauf zu legen, ſobald es ſich um die Befreiung meines Landes handelte. Immerhin muß ein Franzoſe die erſten Intereſſen der menſchlichen Freiheit in's Auge faſſen, wenn er ſich entſchließen kann, mit umflortem Haupte und Thränen in den Augen einen Beſchluß zu erzählen, der ſo vielen Franzoſen unheilbringend werden ſollte.

Man hat den Grafen Roſtopſchin, einen wiſſenſchaftlich gebildeten und geiſtreichen Mann, in Paris geſehen; in ſeinen Schriften verbirgt ſich der Gedanke unter einer gewiſſen ſpaßhaften Manier; eine Art polizirter Barbar, ironiſcher Poet, ſelbſt in ſeiner Verdorbenheit edler Neigungen fähig, verachtet er die Völker und die Könige zugleich. Laſſen doch die gothiſchen Kirchen bei aller ihrer Größe auch groteske Decorationen zu.

In Moskau hatte die Räumung begonnen. Die Straße nach Kaſan war mit Flüchtigen zu Fuß und zu Wagen, die entweder allein oder von Dienern begleitet waren, bedeckt. Eine Vorbedeutung hatte für einen Augenblick die Gemüther neu belebt; ein Geier hatte ſich in den Ketten, welche das Kreuz an der Hauptkirche hielten, verſtrickt; Rom hätte, wie Moskau, in dieſen Anzeichen die Gefangenſchaft Napoleon's geſehen.

Bei der Annäherung der langen Züge ruſſiſcher Verwundeter, welche ſich an den Thoren zeigten, ſchwand alle Hoffnung. Kutuzoff hatte Roſtopſchin geſchmeichelt, die Stadt mit einundneunzigtauſend Mann, die ihm blieben, zu vertheidigen; man hat ſo eben geſehen,

daß der Kriegsrath ihm befahl, ſich zurückzuziehen. Roſtopſchin blieb allein.

Die Nacht ſenkt ſich herab; Boten klopfen geheimnißvoll an die Thüren und künden an, daß man auswandern muß und daß Ninive verurtheilt iſt. In den öffentlichen Gebäuden, den Bazars, den Läden und in Privathäuſern werden brennbare Stoffe aufgeſchichtet, die Feuerſpritzen dagegen fortgeſchafft. Dann befiehlt Roſtopſchin, die Gefängniſſe zu öffnen; aus der Mitte eines ekelhaften Trupps läßt man einen Ruſſen und einen Franzoſen hervortreten, der Ruſſe, welcher einer Sekte deutſcher Illuminaten angehört, iſt des Verſuches angeklagt, ſein Vaterland an den Feind auszuliefern und die Proclamation der Franzoſen überſetzt zu haben; ſein Vater eilt herbei; der Gouverneur geſtattet ihm einen Augenblick, um ſeinen Sohn zu ſegnen: „Ich, einen Verräther ſegnen!“ rief der alte Moskowite, und er verfluchte ihn. Der Gefangene wird an das Volk ausgeliefert und todtgeſchlagen.

„Du,“ ſagte Roſtopſchin zu dem Franzoſen, „Du mußteſt die Ankunft Deiner Landsleute wünſchen; ſei frei. Geh, ſage den Deinen, daß Rußland nur einen einzigen Verräther gehabt und daß er beſtraft iſt.“

Die andern freigelaſſenen Verbrecher erhalten mit ihrer Begnadigung den Befehl, den Brand zu fördern, wenn der Augenblick dazu gekommen ſein würde. Roſtopſchin iſt der Letzte, der Moskau verläßt, wie ein Schiffscapitän nach Seemannsbrauch das Bord ſeines Schiffes zuletzt verläßt.

Napoleon hatte zu Pferde ſeinen Vortrab eingeholt. Noch blieb eine Anhöhe zu überſchreiten; dieſe ſtieß an Moskau, wie Montmartre an Paris. Sie hieß der Berg des Heils, weil die Ruſſen bei der Anſicht der heiligen Stadt dort beteten, wie die Pilger, wenn ſie Jeruſalem erblicken. Moskau mit ſeinen vergoldeten Kuppeln, wie die ſlaviſchen Dichter ſagen, ſchimmerte herrlich im Tageslichte mit ſeinen zweihundert fünfundneunzig Kirchen, ſeinen fünfzehnhundert Paläſten, ſeinen gelb, grün und

3*

rosenroth bemalten und mit Schnitzwerk verzierten Häusern; es mangelten ihm nur die Cypressen und der Bosporus. Zu dieser mit polirten oder bemalten Eisen bedeckten Masse gehörte auch der Kreml. Mitten unter eleganten aus Ziegelsteinen oder Marmor erbauten Villas floß die Moskowa durch Parke, welche mit Tannen, den Palmbäumen dieses Himmels, geschmückt waren; Venedig erhob sich in den Tagen seiner Herrlichkeit nicht glänzender aus den Wellen des adriatischen Meeres.

Am 14. September um zwei Uhr Nachmittags erblickte Bonaparte in einem mit den Diamanten des Pols schimmernden Sonnenschein seine neue Eroberung. Wie eine europäische Prinzessin an die Grenzen ihres Reiches, so schien Moskau, mit allen Reichthümern Asiens geschmückt, hieher geführt, um sich mit Napoleon zu vermählen.

Der Ruf: „Moskau! Moskau!“ ertönt von unseren Soldaten; sie klatschen wieder in die Hände. In den Zeiten des alten Ruhmes riefen sie in Glück oder Unglück: Es lebe der König!

„Es war ein schöner Augenblick,“ sagt der Oberstlieutenant von Baudus, „als sich vor meinen Blicken plötzlich das Panorama dieser ungeheuren Stadt entrollte. Nie werde ich die Rührung vergessen, welche sich in den Reihen der polnischen Division kundgab; sie überraschte mich um so mehr, als sie sich in einer Bewegung Luft machte, die von einem religiösen Gedanken durchhaucht war. Beim Anblick von Moskau warfen sich diese Regimenter wie Ein Mann auf die Kniee und dankten dem Gotte der Armeen, sie durch den Sieg in die Hauptstadt ihres erbittertsten Feindes geführt zu haben.“

Das Jubelgeschrei hört auf; stumm zieht man in die Stadt hinab; keine Deputation kommt aus den Thoren, um in einem silbernen Becken die Schlüssel zu überreichen. Alles Leben stockte in der großen Stadt. Moskau schwankte schweigend vor dem Fremden. Drei Tage später war es verschwunden: die Cirkassierin des Nordens, die schöne Braut, hatte sich auf den Scheiterhaufen gelegt.

Als die Stadt noch ſtand, rief Napoleon, auf ſie zu marſchirend: „Da iſt ſie alſo, dieſe berühmte Stadt!“ und er überblickte das verlaſſene Moskau, das der in den Lamentationen beweinten Stadt glich. Schon haben Eugen und Poniatowski die Mauern erklommen; einige unſerer Offiziere dringen in die Stadt ein; ſie kehren zurück und bringen Napoleon die Nachricht: „Moskau iſt verödet!“

„Moskau verödet? Das iſt unwahrſcheinlich! Man führe mir die Bojaren vor!“

Keine Bojaren; Niemand iſt zurückgeblieben, als arme Leute, die ſich verbergen. Verlaſſene Straßen, verſchloſſene Fenſter; kein Rauch entſteigt den Kaminen, aus welchen ſich bald Ströme davon emporwälzen werden. Nicht das leiſeſte Geräuſch. Bonaparte zuckt die Achſeln.

Murat, der bis zum Kreml vorgerückt iſt, wird dort vom Geheul der zur Befreiung ihres Vaterlandes freigelaſſenen Gefangenen empfangen, man iſt genöthigt, die Thore mit Kanonen einzuſchießen.

Napoleon hatte ſich an die Barriere von Dorogomilow verfügt; er ſtieg in einem der erſten Häuſer der Vorſtadt ab, machte dann einen Ritt längs der Moskowa hin, traf aber Niemand an. Er kehrte in ſeine Wohnung zurück, ernannte den Marſchall Mortier zum Gouverneur von Moskau, den General Durosnel zum Platzcommandanten und Herrn von Leſſeps zum Vorſtand der Adminiſtration in der Eigenſchaft eines Intendanten.

Die kaiſerliche Garde und die Truppen waren en grande tenue, um vor einem abweſenden Volke zu erſcheinen. Bonaparte vernahm bald mit Gewißheit, daß die Stadt von irgend einem Ereigniß bedroht ſei. Um zwei Uhr Morgens benachrichtigt man ihn, daß eine Feuersbrunſt ausbreche. Der Sieger verläßt die Vorſtadt von Dorogomilow und ſucht im Kreml Schutz; es war am Morgen des 15. Beim Eintritt in den Palaſt Peter's des Großen empfand er einen Augenblick Freude; in ſeinem befriedigten

Stolze ſchrieb er beim Wiederſcheine des in Brand gerathenden Bazars einige Worte an Alexander, wie einſt Alexander ihm auf dem Schlachtfelde von Auſterlitz ein Billet ſchrieb.

Im Bazar ſah man lange Reihen feſtverſchloſſener Kaufläden. Man vermag Anfangs die Feuersbrunſt zu dämpfen; allein in der zweiten Nacht bricht ſie auf allen Seiten aus; Kugeln, durch Feuerwerke geſchleudert, zerplatzen und fallen in Flammengarben auf die Paläſte und Kirchen. Ein gewaltiger Nordwind treibt Funken und Loderaſche auf den Kreml, der ein Pulvermagazin enthielt; ein Artillerielpark war ſogar unter den Fenſtern Bonaparte's geblieben. Unſere Soldaten werden durch die vulkaniſchen Ströme von einem Stadtviertel zum andern getrieben. Die Fackel in der Hand, eilen Gorgonen und Meduſen an die noch ungerötheten Straßenecken dieſer Hölle; andere ſchüren das Feuer mit Lanzen von getheertem Holz. Bonaparte ſtürzt ſich in den Sälen des neuen Pergamus an die Fenſter und ruft: „Welch ungeheurer Entſchluß! Welche Menſchen! Das ſind Scythen!“

Es verbreitet ſich das Gerücht, daß der Kreml unterminirt ſei; die Höflinge fühlen ſich beklommen, die Krieger zeigen ſich reſignirt. Der Mund der verſchiedenen Feuerſchlünde wird immer größer, ſie nähern, ſie berühren ſich; der Thurm des Arſenals brennt wie eine hohe Kerze auf einem glühenden Hochaltar. Der Kreml iſt nur noch eine ſchwarze Inſel, an der ſich die Wellen eines Flammenmeers brechen, den Feuerſchein abſpiegelnd, iſt der Himmel von einer beweglichen Helle wie von einem Nordlicht durchzogen.

Die dritte Nacht brach an; kaum vermochte man in dem erſtickenden Dampfe noch zu athmen; zweimal wurden Brandfackeln in das von Napoleon bewohnte Gebäude geworfen. Wie fliehen? Ein Flammenwall verſperrt die Thore der Citadelle. Nach eifrigem Suchen entdeckt man eine Ausfallthüre, die an die Moskowa führte. Der Kaiſer ſtiehlt ſich mit ſeiner Garde durch dieſes Rettungspförtchen. Rings um ihn berſten Gewölbe unter Krachen,

ſenken ſich und ſtürzen die Thürme der Stadt, von welchen Ströme flüſſigen Metalls herabfließen. Mauern, Balken, Dächer ſinken krachend, ziſchend, rollend in die Tiefe eines Phlegetons und wirbeln Millionen Goldähren aus den glühenden Wellen deſſelben auf. Bonaparte entkommt nur auf den erkalteten Kohlen eines ſchon eingeäſcherten Stadtviertels; er erreicht Petrowsky, die Villa des Czars.

Der General Gourgaud beſchuldigt in ſeiner Kritik des Werkes des Herrn von Ségur den Ordonnanzoffizier des Kaiſers eines Irrthums, und wirklich wird durch die Erzählung des Herrn von Baudus, Aide-de-camp des Marſchalls Beſſières, der Napoleon ſelbſt als Führer diente, bewieſen, daß dieſer nicht durch eine Ausfallthüre, ſondern durch das Hauptthor des Kreml entkam. Vom Ufer St. Helena aus ſah Napoleon noch einmal die Stadt der Scythen brennen: „Nie," ſagte er, der Poeſie zum Trotz, „nie vermögen die Vorſtellungen des Brandes von Troja die Wirklichkeit desjenigen von Moskau zu erreichen."

Als Napoleon ſich ſpäter dieſe Kataſtrophe in's Gedächtniß zurückrief, ſchrieb er: „Mein böſer Geiſt erſchien mir und kündete mir mein Ende an, das ich auf der Inſel Elba fand."

Kutuzoff hatte ſich Anfangs öſtlich gewendet, dann lenkte er gegen Süden. Seinem Nachtmarſch leuchtete der ferne Brand von Moskau, woher ein ſchauerliches Geſumme erſcholl; man hätte glauben können, die Glocke, die man ihres ungeheuren Gewichtes wegen nie aufzuhängen vermocht hatte, ſei durch Zauberkraft in einen der brennenden Thürme hinaufgebracht worden, um das Sterbegeläute anzuſchlagen. Kutuzoff erreichte Voronowo, eine Beſitzung der Grafen Roſtopſchin; kaum hatte er die prachtvolle Wohnung erblickt, ſo ſinkt auch ſie in den Schlund eines Flammenmeeres. An der eiſernen Thür einer Kirche las man folgende Inſchrift:

„Acht Jahre hindurch habe ich dieſen Landſitz verſchönert und

hier im Schooße meiner Familie glücklich gelebt; die Bewohner dieſes Gutes, ſiebenzehnhundertzwanzig an der Zahl, verlaſſen es bei Eurer Annäherung und ich lege Feuer an mein Haus, damit es durch Eure Gegenwart nicht befleckt werde. Franzoſen, ich habe Euch meine beiden Häuſer in Moskau mit einem Mobiliar von einer halben Million Rubel überlaſſen. Hier werdet Ihr nur Aſche finden.

Roſtopſchin."

Bonaparte hatte im erſten Augenblick das Feuer und die Scythen wie ein ſeiner Einbildungskraft befreundetes Schauſpiel bewundert; allein das Unheil, das dieſe Kataſtrophe über ihn brachte, ließ ſeine Bewunderung bald erkalten und brachte ihn wieder zu ſeinen ſchimpflichen und bitteren Beurtheilungen. Roſtopſchin's Zettel, den er nach Frankreich ſchickt, fügt er bei: „Es ſcheint, Roſtopſchin ſei verrückt; die Ruſſen betrachten ihn als eine Art von Marat." Wer die Größe Anderer nicht verſteht, wird ſie auch für ſich nicht verſtehen, wenn die Zeit der Opfer erſcheint.

Alexander hatte ſein Mißgeſchick ohne Niedergeſchlagenheit vernommen. „Sollten wir zurückſchrecken", ſchrieb er in ſeinen Circularinſtructionen, „wenn Europa durch ſeine auf uns gehefteten Blicke uns ermuthigt? Geben wir ihm ein Beiſpiel; begrüßen wir die Hand, die uns erwählt, um in der Sache der Tugend und Freiheit die erſte der Nationen zu werden." Dieſem folgte eine Anrufung des Allerhöchſten.

Ein Styl, in welchem ſich die Worte Gott, Tugend und Freiheit vorfinden, iſt mächtig; er gefällt den Menſchen, beruhigt und tröſtet ſie; wie weit überlegen iſt er jenen erzwungenen, traurigerweiſe aus heidniſchen Redensarten entlehnten und nach türkiſcher Manier den Verhängnißglauben athmenden Phraſen: er war, ſie ſind geweſen, das Verhängniß reißt ſie fort! Eine unfruchtbare und immer leere Phraſeologie, ſelbſt dann, wenn ſie auf die größten Handlungen geſtützt iſt!

Napoleon, der in der Nacht des 15. Septembers Moskau

verlaſſen hatte, betrat es am 18. wieder. Bei ſeiner Rückkehr traf er Kochſtätten, die auf Koth angezündet waren, und deren Feuer mit Möbeln von Mahagoni und vergoldetem Getäfel genährt wurde. Rings um dieſe im Freien befindlichen Heerde ſah man geſchwärzte, kothige Soldaten in Fetzen, die auf ſeidenen Kanapees lagen oder in ſammtenen Lehnſtühlen ſaßen, im Kothe unter ihren Füßen Cachemireſhwals, Pelzwerk aus Sibirien, perſiſche Goldſtoffe als Teppiche hatten und aus ſilbernen Platten einen ſchwarzen Teig oder geröſtetes und mit Blut vermiſchtes Pferdefleiſch aßen.

Eine regelloſe Plünderung hatte begonnen, man brachte Ordnung in dieſelbe; das Jägerrecht kam der Reihe nach an jedes Regiment. Bauern, die aus ihren elenden Hütten verjagt worden waren, Koſacken, feindliche Deſerteure ſtreiften in der Nähe der Franzoſen umher und nährten ſich mit dem, was unſere Corporalſchaften abgenagt hatten. Alles, was man tragen konnte, nahm man mit; doch überladen mit Beute, warf man ſie bald weg, wenn man ſich erinnerte, daß man ſechshundert Stunden von ſeinem Dache entfernt ſei.

Die Streifzüge, die man unternahm, um Lebensmittel aufzutreiben, veranlaßten pathetiſche Scenen. Eine franzöſiſche Corporalſchaft brachte eine Kuh zurück; da trat eine Frau vor, welche von einem Manne begleitet war, der in ſeinen Armen ein Kind von etlichen Monaten trug; ſie deuteten auf die ihnen weggenommene Kuh. Die Mutter zerriß die elenden Kleidungsſtücke, die ihren Buſen bedeckten, um zu zeigen, daß ſie keine Milch mehr habe; der Vater machte eine Bewegung, als wollte er den Kopf des Kindes an einem Steine zerſchmettern. Der Offizier ließ ihnen die Kuh zurückgeben und fügte hinzu: „Der Eindruck, welchen dieſe Scene auf meine Soldaten machte, war ſo heftig, daß geraume Zeit in den Reihen nicht ein Wort geſprochen wurde.“

Bonaparte hatte ſeinen Traum abgeändert; er erklärte, nach Petersburg marſchiren zu wollen; ſchon zeichnete er ſich den Weg auf ſeinen Karten vor und ſetzte die Trefflichkeit ſeines neuen

Planes und die Gewißheit, in die zweite Hauptſtadt des Reiches einzuziehen, auseinander. „Was ſoll er weiter auf Ruinen thun? Genügt es ſeiner Ruhmſucht nicht, den Kreml beſtiegen zu haben?“

Mit ſolchen neuen Hirngeſpinnſten trug ſich Napoleon; der Mann war dem Wahnſinn nahe, allein ſeine Träume waren noch die eines ungeheuren Geiſtes.

„Wir ſtehen nur fünfzehn Tagmärſche von Petersburg“, ſagt Herr Fain, „Napoleon hat im Sinn, ſich auf dieſe Hauptſtadt zu werfen.“ Statt fünfzehn Tagmärſchen ſollte man damals und unter ſolchen Umſtänden zwei Monate ſagen. Der General Gourgaud fügt hinzu, daß alle Nachrichten, die man aus Petersburg erhalte, die Furcht anzeigten, die man vor Napoleons Bewegung hatte. Gewiß iſt, daß man in Petersburg nicht an dem Siege des Kaiſers zweifelte, wenn er ſich einfinden ſollte; allein man bereitete ſich vor, ihm ein zweites Geripp von einer Stadt zu hinterlaſſen, und der Rückzug nach Archangel war angeordnet. Eine Nation, deren letzte Veſte der Pol iſt, vermag man nicht zu unterwerfen. Ueberdieß hätten die engliſchen Flotten, die im Frühjahre in's baltiſche Meer eingelaufen wären, die Einnahme von Petersburg auf eine bloße Zerſtörung zurückgeführt.

Während aber die zügelloſe Einbildungskraft Bonaparte's mit dem Gedanken einer Reiſe nach Petersburg ſpielte, beſchäftigte er ſich ernſtlich mit dem entgegengeſetzten Gedanken; ſein Glaube an ſeine Hoffnung war nicht von der Art, daß er ihm allen geſunden Verſtand benahm. Sein Hauptproject war, einen in Moskau unterzeichneten Frieden nach Paris zu bringen. Dadurch hätte er ſich der Gefahren des Rückzugs entledigt, eine ſtaunenswerthe Eroberung vollführt, und wäre mit dem Olivenzweig in der Hand in die Tuillerien zurückgekehrt. Nach dem erſten Billet, das er an Alexander bei ſeiner Ankunft im Kreml geſchrieben, hatte er keine Gelegenheit vernachläſſigt, ſeine Anerbietungen zu erneuern. Bei einer freundſchaftlichen Unterredung mit einem

ruſſiſchen Generaloffizier, Herrn von Toutelmine, Unterdirector des Findelhauſes in Moskau, das in dem Brande wunderbar verſchont geblieben war, hatte er Worte fallen laſſen, die für einen Vergleich günſtig zu deuten waren. Durch Herrn Jacowlef, den Bruder des vormaligen ruſſiſchen Miniſters in Stuttgart, ſchrieb er direct an Alexander, und Herr Jacowlef verpflichtete ſich, den Brief eigenhändig und nicht durch eine Mittelperſon dem Kaiſer zuzuſtellen. Endlich wurde der General Lauriſton an Kutuzoff abgeſandt und dieſer verſprach, Alles für eine friedliche Ausgleichung zu thun, verweigerte jedoch dem General Lauriſton ein ſicheres Geleite nach Petersburg.

Napoleon ſchwebte immer in der Ueberzeugung, daß er noch fortwährend, wie in Tilſit und Erfurt, eine Herrſchaft über Alexander ausübe, und doch ſchrieb Alexander am 21. October an den Fürſten Michel Larkanowitz: „Ich habe mit äußerſtem Mißvergnügen vernommen, daß der General Beningſen eine Zuſammenkunft mit dem König von Neapel hatte . . . . . Alle Beſchlüſſe und Befehle, die von mir an Sie ergangen ſind, müſſen Sie überzeugen, daß mein Entſchluß unerſchütterlich iſt, daß in dieſem Augenblick kein Vorſchlag des Feindes mich vermögen kann, den Krieg zu beendigen und dadurch die heilige Pflicht, das Vaterland zu rächen, zu verletzen.“

Die ruſſiſchen Generäle mißbrauchten die Eigenliebe und Einfalt Murat's, des Commandanten der Avantgarde; immer entzückt über die eifrige Dienſtfertigkeit der Koſacken, entlehnte er von ſeinen Offizieren Kleinodien, um ſeine Höflinge vom Don damit zu beſchenken; allein weit entfernt, den Frieden zu wünſchen, beſorgten ihn die ruſſiſchen Generäle. Trotz Alexander's Entſchluß kannten ſie die Schwäche ihres Kaiſers und fürchteten die Verführungskunſt des unſern. Um Rache üben zu können, brauchte man nur noch einen Monat Zeit zu gewinnen und die erſten

Fröſte abzuwarten; die moskowitiſche Chriſtenheit flehte den Himmel an, ſein Unwetter zu beſchleunigen.

General Wilſon war in der Eigenſchaft eines engliſchen Commiſſärs bei der ruſſiſchen Armee angekommen; er hatte ſich in Egypten ſchon auf Bonaparte's Weg gefunden, Fabvier war von unſerer Armee im Süden zu der im Norden zurückgekehrt. Der Engländer trieb Kutuzoff zum Angriff, und man wußte, daß die von Fabvier gebrachten Nachrichten keine guten waren. Von beiden Enden Europa's aus reichten ſich die beiden einzigen Völker, welche für ihre Freiheit kämpften, über dem Haupte des Siegers in Moskau die Hand. Alexander's Antwort blieb aus, die Eſtafetten aus Frankreich ſäumten ſich, Napoleon's Unruhe wuchs; die Bauern warnten unſere Soldaten und ſagten: „Ihr kennt unſer Klima nicht, in einem Monate fallen Euch die Nägel vor Kälte von den Fingern.“ Milton, deſſen großer Name Alles vergrößert, drückt ſich in ſeinem Moscovien ebenſo naiv aus: „Es iſt in dieſem Lande ſo kalt, daß der Saft der in's Feuer geworfenen Aeſte als Eis an dem entgegengeſetzten Ende des brennenden herauskommt.“

Bonaparte, welcher fühlte, daß ein rückgängiger Schritt den Zauber brechen und den Schrecken ſeines Namens zu nichte machen würde, konnte ſich nicht zum Weichen entſchließen; trotz der Warnung vor der bevorſtehenden Gefahr blieb er, von Minute zu Minute Antworten aus Petersburg erwartend; er, der mit ſo ſchimpflichem Hohn befohlen hatte, ſeufzte nach einigen barmherzigen Worten von dem Beſiegten. Er beſchäftigt ſich im Kreml mit einem Reglement für die franzöſiſche Komödie; er verwendet drei Abende zur Vollendung dieſes majeſtätiſchen Werkes; er beſpricht mit ſeinen Aides-de-camp das Verdienſt einiger neuen, aus Paris gekommenen Verſe; ſeine Umgebung bewunderte den Gleichmuth des großen Mannes, während noch Verwundete aus den letzten Schlachten unter furchtbaren Schmerzen hinſtarben und er durch dieſe Verſpätung um einige Tage die hunderttauſend Mann,

die ihm blieben, dem Tode weihte. Die knechtlſche Dummheit des Jahrhunderts will dieſe jämmerliche Ziererei für die Aeußerung eines unermeßlichen Geiſtes ausgeben.

Bonaparte beſah ſich die Gebäulichkeiten des Kreml. Er ſtieg die Treppe, auf welcher Peter der Große die Strelitzen erwürgen ließ, hinab und hinauf; er durchſchritt den Feſtſaal, in welchem Peter ſich die Gefangenen vorführen ließ und zwiſchen jedem Glas voll ein Haupt abſchlug, indem er ſeinen Tiſchgenoſſen, Fürſten und Geſandten, den Vorſchlag machte, ſich auf gleiche Weiſe zu beluſtigen. Damals wurden Männer gerädert und Frauen lebendig begraben; man henkte zweitauſend Strelitzen, deren Körper an die Mauern angeſpießt wurden.

Statt eine Theaterordnung abzufaſſen, hätte Bonaparte beſſer gethan, an den Erhaltungsſenat den Brief zu ſchreiben, welchen Peter vom Ufer des Pruth an den Senat in Moskau ſchrieb: „Ich benachrichtige Euch, daß ich, durch falſche Rathſchläge irre geführt und ohne meine Schuld, mich hier in meinem Lager durch eine viermal ſtärkere Armee, als die meine, eingeſchloſſen befinde. Wenn ich gefangen werde, ſo dürft Ihr mich nicht mehr als Euren Czar und Herrn betrachten, noch irgend einem Befehle, der Euch von meiner Seite gebracht werden könnte, Rechnung tragen, ſelbſt wenn Ihr meine eigene Handſchrift darin erkennen würdet. Sollte ich umkommen, ſo wählt zu meinem Nachfolger den Würdigſten unter Euch.“

Ein an Cambacérès gerichtetes Billet Napoleon's enthielt unverſtändliche Befehle; man berathſchlagte darüber, und obwohl die Unterſchrift des Billets einen aus einem alten Namen verlängerten Namen trug, wurde die Handſchrift als die Bonaparte's anerkannt und man beſchloß, die unverſtändlichen Befehle auszuführen.

Der Kreml ſchloß einen doppelten Thron für zwei Brüder ein; Napoleon theilte den ſeinen nicht. In den Sälen ſah man noch die durch eine Kanonenkugel zerſchmetterte Tragbahre, auf

welcher ſich Karl XII. verwundet aus der Schlacht von Pultawa tragen ließ. Erinnerte ſich wohl Bonaparte, in welchem hochherzige Gefühle immer den Sieg davon trugen, beim Beſuche der Czarengrüfte, daß man ſie an Feſttagen mit prachtvollen Leichentüchern bedeckte, und wenn ein Unterthan ſich eine Gnade erbitten wollte, er ſeine Bittſchrift, die nur der Czar allein wegnehmen durfte, auf eines der Gräber legte?

Dieſe durch den Tod der Gewalt überreichten Bittſchriften waren nicht nach Napoleon's Geſchmack; andere Sorgen beſchäftigten ihn; theils in abſichtlicher Selbſttäuſchung, theils ſeinem Naturell gemäß, wollte er, wie damals, als er Egypten verließ, Komödianten von Paris nach Moskau kommen laſſen, und verſicherte, es werde ein italieniſcher Sänger anlangen. Er plünderte die Kirchen des Kremls, ſchichtete in ſeinen Gabelwägen geweihte Zierrathen und Heiligenbilder mit den von den Mohamedanern eroberten Halbmonden und Roßſchweifen auf. Vom Thurme des großen Iwan nahm er das ungeheure Kreuz weg; ſein Plan war, es auf dem Dom der Invaliden aufzupflanzen; es hätte ein Seitenſtück zu den Meiſterwerken des Vaticans gebildet, womit er den Louvre ausgeſchmückt hatte. Während der Wegnahme dieſes Kreuzes umflatterten es eine Menge Krähen unter heftigem Geſchrei: „Was wollen dieſe Vögel mit mir?“ ſagte Bonaparte.

Der unheilvolle Zeitpunkt nahte heran. Daru erhob Einſprache gegen verſchiedene Pläne, welche Bonaparte auseinanderſetzte.

„Was ſoll man denn anfangen?“ rief der Kaiſer.

„Hier bleiben; aus Moskau ein großes verſchanztes Feld machen, den Winter darin zubringen; die Pferde, welche man nicht wird erhalten können, einpökeln laſſen; das Frühjahr abwarten; unſere Verſtärkungen und das bewaffnete Litthauen werden uns befreien und die Eroberung vollenden.“

„Das iſt der Rath eines Löwen“, entgegnet Napoleon; „aber was würde Paris ſagen? Frankreich würde ſich nicht an meine Abweſenheit gewöhnen.“

„Was ſagt man von mir in Athen?“ fragte Alexander der Große.

Er verſinkt wieder in Unſchlüſſigkeit; ſoll er aufbrechen, ſoll er da bleiben? Er weiß es nicht. Manche Berathungen werden gepflogen. Endlich beſtimmt ihn plötzlich ein am 18. October in Winkowo geliefertes Gefecht, mit ſeiner Armee die Trümmer von Moskau zu verlaſſen und noch an demſelben Tage macht er ſich ohne Zurüſtungen, ohne Geräuſch und ohne den Kopf umzuwenden auf einer der beiden Straßen von Kaluga auf den Weg, da er die directe Straße von Smolensk vermeiden wollte.

Fünfunddreißig Tage lang hatte er ſich vergeſſen, wie jene furchtbaren Drachen Afrika's, welche einſchlafen, nachdem ſie ſich gefüttert haben. Allem Anſchein nach bedurfte es dieſer Tage, um das Geſchick eines ſolchen Menſchen umzugeſtalten. Während dieſer Zeit begann ſein Schickſalsſtern zu ſinken. Endlich erwacht er, zwiſchen den Winter und eine abgebrannte Hauptſtadt eingegezwängt; er ſchlüpft aus dem Schutte hinaus; es war zu ſpät; hunderttauſend Mann waren zum Tod verurtheilt. Marſchall Mortier, welcher die Arrière-garde befehligt, hat die Weiſung, bei ſeinem Abzuge den Kreml in die Luft zu ſprengen.

(Paris, Note vom J. 1841.)

Die Staatspapiere über dieſen Feldzug, welche nach dem Tode Alexander's in deſſen Cabinet gefunden wurden, ſind in Petersburg im Drucke erſchienen. Dieſe Documente, welche fünf bis ſechs Bände bilden, werden viel Licht auf die ſo merkwürdigen Ereigniſſe eines Theils unſerer Geſchichte werfen. Man wird gut thun, die Erzählungen des Feindes mit Vorſicht zu leſen und doch mit weniger Mißtrauen, als die offiziellen Documente Bonaparte's. Man kann ſich unmöglich einen Begriff machen, in welchem Grade dieſer die Wirklichkeit entſtellte und ſie unfaßlich machte; ſeine eigenen Siege verwandelten ſich in ſeiner Einbildungskraft in Romane. Am Ende jeder ſeiner phantaſtiſchen Berichte blieb immer die eine Wahrheit aufgeſtellt, daß Napoleon aus dieſem oder jenem Grunde Herr der Welt ſei.

Rückzug.

Bonaparte, der ſich täuſchte oder die Andern täuſchen wollte, ſchrieb den 18. October an den Herzog von Baſſano einen Brief, den Herr Fain mittheilt:

„Gegen die erſten Wochen des November," meldete er, „werde ich meine Truppen in das Viereck zurückgeführt haben, das zwiſchen Smolensk, Mohilow, Minsk und Witepsk iſt. Ich entſchließe mich zu dieſer Bewegung, weil Moskau kein militäriſcher Punkt mehr iſt; beim Beginn des nächſten Feldzugs werde ich einen günſtigeren ſuchen. Die Operationen werden dann gegen Petersburg und Kiow gerichtet ſein."

Elende Großſprecherei, wenn es ſich nur um die vorübergehende Hülfe einer Lüge handelte; der Gedanke an Eroberung konnte jedoch bei Bonaparte trotz ſeiner evidenten Unmöglichkeit immerhin ein aufrichtiger ſein.

Man marſchirte Malojaroslawetz zu; vermöge der Schwierigkeiten, welche bei den ſchlecht beſpannten Bagage- und Artilleriewägen entſtanden, war man am dritten Tage erſt zehn Stunden von Moskau entfernt. Man beabſichtigte, Kutuzoff zu überholen, und die Avantgarde des Prinzen Eugen ließ ihn wirklich in Fominskoi hinter ſich. Zu Anfang des Rückzuges waren noch hunderttauſend Mann übrig geblieben. Die Cavallerie war mit Ausnahme von dreitauſend fünfhundert Pferden der Garde beinahe auf Null herabgeſunken. Nachdem unſere Truppen am 21. die neue Straße von Kaluga erreicht hatten, marſchirten ſie am 22. in Borowsk ein und am 23. beſetzte die Diviſion Delzons Malojaroslawetz. Napoleon war erfreut; er glaubte dem Unglück entronnen zu ſein.

Am 23. October um halb zwei Uhr Morgens erzitterte die Erde; hundert dreiundachtzig Centner Pulver, welche in die Gewölbe des Kremls geſchafft worden waren, zerriſſen den Palaſt der Czaren. Mortier, welcher den Kreml in die Luft ſprengte,

war für Fieschi's Höllenmaschine aufbehalten. Welche Welten liegen zwischen diesen beiden sowohl in Bezug auf die Zeit als auf die Menschen verschiedenen Explosionen!

Das Schweigen, welches diesem dumpfen Rollen folgte, ward bald durch eine starke Kanonade in der Richtung von Malojaroslawetz unterbrochen; so sehr Napoleon bei seinem Einmarsch in Rußland diesen Ton zu hören gewünscht hatte, so sehr fürchtete er ihn jetzt bei seinem Rückzuge. Ein Aide-de-camp des Vicekönigs bringt die Nachricht von einem allgemeinen Angriff der Russen; Nachts langten die Generäle Compans und Gerard mit Hülfstruppen bei dem Prinzen Eugen an. Auf beiden Seiten kamen Viele um; es gelang dem Feinde, seine Reiterei auf die Straße von Kaluga zu werfen und den noch freien Weg, den man einzuschlagen gedacht hatte, zu versperren. Es blieb kein anderes Hülfsmittel, als wieder auf die Straße von Mojaisk einzulenken und auf unsern alten Unglückswegen nach Smolensk zurückzukehren. Man konnte das, die Vögel des Himmels hatten noch nicht vollends aufgefressen, was wir gesäet hatten, um uns wieder zurecht zu finden.

Napoleon brachte diese Nacht in Gorodnia in einem armen Hause zu, wo nicht einmal die den verschiedenen Generälen beigegebenen Offiziere ein Obdach fanden. Sie versammelten sich unter Bonaparte's Fenster, das weder Läden noch Vorhänge hatte; das Zimmer war durch ein einziges Licht erhellt. Während die Offiziere draußen in der Dunkelheit standen, saß Napoleon in der armseligen Stube, den Kopf auf beide Hände gestützt. Murat, Berthier und Bessières standen schweigsam und unbeweglich zu seiner Seite. Er ertheilte keinen Befehl und stieg am Morgen des 25. zu Pferde, um die Stellung der russischen Armee zu recognosciren.

Kaum befand er sich im Freien, so wälzte sich ein Schwarm von Kosacken daher. Diese lebendige Lawine hatte die Luja überschritten und sich, längs dem Saum der Gehölze hinziehend, den Blicken entzogen. Jedermann griff zum Degen, selbst der Kaiser.

Wären dieſe Marodeurs kühner geweſen, ſie hätten Napoleon gefangennehmen können.

In dem eingeäſcherten Malojaroslawetz waren die Straßen durch halb gebratene, zerhauene, von den Rädern der über ſie weggefahrenen Artillerie durchſchnittene und verſtümmelte Körper verſperrt. Um die Bewegung nach Kaluga zu fortzuſetzen, hätte man eine zweite Schlacht liefern müſſen; der Kaiſer hielt es nicht für gerathen. Es hat ſich in dieſer Beziehung zwiſchen den Anhängern Bonaparte's und den Freunden der Marſchälle ein Streit entſponnen. Wer gab den Rath, die von den Franzoſen zuerſt befolgte Straße wieder einzuſchlagen? Augenſcheinlich Napoleon; es koſtete ihn wenig, ein großes Todesurtheil auszuſprechen; er war daran gewöhnt.

Am 26. nach Borowsk zurückgekommen, ſtellte man am folgenden Tage bei Wercia dem Chef unſerer Armeen den General Wintzingerode und ſeinen Aide-de-camp, den Grafen Nariskin, vor; ſie hatten ſich erwiſchen laſſen, indem ſie ſich zu früh nach Moskau wagten. Bonaparte gerieth in Wuth und rief, außer ſich: „Man erſchieße dieſen General! Er iſt ein Deſerteur aus dem Königreich Württemberg und gehört dem Rheinbunde an.“ Dann ergießt er ſich in Schmähungen gegen den ruſſiſchen Adel und endigt mit den Worten: „Ich werde nach Petersburg gehen und dieſe Stadt in die Newa werfen.“ Und plötzlich befiehlt er, ein Schloß abzubrennen, das man auf einer Anhöhe gewahrte; der verwundete Löwe fiel ſchäumend über Alles her, was ihn umgab.

Mitten unter ſeinen tollen Zornausbrüchen gehorchte er nichtsdeſtoweniger ſeiner doppelten Natur, als er Mortier den Befehl ertheilte, den Kreml zu zerſtören; er ſchrieb an den Herzog von Treviſo Phraſen voller Empfindeleien; in der Vorausſetzung, daß der Inhalt ſeiner Sendſchreiben bekannt werde, ſchärfte er ihm mit einer ganz väterlichen Sorgfalt ein, die Hoſpitäler zu ſchonen; „denn ſo,“ fügte er hinzu, „bin ich in Saint-Jean-d'Acre verfahren.“ In Paläſtina aber ließ er die türkiſchen Gefangenen

erſchießen und ohne Desgenettes Widerſetzung hätte er ſeine Kranken vergiftet! Berthier und Murat retteten den Fürſten Wintzingerode.

Kutuzoff verfolgte uns jedoch nur läſſig. Wenn Wilſon den ruſſiſchen General zum Handeln drängte, antwortete dieſer: „Laßt den Schnee kommen.“

Am 29. October erreicht man wieder die unſeligen Hügel an der Moskowa; ein Schrei des Schmerzes und der Ueberraſchung entfährt unſerer Armee. Große Schlachtbänke mit vierzigtauſend verſchiedenartig aufgezehrten Leichen lagen hier vor uns. Reihenweis liegende Gerippe ſchienen noch die militäriſche Disciplin zu handhaben. Skelette, welche da und dort über die zuſammengeſchoſſenen Bruſtwehren hinaus lagen, ließen auf Befehlshaber ſchließen und beherrſchten das Handgemenge der Todten. Ueberall zerbrochene Waffen, durchſtoßene Tremmeln, Fetzen von Küraſſen und Uniformen, zerriſſene Standarten und dazwiſchen Stämme von Bäumen, welche durch die Kugeln einige Schuh vom Boden zerſchmettert worden waren; das war die große Schanze an der Moskowa.

Im Schooße dieſer regungsloſen Zerſtörung erblickt man Etwas, das ſich bewegt; ein beider Beine beraubter franzöſiſcher Soldat brach ſich Bahn auf Kirchhöfen, die ihre Eingeweide ausgeſpleen zu haben ſchienen. Der Körper eines durch eine Haubitze aufgeſchlitzten Pferdes hatte dieſem Soldaten als Schilderhaus gedient; er lebte darin, indem er ſich zugleich mit ſeiner aus Fleiſch beſtehenden Wohnung nährte; das verfaulte Fleiſch der im Bereiche ſeiner Hand liegenden Todten diente ihm ſtatt Charpie, um ſeine Wunden zu verbinden, und als Schwamm, um ſeine Knochen einzuwickeln.

Der furchtbare Gewiſſensbiß des Ruhms ſchleppte ſich Napoleon entgegen; Napoleon erwartete ihn nicht.

Ein tiefes Schweigen herrſchte unter den von Kälte, Hunger und dem Feinde verfolgten Soldaten; es bemächtigte ſich ihrer

4*

der Gedanke, daß ſie bald den Gefährten, deren Ueberreſte ſie hier erblickten, gleich ſein würden. Man hörte in dieſem Reliquienlager nur das aufgeregte Athemholen und den Ton des unwillkürlichen Schauders der auf dem Rückzug befindlichen Bataillone.

In einiger Entfernung von da fand man die in einen Hoſpital umgewandelte Abtei von Kotloskoi; hier fehlte es an Allem, und doch war noch Leben genug vorhanden, um den Tod zu fühlen. Bonaparte wärmte ſich an einem Feuer, das aus dem Holze ſeiner beſchädigten Wägen angezündet werden mußte. Als die Armee ihren Marſch fortſetzte, ſtanden die Sterbenden auf, ſchleppten ſich an die Schwelle ihres letzten Aſyls und ſogar auf die Straße und reichten den ſie verlaſſenden Kameraden die kraftloſen Hände; ſie ſchienen ſie zugleich zu bannen und vor Gottes Gericht zu laden.

Jeden Augenblick ertönte die Entladung der Munitionskaſten, die man im Stich laſſen mußte. Die Proviantmeiſter warfen die Kranken in die Gräben. Ruſſiſche Gefangene, von in franzöſiſchen Dienſten ſtehenden Fremden escortirt, wurden durch ihre Wachen niedergemacht; ſie wurden Alle auf dieſelbe Weiſe getödtet, ihr Hirn lag neben ihrem Kopfe verſpritzt.

Bonaparte hatte Europa mit ſich geführt; in ſeiner Armee wurden alle Sprachen geredet, ſah man alle Kokarden, alle Fahnen. Der zum Kampfe gezwungene Italiener hatte ſich gleich einem Franzoſen geſchlagen; der Spanier hat den Ruf ſeines Muthes gewahrt; Neapel und Andaluſien wurden bloß wie ein ſüßer Traum von ihnen beſeufzt. Man hat geſagt, Bonaparte ſei nur durch das ganze Europa beſiegt worden, und das iſt richtig; allein man vergißt, daß Bonaparte nur mit Hülfe Europa's, ſeines gezwungenen oder freiwilligen Verbündeten, geſiegt hatte.

Rußland allein ſetzte dem von Napoleon geleiteten Europa Widerſtand entgegen; alleinſtehend und durch Napoleon vertheidigt, fiel Frankreich unter dem ſich gegen ihn kehrenden Europa; man muß jedoch berückſichtigen, daß Rußland durch ſein Klima vertheidigt ward und Europa nur mit Widerwillen unter ſeinem

Gebieter marſchirte. Frankreich dagegen war weder durch ſein Klima noch durch ſeine decimirte Bevölkerung geſchützt; es beſaß nur ſeinen Muth und die Erinnerung an ſeinen Ruhm.

Gleichgültig gegen das Elend ſeiner Soldaten, kümmerte ſich Bonaparte nur um ſeine Intereſſen; wenn er campirte, ſo drehte ſich ſeine Unterhaltung um Miniſter, die, wie er ſich äußerte, von den Engländern erkauft und die Urheber dieſes Krieges waren; denn er wollte ſich nicht eingeſtehen, daß dieſer Krieg einzig von ihm herrühre. Der Herzog von Vicenza, welcher ein Unglück durch ſein edles Benehmen durchaus wieder gut machen wollte, konnte bei den Schmeicheleien im Bivouak nicht länger an ſich halten und rief: „Welche furchtbare Grauſamkeit! Das iſt alſo die Civiliſation, die wir nach Rußland bringen!“ Nach Bonaparte's unglaubwürdigen Ausſagen machte er eine Geberde des Zorns und der Verneinung und entfernte ſich. Der Mann, den der geringſte Widerſpruch in Wuth verſetzte, duldete die Grobheiten Caulaincourt's und büßte dadurch für den Brief, den nach Ettenheim zu bringen er ihn einſt beauftragt hatte. Wenn man etwas Verwerfliches begangen hat, ſo ſtellt uns der Himmel als Strafe Zeugen zur Seite; vergeblich ließen die ehemaligen Tyrannen ſie verſchwinden; zur Hölle gefahren, kehrten dieſe Körper in der Geſtalt von Furien wieder zurück.

Nachdem Napoleon Gjatsk durchzogen, rückte er gegen Wiasma vor und ließ auch dieſes hinter ſich, als er dort den Feind, den er anzutreffen gefürchtet, nicht gefunden hatte. Er gelangt am 3. November nach Slawskowo; hier vernahm er, daß ſich hinter ihm in Wiasma ein Kampf entſponnen habe. Dieſer Kampf gegen die Truppen von Miloradowitſch ward verderblich für uns; unſere Soldaten, unſere verwundeten Offiziere thaten Wunder von Tapferkeit und warfen ſich mit dem Arm in der Schlinge und verbundenem Kopfe auf die feindlichen Kanonen.

Dieſe Reihe von Gefechten an den nämlichen Orten, dieſe friſchen Todesſtätten auf alten Todesſtätten, dieſe verdoppelten

Schlachten hätten die unseligen Felder zweimal unsterblich gemacht, wenn das Vergessene nicht rasch unsern Staub einhüllte. Wer denkt an jene in Rußland zurückgelassenen Bauern? Sind diese Landleute zufrieden, bei der großen Schlacht unter den Mauern von Moskau gewesen zu sein? Vielleicht bin ich der Einzige, der sich an Herbstabenden, wenn mein Auge dem Zuge der Vögel des Nordens am Himmel hin folgt, mich erinnere, daß sie das Grab unserer Landsleute gesehen haben. Industrielle Gesellschaften haben sich mit ihren Oefen und Kesseln in diese Wüste begeben; die Knochen sind in Druckerschwärze verwandelt worden; der Firniß hat den nämlichen Preis, sei er aus Hunden oder Menschen verfertigt, und er ist nicht glänzender, sei er aus Dunkelheit oder Ruhm gezogen. So achten wir die Todten heutzutage! Das ist der heilige Ritus der neuen Religion! Diis Manibus. Ihr glücklichen Gefährten Karl's XII, ihr seid von solchen gottesschänderischen Hyänen unangetastet geblieben. Im Winter weilt das Hermelin auf dem jungfräulichen Schnee, der eure Gräber deckt, und im Sommer blüht auf ihnen das Moos von Pultawa.

Am 6. November (1812) fiel der Thermometer auf 18 Grad unter Null; Alles verschwindet unter der einzigen Farbe, dem Weiß. Die Soldaten ohne Fußbekleidung fühlen, wie ihre Füße erfrieren; ihren veilchenblauen, erstarrten Fingern entgleitet die Muskete, deren Berührung heftig schmerzt; ihre Haare sträuben sich vor Reif, ihre Bärte durch den gefrierenden Athem, ihre schlechten Kleider werden zur Eiskruste. Sie fallen, der Schnee bedeckt sie; sie bilden auf dem Boden kleine Grabhügel mit ihren Furchen. Man weiß nicht mehr, nach welcher Richtung hin die Flüsse fließen; man ist genöthigt, das Eis einzuschlagen, um sie zu erkennen. Die verschiedenen Corps machen auf dem ungeheuren Schneefelde Bataillonsfeuer, um sich anzurufen und zu erkennen, wie gefährdete Schiffe Nothschüsse lösen. Hie und da erheben sich die in regungslosen Krystall verwandelten Tannen gleich Kronleuchtern, um bei diesen Leichenfeierlichkeiten zu prangen. Raben

und ganze Meuten weißer, herrenloser Hunde folgten in einiger Entfernung diesem Rückzuge von Leichnamen.

Es war hart, nach Tagemärschen nirgends einen verproviantirten Ort zu finden und noch die Vorsichtsmaßregeln eines gesunden, reichlich versehenen Kriegsheers befolgen zu müssen, Schildwachen auszustellen, Posten zu besetzen und Feldwachen auszusenden. In den sechszehnstündigen Nächten wußte man, von den Windstößen des Nordens gepeitscht, nicht, wohin sich setzen, noch wohin sich legen; die mit allem ihrem Alabaster gefällten Bäume wollten sich nicht entzünden; man brachte es kaum dazu, ein wenig Schnee zu schmelzen, um einen Löffel voll Roggenmehl damit anzurühren. Man hatte sich nicht so bald auf der nackten Erde zur Ruhe gesetzt, so ertönte das Geheul der Kosacken durch die Wälder, donnerte die fliegende Artillerie des Feindes und wurde das Fasten unserer Soldaten wie das Festmahl von Königen, wenn sie sich zu Tische setzen, begrüßt; die Kanonen rollten ihre eisernen Brode mitten unter die hungrigen Tischgenossen. In der Morgendämmerung, welcher kein Morgenroth folgte, hörte man den Schlag einer mit Reif überzogenen Trommel oder den heisern Ton einer Trompete; Nichts konnte trauriger sein, als diese klägliche Tagwache, welche Krieger, die sie nicht mehr weckte, unter die Waffen rief. Der anbrechende Tag beleuchtete Kreise von erstarrten und todten Infanteristen, die erloschene Holzstöße umlagerten.

Die Ueberlebenden brachen auf und rückten gegen unbekannte Horizonte vor, welche, immer zurückweichend, mit jedem Schritte im Nebel verschwanden. Unter einem drückenden Himmel, der von den Stürmen der Nacht gleichsam ermattet war, durchzogen unsere gelichteten Reihen eine Steppe nach der andern, einen Wald nach dem andern, in welchem der Ocean seinen Schaum an den zerzausten Aesten der Birken zurückgelassen zu haben schien. Man traf in diesen Wäldern nicht einmal jenen traurigen kleinen Wintervogel, der, wie ich, in den entlaubten Gebüschen singt. Wenn dieser Vergleich mir plötzlich meine alten Tage vor Augen führt,

ſo erinnern mich Eure Leiden, o meine Kameraden (die Soldaten ſind Brüder), auch an meine Jugendjahre, wo ich, vor Euch retirirend, ſo elend und ſo verlaſſen die Haide der Ardennen durchzog.

Die großen ruſſiſchen Armeen verfolgten die unſeren, die in mehrere Diviſionen und dieſe wieder in Colonnen abgetheilt waren; Prinz Eugen befehligte den Vortrab, Napoleon das Centrum, der Marſchall Ney den Nachtrab. Durch verſchiedene Hinderniſſe und Gefechte aufgehalten, behielten dieſe Corps nicht ihre genaue Diſtanz bei; bald überholte eines das andere, bald marſchirten ſie in horizontaler Linie, ſehr oft, ohne ſich zu ſehen und, aus Mangel an Cavallerie, mit einander in Verbindung zu ſtehen. Taurier auf kleinen Pferden, deren Mähnen bis an den Boden reichten, geſtatteten unſern durch dieſe Schneebremſen abgematteten Soldaten weder bei Tag noch bei Nacht Ruhe. Die Landſchaft hatte ſich verändert; da, wo man früher einen Bach geſehen hatte, fand man jetzt einen Strom, den Eisketten an dem ſteilen Rande ſeiner Schlucht aufhielten.

„In einer einzigen Nacht", ſagt Bonaparte in ſeinen „Papieren von St. Helena", „verlor man dreißigtauſend Pferde; man war genöthigt, faſt die ganze Artillerie im Stiche zu laſſen, die damals noch fünfhundert Feuerſchlünde ſtark war; man konnte weder Munition noch Vorräthe mehr mitnehmen. Aus Mangel an Pferden konnten wir weder Recognoscirungen vornehmen noch eine Avantgarde von Cavallerie ausſenden, um den Weg auszukundſchaften. Die Soldaten verloren den Muth und den Verſtand und geriethen in Beſtürzung. Der geringſte Umſtand beunruhigte ſie. Vier bis fünf Mann waren hinreichend, um Schrecken in einem ganzen Bataillon zu verbreiten. Statt beiſammen zu bleiben, irrten ſie vereinzelt umher, um Feuer zu ſuchen. Die, welche man als Vortrab ausſandte, verließen ihre Poſten und ſuchten ein Mittel, ſich in Häuſern zu wärmen. Sie zerſtreuten ſich nach allen Seiten, entfernten ſich von ihren Corps und wurden dadurch

leicht eine Beute des Feindes. Andere legten ſich auf den Boden, ſchliefen ein, etwas Blut drang aus ihren Naslöchern und ſie ſtarben ſchlafend. Tauſende von Soldaten kamen um. Die Polen retteten einige ihrer Pferde und Etwas von ihrer Artillerie; allein die Franzoſen und die Soldaten der andern Nationen waren nicht die gleichen Menſchen. Beſonders die Reiterei hat viel gelitten. Ich glaube nicht, daß auf vierzigtauſend Mann dreitauſend entkommen ſind."

Und Sie, die Sie das unter der ſchönen Sonne einer andern Hemiſphäre erzählten, waren Sie bloß Zeuge von ſo vielem Jammer?

An demſelben Tage, dem 6. November, wo der Thermometer ſo tief fiel, kam gleich einem verirrten Käuzlein die erſte Staffette, die man ſeit langer Zeit geſehen hatte, aus Frankreich; ſie brachte die ſchlimme Nachricht von der Verſchwörung Mallet's. Dieſe Verſchwörung beſaß Etwas von dem Wunderbaren von Napoleon's Geſtirn. Was bei dem Berichte des Generals Gourgaud am meiſten Eindruck auf den Kaiſer machte, war der nur zu klare Beweis, daß die monarchiſchen Grundſätze in ihrer Anwendung auf ſeine Monarchie ſo geringe Wurzeln geſchlagen hatten, daß bei der Nachricht vom Tode des Kaiſers große Staatsbeamte vergaßen, daß, wenn auch der Souverain todt, ein Anderer als Nachfolger da ſei.

Bonaparte erzählte in St. Helena (Memorial von Las Caſas), daß er zu ſeinem in den Tuilerien verſammelten Hofe geſagt hatte, indem er von Mallet's Verſchwörung ſprach: „Wohlan, meine Herren, Sie behaupteten, Ihre Revolution beendigt zu haben; Sie glaubten mich todt; aber der König von Rom, Ihre Eide, Ihre Grundſätze, Ihre Doctrinen? Sie machen mich für die Zukunft beben!" Bonaparte urtheilte logiſch; es handelte ſich um ſeine Dynaſtie; würde er dieſen Schluß eben ſo gerecht gefunden haben, wenn es ſich um den Stamm des heiligen Ludwig gehandelt hätte?

Bonaparte erfuhr das in Paris Vorgefallene inmitten einer Wüſte, unter den Trümmern einer beinahe zerſtörten Armee, deren Blut der Schnee trank; die auf die Stärke gegründeten Rechte Napoleon's wurden in Rußland mit ſeiner Stärke vernichtet, während ein einziger Mann hingereicht hatte, ſie in der Hauptſtadt in Zweifel zu ſtellen. Außerhalb der Religion, der Gerechtigkeit und Freiheit gibt es keine Rechte.

Faſt in demſelben Augenblicke, wo Bonaparte den Vorgang in Paris vernahm, erhielt er einen Brief vom Marſchall Ney. Dieſer Brief theilte ihm mit, daß die beſten Soldaten ſich fragten, weßhalb ſie allein kämpfen ſollten, um die Flucht der Andern zu ſchützen; weßhalb der Adler nicht mehr beſchütze, ſondern tödte; warum man bataillonsweiſe unterliegen müſſe, da man doch Nichts mehr thun könne, als fliehen?"

Als Ney's Aide-de-camp ſich in betrübende Einzelnheiten einlaſſen wollte, unterbrach ihn Bonaparte mit den Worten: „Oberſt, ich frage Sie nicht nach dieſen Nebenumſtänden."

Dieſer ruſſiſche Feldzug war eine wahre Narrheit, die alle Civil- und Militärautoritäten des Reichs getadelt hatten. Die Triumphe und das Unglück, an welche der Rückweg erinnerte, erbitterten oder entmuthigten die Soldaten; in dieſem Hin- und Herwege konnte Napoleon auch das Bild der beiden Abſchnitte ſeines Lebens erblicken.

Smolensk. — Fortſetzung des Rückzugs.

Am 9. November hatte man endlich Smolensk erreicht. Ein Befehl Bonaparte's hatte Jedermann den Eintritt in die Stadt verboten, bevor die Poſten von der kaiſerlichen Garde beſetzt wären. Die außerhalb der Stadt ſtehenden Soldaten gefrieren am Fuße der Mauern an; die im Innern befindlichen Soldaten halten ſich

eingeſchloſſen. Die Luft wiederhallt von den Verwünſchungen der ausgeſchloſſenen Verzweifelnden, die mit ſchmutzigen Koſackenröcken, verflickten Caputröcken, zerfetzten Mänteln und Uniformen, Bett- oder Pferdedecken bekleidet ſind, den Kopf mit Mützen von zuſammengerollten Sacktüchern, mit Tſchako's ohne Boden, mit verbogenen und zerbrochenen Helmen bedeckt haben, welches Alles blutig oder beſchneit und von Kugeln durchlöchert oder durch Säbelhiebe zerhackt iſt. Mit blaſſem, verzerrtem Geſichte, düſteren und funkelnden Augen ſtarrten ſie zähneknirſchend an die Wälle hinauf und hatten das Ausſehen jener verſtümmelten Gefangenen, welche unter Ludwig dem Dicken in ihrer rechten Hand ihre abgeſchnittene Linke trugen; man hätte ſie für wüthende Masken oder dem Narrenhaus entſprungene Kranke halten können.

Die alte und die junge Garde langten an; ſie betraten den auf unſerm erſten Durchzuge eingeäſcherten Platz. Geſchrei erhebt ſich gegen die bevorzugte Truppe: „Soll die Armee ſtets nur haben, was dieſe übrig läßt?" Die hungrigen Schaaren laufen tumultuariſch in die Magazine; man meint einen Aufſtand von Geſpenſtern zu ſehen. Sie werden zurückgedrängt, man ſchlägt ſich; die Getödteten bleiben auf den Straßen, Frauen, Kinder, Sterbende auf Karren liegen. Die Luft war durch eine Menge alter in Fäulniß übergegangener Leichen verpeſtet; Soldaten wurden von Blödſinn oder Tollheit befallen; einige, deren Haare ſich geſträubt und zuſammengedreht hatten, läſterten oder brachen in ein dummes Gelächter aus und fielen dann todt nieder. Bonaparte läßt ſeinen Zorn an einem armen unvermögenden Lieferanten aus, dem man nicht einen ſeiner Aufträge ausgeführt hatte.

Mit der Armee, welche von hunderttauſend Mann auf dreißigtauſend zuſammengeſchmolzen war, zog eine Rotte von fünfzigtauſend Nachzüglern; man beſaß nur noch achtzehnhundert Mann Reiterei. Napoleon übertrug das Commando derſelben Herrn von Latour-Maubourg. Dieſem Offiziere, welcher die Küraſſiere zum Sturm der großen Schanze von Borodino führte, wurde der Kopf

von Säbelhieben fürchterlich zugerichtet; ſpäter verlor er bei Dresden ein Bein. Als er ſeinen Bedienten weinen ſah, ſagte er: „Was klagſt Du? Du haſt jetzt künftig nur einen Stiefel zu wichſen.“ Dieſer dem Unglück treugebliebene General wurde der Gouverneur Heinrich's V während der erſten Jahre der Verbannung des jungen Prinzen; wenn ich an ihm vorbeigehe, ſo ziehe ich meinen Hut vor ihm ab, als ginge ich an der Ehre vorbei.

Man war gezwungen, ſich bis zum 14. in Smolensk aufzuhalten. Napoleon befahl dem Marſchall Ney, mit Davouſt Verabredung zu treffen und den Platz durch Flatterminen zu zerſtören; er ſelbſt begab ſich nach Krasnoi und beſetzte es am 15., nachdem dieſe Station zuvor von den Ruſſen geplündert worden war. Die Moskowiten verengerten ihren Kreis; die große Armee, genannt die moldauiſche, befand ſich in der Nähe; ſie traf Anſtalten, uns vollends einzuſchließen und in die Bereſina zu werfen.

Der Reſt unſerer Bataillone verminderte ſich von Tag zu Tag. Von unſerer elenden Lage unterrichtet, rührte ſich Kutuzoff kaum.

„Verlaſſen Sie nur auf einen Augenblick Ihr Hauptquartier“, rief Wilſon, „begeben Sie ſich auf die Höhen und Sie werden ſehen, daß Napoleon's letzter Augenblick gekommen iſt. Rußland fordert dieſes Schlachtopfer; Sie brauchen nur einen Schlag zu thun, eine Ladung genügt; in zwei Stunden wird die Geſtalt Europa's umgewandelt ſein.“

Das war richtig; doch wäre hauptſächlich nur Bonaparte getroffen geweſen und Gott wollte Frankreich die Schwere ſeiner Hand fühlen laſſen.

Kutuzoff antwortete: „Ich laſſe meine Soldaten alle drei Tage ruhen; ich würde mich ſchämen und ſogleich ſtehen bleiben, wenn es ihnen nur einen Augenblick an Brod fehlen ſollte. Ich escortire die franzöſiſche Armee als meine Gefangene; ich züchtige ſie, ſobald ſie ſtehen bleiben oder ſich von der Hauptſtraße entfernen will. Das Ziel von Napoleon's Laufbahn iſt unwiderruflich

bezeichnet; das Meteor wird in Gegenwart aller russischen Armeen in den Sümpfen der Beresina erlöschen. Ich werde Ihnen den geschwächten, entwaffneten, sterbenden Napoleon überliefert haben; das ist genug für meinen Ruhm."

Bonaparte hatte von dem alten Kutuzoff mit jener beleidigenden Geringschätzung gesprochen, mit der er so freigebig war; der alte Kutuzoff gab ihm seinerseits Verachtung für Verachtung zurück.

Kutuzoff's Armee war ungeduldiger als ihr Anführer, die Kosacken selbst riefen: „Wird man diese Skelette wieder ihren Gräbern entsteigen lassen?"

Inzwischen sah man das vierte Corps nicht anlangen, welches am 15. Smolensk hätte verlassen und am 16. in Krasnoi zu Napoleon stoßen sollen; die Communicationen waren abgeschnitten; Prinz Eugen, welcher den Nachtrab führte, versuchte vergeblich, sie wieder herzustellen; Alles, was er thun konnte, war, die Russen zu umgehen und unter Krasnoi seine Verschmelzung mit der Garde zu bewerkstelligen; allein die Marschälle Ney und Davoust erschienen noch immer nicht.

Jetzt fand Napoleon plötzlich sein Genie wieder; mit einem Stocke in der Hand verläßt er am 17. Krasnoi an der Spitze seiner auf dreizehntausend Mann zusammengeschmolzenen Garde, um zahllosen Feinden die Stirne zu bieten, den Weg nach Smolensk frei zu machen und den beiden Marschällen eine Bahn zu brechen. Er verdarb diese Handlung nur durch die Wiederholung eines zu seiner Maske wenig passenden Wortes: „Ich habe mich genug als Kaiser gezeigt, es ist Zeit, daß ich mich als General zeige." Als Heinrich IV zur Belagerung von Amiens abging, hatte er gesagt: „Ich habe mich genug als König von Frankreich gezeigt, es ist Zeit, daß ich mich als König von Navarra zeige."

Die umliegenden Höhen, an deren Fuße Napoleon hinmarschirte, beluden sich mit Artillerie und konnten ihn jeden Augenblick zermalmen; er wirft einen Blick auf sie und sagt: „Eine

Schwadron meiner Jäger ſoll ſich ihrer bemächtigen!“ Die Ruſſen hätten ſich nur herabzuwälzen gebraucht, ſchon ihre Maſſe würde ihn erdrückt haben; allein beim Anblick dieſes großen Mannes und der Trümmer der in ein viereckiges Bataillon geſchloſſenen Garde, blieben ſie unbeweglich und wie bezaubert; ſein Blick hielt hunderttauſend Mann auf den Hügeln feſt.

Kutuzoff ward wegen dieſes Treffens bei Krasnoi in Petersburg mit dem Beinamen Smolensky beehrt; wahrſcheinlich weil er unter dem Stocke Bonaparte's nicht an der Rettung des Staates verzweifelt hatte.

Uebergang über die Bereſina.

Nach dieſer vergeblichen Anſtrengung ſetzte Napoleon am 19. über den Dnieper und campirte dann in Orcha; dort verbrannte er die Papiere, welche er mitgenommen hatte, um während der langweiligen Winterszeit ſeine Lebensbeſchreibung abzufaſſen, wenn Moskau ſtehen geblieben wäre und ihm erlaubt hätte, ſeinen Wohnſitz dort aufzuſchlagen. Er hatte ſich genöthigt geſehen, das ungeheure Kreuz des heiligen Iwan in den See von Semlewo zu werfen, wo es von den Koſacken wieder aufgefunden und auf den Thurm des großen Iwan zurückgebracht wurde.

In Orcha hatte man große Beſorgniſſe; trotz Napoleon's Verſuch, den Marſchall Ney dem Feinde wieder abzujagen, fehlte er noch immer. In Baranni erhielt man endlich Nachrichten von ihm; es war Eugen gelungen, zu ihm zu ſtoßen. Der General Gourgaud erzählt die Freude, die Napoleon darüber empfand, obwohl die Bülletins und die Berichte der Freunde des Kaiſers ſich fortwährend mit eiferſüchtiger Zurückhaltung über alle Thatſachen ausſprechen, die ſich nicht unmittelbar auf ihn beziehen.

Die Freude der Armee verſtummte jedoch ſchnell, man traf

Gefahren auf Gefahren. Bonaparte begab ſich von Kokhanow nach Tolozeim, als ein Aide-de-camp ihn von dem Verluſt des Brückenkopfes von Boriſow benachrichtigte, welcher dem General Dombrowski durch die moldauiſche Armee weggenommen worden war. Ihrerſeits in Boriſow durch den Herzog von Reggio überfallen, zog ſich die moldauiſche Armee hinter die Bereſina zurück, nachdem ſie die Brücke zerſtört hatte. Tſchitſchakoff befand ſich demzufolge uns gegenüber am jenſeitigen Ufer des Fluſſes.

Der General Corbineau, welcher eine Brigade unſerer leichten Reiterei befehligte, hatte mittelſt der Weiſung eines Bauern unterhalb Boriſow die Furt von Veſelowo entdeckt. Auf dieſe Nachricht hin ließ Napoleon am Abend des 24. von Bobre, d'Eblé und Chaſſeloup mit den Pontonieren und Sapeurs aufbrechen; ſie langten bei Studianka an der bezeichneten Furt der Bereſina an.

Zwei Brücken ſind geſchlagen, eine Armee von vierzigtauſend Ruſſen campirte am jenſeitigen Ufer. Wie groß war das Erſtaunen der Franzoſen, als ſie bei Tagesanbruch das Ufer verödet und den Nachtrab der Diviſion von Tſchaplitz in vollem Rückzug begriffen fanden! Sie trauten ihren Augen nicht. Eine einzige Kugel, das Feuer aus der Pfeife eines Koſacken wäre hinreichend geweſen, um die ſchwachen Pontons d'Eblé's zu zertrümmern oder zu verbrennen. Man eilt, Bonaparte davon zu benachrichtigen; er ſteht ſchleunig auf, begibt ſich hinaus, ſieht und ruft: „Ich habe den Admiral zum Beſten gehalten!“

Dieſe Aeußerung war natürlich; die Ruſſen ließen die Entwicklung nicht zur Reife kommen und begingen einen Fehler, der den Krieg um drei Jahre verlängern ſollte; ihr Anführer jedoch war nicht zum Beſten gehalten worden. Der Admiral Tſchitſchakoff hatte Alles wahrgenommen und einfach ſeinen Charakter hiebei bethätigt; obwohl geſchickt und feurig, liebte er ſeine Bequemlichkeit; er fürchtete die Kälte, blieb beim Ofen und dachte, er habe immer noch Zeit, die Franzoſen zu vertilgen, wenn er ſich gehörig gewärmt haben würde; kurz, er überließ ſich ſeinem Temperament.

Heutzutage in London lebend, nachdem er ſein Vermögen im Stich ließ und Rußland entſagte, hat Tſchitſchakoff dem Quarterly Revier merkwürdige Einzelnheiten über den Feldzug von 1812 geliefert; er ſucht ſich zu entſchuldigen, ſeine Landsleute antworten ihm; es iſt ein Streit zwiſchen Ruſſen. Ach, wenn auch Bonaparte durch die Erbauung ſeiner zwei Brücken und den unbegreiflichen Rückzug der Diviſion Tſchaplitz gerettet war, ſo waren es die Franzoſen nicht; zwei andere ruſſiſche Armeen ballten ſich an dem Ufer des Fluſſes zuſammen, den zu verlaſſen Napoleon ſich rüſtete. Hier muß Einer, der nicht dabei war, ſchweigen und die Augenzeugen reden laſſen.

„Die Hingebung der von d'Eblé geleiteten Pontoniere," ſagt Chambray, „wird ſo lange im Andenken leben, als der Uebergang über die Bereſina. Obwohl geſchwächt durch die Leiden, die ſie ſeit ſo langer Zeit erduldeten, obwohl erwärmender Liqueure und aller kräftigen Nahrung entbehrend, ſah man ſie der Kälte, welche ſehr ſtrenge geworden war, trotzen und oft bis faſt an die Bruſt in's Waſſer ſtehen; das hieß einem beinahe gewiſſen Tode entgegengehen, allein die Armee ſchaute auf ſie; ſie opferten ſich für die Rettung derſelben."

„Unter den Franzoſen herrſchte Unordnung," ſagt Herr von Ségur, „und es hatte an Material zu den beiden Brücken gefehlt; in der Nacht vom 26. auf den 27. war die Wagenbrücke zweimal gebrochen und der Uebergang dadurch um ſieben Stunden verſpätet worden; am 27. gegen vier Uhr Abends brach ſie zum dritten Mal. Andererſeits hatten die in den umliegenden Wäldern und Dörfern zerſtreuten Nachzügler die erſte Nacht nicht benützt und fanden ſich am 27. bei Tagesanbruch alle auf einmal ein, um die Brücken zu paſſiren."

„Das war beſonders der Fall, als die Garde, nach welcher ſie ſich richteten, ſich in Bewegung ſetzte. Ihr Aufbruch war gleichſam ein Signal; ſie eilten von allen Seiten herbei und ſchaarten ſich am Ufer. Einen Augenblick ſah man eine dichte, gewaltige

und verworrene Maſſe von Menſchen, Pferden und Wagen den ſchmalen Zugang zu den Brücken belagern. Die Vorderſten, von den Nachfolgenden vorwärts und durch die Garden oder Pontoniere zurückgeſtoßen oder durch den Fluß aufgehalten, wurden zerdrückt, unter den Füßen zertreten oder in das Eis geſtürzt, welches die Bereſina mit ſich führte. Bald ertönte in dieſem ungeheuren, furchtbaren Gewühl ein dumpfes Gemurmel, bald ein entſetzliches Geſchrei, untermiſcht mit Geſtöhne und ſchrecklichen Verwünſchungen . . . Die Unordnung war ſo groß, daß man, als ſich gegen zwei Uhr auch der Kaiſer einfand, Gewalt anwenden mußte, um ihm einen Weg zu bahnen. Ein Grenadiercorps der Garde und Latour-Maubourg verzichteten aus Mitleid, ſich durch dieſe Unglücklichen Bahn zu brechen . . . . . .

. . . . . .

„Die ungeheure an dem Ufer aufgeſchichtete Menge von Menſchen, Pferden und Wagen im ſchrecklichſten Durcheinander veranlaßten eine bejammernswerthe Verſperrung des Weges. Gegen Mittag fielen die erſten feindlichen Kugeln in dieſes Chaos; ſie waren das Signal zu einer allgemeinen Verzweiflung . . . .

„Viele von denen, welche ſich zuerſt aus dieſer Maſſe Verzweifelnder herausgeſtürzt, hatten die Brücke verfehlt und wollten an ihren Seiten wieder heraufklimmen; allein die Mehrzahl derſelben wurde in den Fluß zurückgeſtoßen. Mitten in den Eisſchollen erblickte man Frauen mit ihren Kindern in den Armen, die ſie immer höher emporſtreckten, je mehr ſie ſelbſt ſanken; ſchon überfluthet, hielten ihre erſtarrten Arme ſie immer noch über den Wellen.

„Mitten in dieſer fürchterlichen Unordnung brach die Brücke der Artillerie. Die auf dem ſchmalen Weg befindliche Colonne wollte vergeblich umkehren. Der hinter ihr kommende Menſchenſchwall, der von dem Unglück Nichts wußte und das Geſchrei der Vorderſten nicht beachtete, drängte vorwärts und warf Alles in den Abgrund, in den auch er geſtürzt wurde.

„Jetzt wandte ſich Alles der andern Brücke zu. Eine Menge großer Munitionswagen, ſchwerer Wagen und Artilleriestücke ſtrömen von allen Seiten herbei. Von ihren Führern geleitet, an dem ſteilen, unebenen Abhang raſch hinab und mitten in den Menſchenknäuel hineinrollend, zermalmen ſie die Unglücklichen, die von ihnen überfahren werden, prallen dann an einander, ſtürzen die Mehrzahl um und reißen in ihrem Falle die Umſtehenden mit ſich. Ganze Reihen Menſchen werden in der Betäubung auf dieſe Hinderniſſe hingeſtoßen, verwickeln ſich darin, fallen und werden von andern Haufen Unglücklicher, die ſich ohne Unterbrechung folgen, zertreten.

„So wälzten ſich Wogen auf Wogen ſolcher Bejammernswerther; man hörte nur Schmerz- und Wuthgeſchrei. Die in dieſem furchtbaren Gedränge zertretenen und erdrückten Menſchen wehrten ſich unter den Füßen ihrer Gefährten, an welche ſie ſich mit ihren Nägeln und Zähnen anklammerten. Dieſe ſtießen ſie erbarmungslos wie Feinde zurück. In dieſem ſchauerlichen Lärm, den ein wüthender Orkan von Geſchützfeuer, das Pfeifen des Sturmes und das der Kugeln, die Entladung der Haubitzen, Geſchrei, Geſtöhn und fürchterliche Flüche verurſachten, hörte dieſe zügelloſe Menge nicht die Klagen der Opfer, die ſie verſchlang."

Die andern Zeugen ſtimmen mit den Erzählungen des Herrn von Ségur überein; zum Beweis und um ſie gegen einander zu vergleichen, will ich nur noch die Stelle aus den Memoiren Vaudoncourt's anführen.

„Die ziemlich große Ebene, welche ſich vor Veſelowo befindet, bietet am Abend ein Schauſpiel, deſſen Grauſen ſchwer zu ſchildern iſt. Sie iſt mit Wagen und Karren bedeckt, deren Mehrzahl über einander geſtürzt und zerſchmettert liegen. Sie iſt mit Leichen überſäet, die nicht dem Soldatenſtande angehören und unter welchen man nur zu viele Frauen und Kinder ſieht, die ſich der Armee bis Moskau nachgeſchleppt hatten oder aus dieſer Stadt entflohen, um ihren Landsleuten zu folgen, und die der Tod auf verſchiedene Weiſe ereilt hatte. Das Loos dieſer Unglücklichen

inmitten der beiden Armeen war, unter den Rädern der Wagen oder unter den Füßen der Pferde zermalmt, von den Kugeln der beiden Parteien getroffen zu werden, zu ertrinken, indem ſie mit den Truppen die Brücken paſſiren wollten, oder von den feindlichen Soldaten ausgezogen und nackt in den Schnee geworfen zu werden, wo die Kälte bald ihren Leiden ein Ende machte."

Wie beklagt Bonaparte eine ſolche Kataſtrophe, dieſes ſchmerzliche Ereigniß, eines der größten der Geſchichte, Unfälle, welche die der Armee des Kambyſes überſteigen? Welch einen Schrei entreißen ſie ſeiner Seele? Die vier Worte ſeines Bülletins: „Im Verlauf des 26. und 27. paſſirte die Armee die Bereſina." Man ſah, auf welche Weiſe! Napoleon ward nicht einmal durch den Anblick der Frauen gerührt, welche in ihren Armen ihre Säuglinge über den Wellen emporhoben. Der andere große Mann, welcher von Frankreich aus die Welt regiert hat, Karl der Große, dem Anſcheine nach ein roher Barbar, beſang und beweinte — denn er war auch Poet — das in dem Ebro ertrunkene Kind, welches auf dem Eiſe geſpielt hatte:

Trux puer adstricto glacie dum ludit in Hebre.

Der Herzog von Belluno war beauftragt, den Uebergang zu ſchützen. Er hatte den General Partouneaux hinter ſich gelaſſen, welcher genöthigt war, zu capituliren. Der von Neuem verwundete Herzog von Reggio wurde in ſeinem Commando durch den Marſchall Ney erſetzt. Man durchzog die Moräſte der Gaina; die kleinſte Vorſicht der Ruſſen hätte die Wege unbrauchbar gemacht. Am 3. December fand man in Malodeczno alle ſeit drei Wochen aufgehaltenen Stafetten. Hier ging Napoleon mit ſich zu Rathe, ob er die Fahne verlaſſen ſolle. „Kann ich an der Spitze der unordentlichen Flucht einer Armee bleiben?" ſagte er. In Smorgoni drangen der König von Neapel und der Prinz Eugen in ihn, nach Frankreich zurückzukehren. Der Herzog von Iſtria führte das Wort; bei den erſten Worten geräth Napoleon

5*

in Wuth und ruft: „Nur mein tödtlichſter Feind kann mir den Vorſchlag machen, die Armee in der Lage, in welcher ſie ſich befindet, zu verlaſſen.“ Er machte eine Bewegung, als wolle er ſich mit dem bloßen Degen in der Hand auf den Marſchall werfen.

Am Abend ließ er den Herzog von Iſtria zu ſich rufen und ſagte: „Da Ihr Alle es wollt, ſo muß ich wohl abreiſen.“ Die Scene war angeordnet, der Plan zur Abreiſe zeigte ſich bereits fertig, ſobald ſie geſpielt war. Herr Fain verſichert wirklich, daß der Kaiſer ſich auf dem Marſche, der ihn am 4. von Malobeczno nach Bicliſza zurückgebracht, entſchloſſen hatte, die Armee zu verlaſſen. Das war die Komödie, in welcher der ungeheure Schauſpieler ſein tragiſches Drama auflöste.

In Smorgoni ſchrieb der Kaiſer ſein neunundzwanzigſtes Bülletin. Am 5. December beſtieg er mit Herrn von Caulaincourt einen Schlitten; es war zehn Uhr Nachts. Unter dem Namen des Gefährten ſeiner Flucht durchreiſte er Deutſchland. Nach ſeinem Verſchwinden ging Alles unter; wenn bei einem Sturme ein Granitkoloß ſich in dem Sande der Thebaide vergräbt, ſo bleibt kein Schatten in der Einöde. Einige Soldaten, an denen nur die Köpfe noch lebendig blieben, aßen ſich zuletzt unter den aus Fichtenäſten erbauten Schuppen gegenſeitig auf. Uebel, welche ſich nicht vergrößern zu können ſcheinen, vervollſtändigen ſich; der Winter, der für dieſes Klima bisher nur ein Herbſt geweſen war, bricht erſt jetzt herein. Die Ruſſen hatten nicht mehr den Muth, in Eisregionen auf die Schatten zu ſchießen, welche Napoleon als Vagabunden zurückließ.

In Wilna traf man nur Juden an, welche die Kranken, die ſie Anfangs aus Habſucht bei ſich aufgenommen hatten, dem Feinde vor die Füße warfen. Eine letzte unordentliche Flucht vernichtete den Reſt der Franzoſen auf der Höhe von Ponary noch vollends. Endlich erreicht man den Niemen; von den drei Brücken, über welche unſere Truppen gezogen waren, war keine mehr vorhanden, eine einzige Brücke, das Werk des Feindes, ragte über das

gefrorene Waſſer empor. Von den fünfmalhunderttauſend Mann, von der zahlloſen Artillerie, welche im Monat Auguſt über den Fluß geſetzt hatten, ſah man nur noch tauſend Mann regulärer Fußtruppen, einige Kanonen und dreißigtauſend mit Wunden bedeckte Jammergeſtalten durch Kowno ziehen. Keine Muſik, keine Siegeslieder mehr; mit veilchenblauen Geſichtern, beeisten, ſtarren Wimpern, welche die Augen zum Offenſtehen zwangen, marſchirte die Rotte ſchweigend über die Brücke oder kroch von Eisſchollen zu Eisſchollen an das polniſche Ufer. In Wohnungen angelangt, welche durch Oefen erwärmt waren, gaben die Unglücklichen den Geiſt auf; ihr Leben ſchmolz mit dem Schnee, in den ſie gehüllt waren. Der General Gourgaud behauptet, daß hunderſiebenundzwanzigtauſend Mann den Niemen wieder überſchritten; ſelbſt bei dieſer Berechnung ergäbe ſich immerhin ein Verluſt von dreimalhundert dreizehntauſend Mann in einem viermonatlichen Feldzuge.

In Gumbinnen angelangt, verſammelte Murat ſeine Offiziere und ſagte zu ihnen: „Es iſt nicht länger möglich, einem Wahnſinnigen zu dienen; bei ſeiner Sache iſt kein Heil mehr zu finden; kein Fürſt von Europa achtet mehr auf ſeine Worte noch ſeine Verträge.“ Von da begab er ſich nach Poſen und verſchwand am 16. Januar 1813. Dreiundzwanzig Tage nachher verließ der Fürſt von Schwarzenberg die Armee; ſie ſtand nun unter dem Befehl des Prinzen Eugen. Von Friedrich Wilhelm Anfangs auf oſtenſible Weiſe getadelt und bald darauf mit ihm ausgeſöhnt, zog ſich auch der General York ſammt den Preußen zurück; der europäiſche Abfall begann.

Urtheil über den ruſſiſchen Feldzug. — Letztes Bülletin der großen Armee. — Rückkehr Bonaparte's nach Paris. — Anſprache an den Senat.

Auf dieſem ganzen Feldzuge waren die Generäle Bonaparte's und insbeſondere der Marſchall Ney dieſem überlegen. Die

Entſchuldigungen, welche man für Bonaparte's Flucht vorgebracht hat, ſind unzuläſſig; der Beweis iſt da, daß ſeine Abreiſe, welche Alles retten ſollte, Nichts rettete. Weit entfernt, die Unfälle wieder gut zu machen, vermehrte dieſes Verlaſſen dieſelben und beſchleunigte die Auflöſung des Rheinbundes.

Das neunundzwanzigſte und letzte Bülletin der großen Armee, vom 3. December 1812 aus Molodetſchino datirt und am 18. in Paris angelangt, kam nur zwei Tage vor Napoleon an. Es verſetzte Frankreich in Beſtürzung, obwohl es weit entfernt iſt, ſich mit der an ihm gelobten Offenherzigkeit auszudrücken; es ſind ſchlagende Widerſprüche darin wahrzunehmen, denen es nicht gelingt, eine Wahrheit zu verdecken, die überall durchblickt. Wie man ſchon oben geſehen hat, ſprach ſich Napoleon auf St. Helena mit mehr Ehrlichkeit aus; ſeine Enthüllungen konnten ein von ſeinem Haupte gefallenes Diadem nicht mehr gefährden. Dennoch müſſen wir den Verheerer noch einen Augenblick anhören:

„Dieſe Armee," ſagte er in dem Bülletin vom 3. December 1812, am 6. November noch ſo ſchön, war am 14. eine ganz andere. Faſt ohne Reiterei, ohne Artillerie, ohne Fuhrwerke, konnten wir nicht auf eine Viertelſtunde weit recognosciren . . .

„Die Menſchen, welche die Natur nicht hinlänglich geſtählt hat, um ſich über alle Wechſelfälle des Schickſals zu erheben, zeigten ſich erſchüttert, verloren ihren Frohſinn, ihren guten Muth und träumten nur von Unglück und Unfällen; die, welche ſie ſtärker geſchaffen hat, behielten ihre Heiterkeit und ihre gewöhnlichen Manieren bei und ſahen in den verſchiedenartigen Schwierigkeiten, die zu überwinden waren, einen neuen Ruhm.

„Bei allen dieſen Bewegungen marſchirte der Kaiſer immer in Mitte ſeiner Garde, indem die Reiterei durch den Marſchall Herzog von Iſtria und die Infanterie durch den Herzog von Danzig befehligt war. Se. Majeſtät war zufrieden mit dem guten Geiſte, den ſeine Garde gezeigt hat. Er war immer bereit, ſich überall hin zu verfügen, wo die Umſtände ſeine Gegenwart erforderten.

„Der Fürſt von Neuchatel, der Groß-Marſchall, der Groß-Stallmeiſter und ſämmtliche Aides-de-camp und Offiziere des kaiſerlichen Hauſes haben Se. Majeſtät immer begleitet.

„Unſere Cavallerie war ſo unberitten gemacht worden, daß man die Offiziere, welchen noch ein Pferd blieb, verſammeln mußte, um vier Compagnien, jede von hundertfünfzig Mann, daraus zu bilden. Die Generäle verrichteten Capitänsdienſte und die Oberſten Unteroffiziersdienſte dabei. Dieſe heilige Schwadron unter dem Commando des Generals Grouchy und den Befehlen des Königs von Neapel verlor den Kaiſer bei allen ſeinen Bewegungen nicht aus den Augen. Das Befinden Sr. Majeſtät könnte nicht beſſer ſein."

Welch ein Ergebniß von ſo vielen Siegen! Bonaparte hatte zu den Directoren geſagt: „Was habt Ihr mit hunderttauſend Franzoſen angefangen, die Alle Ruhmesgefährten von mir waren? Sie ſind todt!" Frankreich konnte zu Bonaparte ſagen: „Was habt Ihr auf einem einzigen Marſche mit den fünfmalhunderttauſend Soldaten vom Niemen angefangen, die Alle meine Kinder oder Verbündeten waren? Sie ſind todt!"

Nach dem Verluſt dieſer hunderttauſend von Napoleon betrauerten republikaniſchen Soldaten ward wenigſtens das Vaterland gerettet; aber die letzten Reſultate des ruſſiſchen Feldzugs haben den Einfall in Frankreich und den Verluſt Alles deſſen herbeigeführt, was unſer Ruhm und unſere Opfer in zwanzig Jahren aufgehäuft hatten.

Bonaparte wurde unabläſſig durch ein heiliges Bataillon bewacht, das ihn bei allen ſeinen Bewegungen nicht aus den Augen verlor; eine Entſchädigung für die dreimalhunderttauſend hingeſchlachteten Leben; aber warum hatte die Natur ſie nicht hinlänglich geſtählt? Sie hätten ihre gewöhnlichen Manteren beibehalten. Verdiente dieſes gemeine Kanonenfutter, daß ſeine Bewegungen ſo ſorgfältig überwacht wurden, wie die Sr. Majeſtät?

Das Bülletin ſchloß wie mehrere andere mit den Worten: „Das Befinden Sr. Majeſtät könnte nicht beſſer ſein.“

Ihr ſämmtlichen Familien, trocknet Eure Thränen; Napoleon befindet ſich wohl!

Unter dieſem Berichte las man folgende officielle Anmerkung in den Journalen: „Es iſt dieß ein hiſtoriſches Document erſten Ranges; Xenophon und Cäſar haben auf ſolche Weiſe, der Eine den Rückzug der Zehntauſend, der Andere ſeine Commentarien geſchrieben.“

Welcher Wahnſinn einer akademiſchen Vergleichung! Aber laſſen wir auch die wohlwollende literariſche Vergleichung bei Seite, ſo durfte man doch zufrieden ſein, weil der furchtbare von Napoleon heraufbeſchworene Jammer ihm Gelegenheit gebracht hatte, ſeine Talente als Schriftſteller zu zeigen! Nero hat Rom angezündet und dabei den Brand von Troja beſungen. Wir hatten es bis zu dem grauſamen Spotte einer Schmeichelei gebracht, welche Xenophon und Cäſar ihren Gräbern entſteigen läßt, um die ewige Trauer Frankreichs zu verhöhnen.

Der Erhaltungsſenat eilt herbei: „Der Senat,“ ſagt Lacepède, „beeilt ſich, am Fuße des Thrones Ihrer K. K. Majeſtät ſeine Huldigung und die Glückwünſche über die glückliche Ankunft Ew. Majeſtät in Mitte Ihrer Völker darzubringen. Der Senat, als erſter Rath des Kaiſers, deſſen Autorität nur beſteht, wenn der Monarch ſie aufruft und in Thätigkeit ſetzt, iſt zur Erhaltung dieſer Monarchie und der Erblichkeit Ihres Thrones als unſerer vierten Dynaſtie aufgeſtellt. Frankreich und die Nachwelt werden ihn unter allen Umſtänden dieſer heiligen Pflicht treu finden, und ſeine Glieder ſtets bereit ſein, ihr Leben für die Vertheidigung dieſes Palladiums der Sicherheit und nationalen Wohlfahrt einzuſetzen.

Die Mitglieder des Senates haben dieß glänzend bewieſen, als ſie die Abſetzung Napoleon's decretirten!

Der Kaiſer antwortete: „Senatoren, Eure Worte ſind mir

ſehr angenehm. **Der Ruhm und die Macht Frankreichs** liegen mir ſehr am Herzen; doch zuerſt ſtreben wir **nach Allem**, was der innern Ruhe Dauer gewähren kann . . . nach der **Erhaltung dieſes Thrones**, mit dem **fortan** die Geſchicke des Vaterlandes verknüpft ſind . . . Ich habe die Vorſehung um eine gewiſſe Zahl von Jahren gebeten . . . Ich habe überdacht, was in den verſchiedenen Epochen gethan wurde; ich werde es weiter überdenken."

Der Geſchichtſchreiber der Reptilien iſt, während er Napoleon zu dem öffentlichen Wohlergehen zu gratuliren wagt, doch über ſeinen Muth erſchrocken; er fürchtet ſich, zu ſein; er ſagt wohlweislich, die Autorität des Senates beſtehe nur, wenn der Monarch ſie aufrufe und in Thätigkeit ſetze. Man hatte von der Unabhängigkeit des Senates Alles zu fürchten!

Indem ſich Bonaparte auf St. Helena entſchuldigt, ſagt er: „Haben die Ruſſen mich vernichtet? Nein, falſche Berichte, erbärmliche Intriguen, Verrrath, Dummheit, kurz eine Menge Dinge, die man vielleicht einſt erfahren wird und welche die beiden groben Fehler, die man mir mit Recht, ſowohl in der Diplomatie als im Kriegsſache, zuſchreibt, verringern oder rechtfertigen werden."

Fehler, welche nur den Verluſt einer Schlacht oder einer Provinz nach ſich ziehen, geſtatten Entſchuldigungen in geheimnißvollen Worten, deren Erklärung man der Zukunft anheimſtellt; allein Fehler, welche den Umſturz der ganzen Geſellſchaft zur Folge haben und die Unabhängigkeit eines Volkes unter ein Joch beugen, werden durch die Ausflüchte des Stolzes nicht getilgt,

Nach ſo vielen Unfällen und Heldenthaten iſt es hart, am Ende nur noch in den Worten des Senates zwiſchen Abſcheu und Verachtung wählen zu können.

Durchgeſehen am 22. Februar 1845.

Frankreichs Mißgeſchicke. — Erzwungene Freuden. — Aufenthalt in meinem Thale. — Erwachen der Legitimität.

Als Bonaparte bald nach ſeinem Bülletin ebenfalls anlangte, ward die Beſtürzung allgemein.

„Das Reich," ſagt Herr von Ségur, „beſaß nur noch Kinder und Männer, welche durch Alter oder Krieg kampfuntüchtig geworden, und faſt keine waffenfähige Mannſchaft mehr! Wo waren ſie? Die Thränen der Frauen, das Wehklagen der Mütter ſagten es hinlänglich! Ueber den Boden gebückt, der ohne ihren Fleiß unbebaut bliebe, verfluchen ſie den Krieg in ihm."

Nach der Zurückkunft von der Bereſina mußte man nichtsdeſtoweniger auf Befehl hin tanzen; man erfährt das aus den „Erinnerungen, als Belege zur Geſchichte" der Königin Hortenſia. Man war gezwungen, mit dem Tod im Herzen und im Innern ſeine Verwandten oder Freunde beweinend, auf den Ball zu gehen. Das war die Schande, zu welcher der Deſpotismus Frankreich verdammt hatte; man ſah in den Salons, was man in den Straßen antrifft, Kreaturen, welche ſich Zerſtreuung verſchaffen, indem ſie ihr Elend beſingen, um die Vorübergehenden zu beluſtigen.

Ich lebte ſeit drei Jahren zurückgezogen in Aunay; auf meinem mit Fichten bewachſenen Hügel hatten meine Augen im Jahr 1811 den Kometen verfolgt, welcher Nachts am bewaldeten Horizonte hinzog; er war ſchön und düſter und ſchleppte wie eine Königin ſeinen langen Schleier nach ſich. Wen ſuchte der verirrte Fremdling auf unſerm Weltall? Gegen wen lenkte er ſeine Schritte in der Einöde des Himmels?

Während eines kurzen Aufenthaltes in Paris in der Straße der Saint-Pères im Hotel Lavalette wohnend, weckte mich am 23. October 1812 Madame Lavalette, meine taube Wirthin, indem

ſie mit ihrem langen Hörrohr verſehen mir zurief: „Mein Herr, mein Herr, Bonaparte iſt todt! der Gereral Mallet hat Hulin getödtet. Alle Behörden ſind verändert. Die Revolution iſt ausgebrochen.“

Bonaparte war ſo beliebt, daß Paris mit Ausnahme der poſſierlich betroffenen Behörden einige Augenblicke voller Freude war. Ein Hauch hatte beinahe das Kaiſerreich umgeſtürzt. Um Mitternacht dem Gefängniß entſprungen, war ein Soldat bei Tagesanbruch Herr der Welt; ein Traum war nahe daran, eine furchtbare Wirklichkeit wegzuraffen. Die Gemäßigtſten ſagten: „Wenn Napoleon nicht todt iſt, ſo wird er durch ſeine Fehler und Unfälle gebeſſert zurückkehren; er wird Frieden mit Europa ſchließen und der Reſt von unſeren Kindern wird gerettet ſein.“ Zwei Stunden nach ſeiner Frau trat Herr Lavalette bei mir ein, um mir die Verhaftung Mallet's mitzutheilen; er verbarg mir nicht (das war ſeine gewöhnliche Phraſe), daß Alles zu Ende ſei. Es wurde im nämlichen Augenblicke Tag und Nacht. Wie Bonaparte dieſe Nachricht auf einem Schneefelde bei Smolensk empfing, habe ich ſchon erzählt.

Der Senatsbeſchluß vom 12. Januar 1813 ſtellte dem zurückgekehrten Napoleon zweimalhundert fünfzigtauſend Mann zur Verfügung; das unerſchöpfliche Frankreich ſah aus dem Blute ſeiner Wunden neue Soldaten hervorquellen. Da vernahm man eine ſeit langer Zeit vergeſſene Stimme; einige alte franzöſiſche Ohren glaubten ihren Ton zu erkennen: es war die Stimme Ludwig's XVIII, die ſich aus ſeinem Exile erhob. Der Bruder Ludwig's XVI kündete Grundſätze an, die einſt eine conſtitutionelle Charte ſanctioniren ſollte; erſte Hoffnungen auf Freiheit, die uns von unſeren alten Königen gegeben wurden.

In Warſchau eingezogen, richtet Alexander eine Proclamation an Europa:

. . . . . .

„Wenn der Norden das erhabene Beiſpiel nachahmt, welches

die Caſtilianer bieten, ſo iſt die Trauerzeit der Welt zu Ende. Auf dem Punkte, die Beute eines Ungeheuers zu werden, wird Europa ſeine Unabhängigkeit und Ruhe zugleich wieder erhalten. Möchte endlich dieſer blutige Koloß, welcher die Welt mit ſeiner verbrecheriſchen Ewigkeit bedrohte, nur eine lange Erinnerung voller Schrecken und Mitleid ſein!"

Dieſes Ungeheuer, dieſer blutige Koloß, welcher den Continent mit ſeiner verbrecheriſchen Ewigkeit bedrohte, war durch das Unglück ſo wenig belehrt worden, daß er, kaum den Koſacken entronnen, ſich auf einen Greis warf, den er in Gefangenſchaft hielt.

Der Papſt in Fontainebleau.

Wir haben die Fortſchaffung des Papſtes aus Rom, ſeinen Aufenthalt in Savonne und nachher ſeine Gefangenſchaft in Fontainebleau ſchon angeführt. In dem heiligen Collegium war Uneinigkeit entſtanden; die Kardinäle wollten, der heilige Vater ſolle nur in Bezug auf das Geiſtige Widerſtand leiſten, und ſie hatten Befehl, keine anderen als ſchwarze Strümpfe zu tragen; einige wurden in die Provinzen in Verbannung geſchickt, mehrere Häupter der franzöſiſchen Geiſtlichkeit in Vincennes eingeſperrt; andere Kardinäle ſtimmten für die vollſtändige Unterwerfung des Papſtes und behielten ihre rothen Strümpfe bei. Es war eine zweite Vorſtellung der Wachskerzen von Lichtmeß.

Als der Papſt in Fontainebleau einige Ruhe vor der beſtändigen, überläſtigen Gegenwart der rothen Kardinäle bekam, ſpazierte er oft allein in den Gallerien Franz I; er fand dort Spuren der Künſte, welche ihn an die heilige Stadt erinnerten, und von ſeinen Fenſtern aus ſah er die Fichten, die Ludwig XVI den düſteren Gemächern gegenüber gepflanzt hatte, in welchen Monaldeschi ermordet worden war. Von dieſer Einöde aus konnte er, wie Jeſus,

die Königreiche der Erde verachten. Der halbtodte Siebenziger, den Bonaparte selbst noch quälte, unterzeichnete mechanisch jenes Concordat von 1813, gegen das er bald nach der Ankunft der Kardinäle Pacca und Consalvi protestirte.

Als Pacca den Gefangenen wieder aufsuchte, mit dem er aus Rom abgereist war, stellte er sich vor, eine große Menschenmenge rings um das königliche Gefängniß zu finden; er traf jedoch in den Höfen nur selten einen Diener an und oben an der in Hufeisenform erbauten Treppe bloß eine einzige Schildwache aufgestellt. Die Fenster und Thüren des Palastes waren verschlossen; in dem ersten Vorzimmer zu den Gemächern befand sich der Kardinal Doria, in den andern Sälen hielten sich einige französische Bischöfe auf. Pacca wurde bei Sr. Heiligkeit eingeführt; er fand den Greis stehend, unbeweglich, blaß, gebogen, abgemagert und mit eingesunkenen Augen.

Der Kardinal sagte zu ihm, daß er seine Reise beschleunigt habe, um sich zu seinen Füßen zu werfen; der Papst antwortete ihm: „Diese Kardinäle haben uns mit an den Tisch gezogen und uns zum Unterzeichnen verleitet.“ Bestürzt über die Einsamkeit dieser Wohnung, das Schweigen der Augen, die Niedergeschlagenheit der Gesichter und den tiefen Kummer, der auf der Stirne des Papstes zu lesen war, zog sich Pacca in das für ihn bereitete Zimmer zurück.

„Zu Seiner Heiligkeit zurückgekehrt,“ äußert er sich, „fand ich ihn in einem bemitleidenswerthen Zustande, der für sein Leben fürchten ließ. Er war vernichtet und voll trostloser Betrübniß, als er von dem Geschehenen sprach; dieser quälende Gedanke raubte ihm den Schlaf und gestattete ihm nicht, mehr Nahrung zu sich zu nehmen, als nöthig war, um sich das Leben zu fristen. — Das wird mich noch dahin bringen, daß ich als Wahnsinniger sterbe, wie Clemens XIV, sagte er.“

In dem Geheimniß dieser unbewohnten Gallerien, wo die Stimme des heiligen Ludwig, Franz I, Heinrich's IV und

Ludwig's XIV ſich nicht mehr vernehmen ließ, brachte der heilige Vater mehrere Tage mit Abfaſſung des Conceptes und der Copie des Briefes zu, der dem Kaiſer zugeſtellt werden ſollte. Der Kardinal Pacca trug das gefährliche Papier immer in ſeinem Rocke verborgen, ſobald der Papſt wieder einige Linien hinzugefügt hatte. Nachdem die Arbeit beendigt war, ſtellte der Papſt am 24. Mai 1813 den Brief dem Oberſt Lagorce zu und beauftragte ihn, denſelben dem Kaiſer zu bringen. Zu gleicher Zeit ließ er die verſchiedenen Kardinäle, die ſich bei ihm befanden, eine Allocution leſen; er erklärt darin das Breve, das er in der Savonne erlaſſen hat, und das Concordat vom 25. Januar für nichtig. „Gelobt ſei der Herr," heißt es in der Allocution, „der ſeine Barmherzigkeit nicht von uns gewendet hat! Er hat uns gnädiglich durch eine heilſame Demüthigung beſchämen wollen. Demüthigen wir uns daher zum Heil unſerer Seele; ihm ſei von Ewigkeit zu Ewigkeit Preis, Ehre und Anbetung!

„Im Palaſt zu Fontainebleau, am 24. März 1813."

Nie ging eine ſchönere Verordnung aus dieſem Palaſt hervor. Nachdem das Gewiſſen des Papſtes ſich erleichtert hatte, wurde das Antlitz des Märtyrers heiter; ſein Lächeln und ſein Mund fanden ihre Anmuth und ſeine Augen den Schlaf wieder.

Napoleon drohte Anfangs, einigen der Pfaffen in Fontainebleau die Köpfe abſchneiden zu laſſen. Er hatte im Sinn, ſich zum Oberhaupt der Staatsreligion zu erklären, fiel dann aber wieder in ſein Naturell zurück und gab ſich den Anſchein, von dem Briefe des Papſtes Nichts gewußt zu haben. Sein Glück war jedoch im Abnehmen. Aus einem armen Mönchsorden hervorgegangen und durch ſein Unglück wieder in den Schooß der Menge zurückgetrieben, ſchien der Papſt die große Rolle eines Völkertribuns übernommen und das Signal zur Entſetzung des Bedrückers der öffentlichen Freiheiten gegeben zu haben.

Abfälle. — Lagrange's und Delille's Tod.

Das Mißgeſchick veranlaßt Verräthereien, rechtfertigt ſie aber nicht; im März 1813 ſchließt Preußen in Kaliſch mit Rußland ein Bündniß. Am 3. März macht Schweden mit dem Cabinet von Saint-James einen Vertrag; es verpflichtet ſich, dreißigtauſend Mann zu ſtellen. Hamburg wird von den Franzoſen geräumt, Berlin von den Koſacken beſetzt, Dresden von den Ruſſen und Preußen eingenommen.

Der Abfall des Rheinbundes bereitet ſich vor. Oeſtreich tritt dem Bündniß Rußlands und Preußens bei. In Italien, wohin ſich der Prinz Eugen verfügt hat, bricht der Krieg wieder los.

In Spanien vernichtet die engliſche Armee Joſeph bei Vittoria; die aus Kirchen und Paläſten entwendeten Gemälde fallen in den Ebro; ich hatte ſie in Madrid und im Escurial geſehen, ich ſah ſie nochmals, als man ſie in Paris wieder herſtellte; die Wellen und Napoleon waren über dieſe Murillo's und dieſe Raphael's hingebraust, velut umbra. Immer vorrückend, ſchlägt Wellington den Marſchall Soult in Roncevaux; unſere großen Erinnerungen bildeten den Hintergrund der Scenen unſerer neuen Geſchicke.

Am 14. Februar erklärte Bonaparte bei der Eröffnung des geſetzgebenden Körpers, daß er ſtets den Frieden gewollt habe und dieſer der Welt nothwendig ſei. Uebrigens fand ſich im Munde deſſen, der uns ſeine Unterthanen nannte, keine Sympathie für die Schmerzen Frankreichs; Bonaparte bürdete uns Leiden auf, wie einen ihm ſchuldigen Tribut.

Am 3. April fügt der Erhaltungsſenat den ſchon verheißenen Streitern noch 180,000 Mann bei, als außerordentliche Aushebung unter den geſetzlichen Aushebungen. Der 10. April koſtet Lagrange das Leben; der Abbé Delille ſtarb einige Tage nachher. Wenn im Himmel der Adel der Geſinnungen den Sieg über die

Erhabenheit des Gedankens davonträgt, ſo wird der Sänger des Erbarmens näher am Throne Gottes ſtehen, als der Verfaſſer der Theorie der analytiſchen Functionen.

Bonaparte hatte am 15. April Paris verlaſſen.

Die Schlachten von Lützen, Bautzen und Dresden. — Mißgeſchicke in Spanien.

Die im Jahre 1812 begonnenen Empörungen hatten ſich vorerſt nur bis nach Sachſen erſtreckt. Napoleon kommt dort an. Die Ehre des alten zu Grunde gegangenen Kriegsheeres wird zweimalhunderttauſend Conſcribirten übertragen, welche ſich wie die Grenadiere von Marengo ſchlagen.

Am 2. Mai wird die Schlacht von Lützen gewonnen. In dieſen neuen Kämpfen wendet Bonaparte faſt nur noch die Artillerie an. In Dresden eingezogen, ſagt er zu den Bewohnern: „Es iſt mir nicht unbekannt, welchem Jubel Ihr Euch überlaſſen habt, als der Kaiſer Alexander und der König von Preußen Eure Mauern betraten. Wir ſehen auf dem Pflaſter noch die verdorrten Ueberreſte der Blumen, die Eure jungen Mädchen vor den Monarchen hergeſtreut haben.“ Dachte Napoleon wohl an die jungen Mädchen von Verdun? Das war zur Zeit ſeiner ſchönen Jahre geſchehen.

Bei Bautzen wieder ein Sieg, der jedoch den Geniegeneral Kirgener und Duroc, den Großmarſchall des Palaſtes, begräbt. „Es gibt ein anderes Leben,“ ſagte der Kaiſer zu Duroc; „wir werden uns wiederſehen.“ Lag es wohl Duroc ſo ſehr am Herzen, ihn wiederzuſehen?

Am 26. und 27. Auguſt langt man an der Elbe, auf ſchon berühmten Schlachtfeldern an. Aus Amerika zurückgekehrt, nachdem er Bernadotte in Stockholm und Alexander in Prag geſehen,

verliert Moreau in Dresden an der Seite des Kaisers von Rußland beide Beine; eine alte Gewohnheit des Napoleon'schen Glücks. Der Tod des Siegers vor Hohenlinden wurde im französischen Lager durch einen verlorenen Hund bekannt, auf dessen Halsband der Name des neuen Türenne stand; das herrenlose Thier lief auf's Gerathewohl unter den Todten umher: Te, janitor orci!

Der Kronprinz von Schweden, welcher Generalissimus der Armee des nördlichen Deutschlands geworden war, hatte am 15. August eine Proclamation an seine Soldaten erlassen:

„Soldaten, das gleiche Gefühl, welches die Franzosen von 1792 leitete und sie dazu brachte, sich zu vereinigen und die auf ihrem Gebiete befindlichen Armeen zu bekämpfen, muß heute Eure Tapferkeit gegen den lenken, welcher, nachdem er den Boden, auf dem Ihr zur Welt kamt, verheert hat, noch immer Eure Brüder, Weiber und Kinder in Fesseln schlägt."

Bonaparte, der einer einmüthigen Verwünschung entgegenging, stürzte sich gegen die Freiheit, die ihn von allen Seiten und unter allen Formen angriff. Ein Senatsbeschluß vom 28. August annullirt die Erklärung einer Jury von Anvers; unstreitig eine kleine Verletzung der Rechte der Bürger nach der abscheulichen Willkür, mit welcher der Kaiser verfahren war; es liegt jedoch den Gesetzen eine heilige Unabhängigkeit zu Grunde, deren Klagen gehört werden; diese Unterdrückung einer Jury machte mehr Aufsehen, als die verschiedenen Bedrückungen, deren Opfer Frankreich war.

Im Süden hatte endlich der Feind unsern Boden betreten; die Engländer, Bonaparte's Plage, die ihn auch beinahe zu allen seinen Fehlern veranlaßten, überschritten am 7. October die Bidassoa; Wellington, der verhängnißvolle Mann, setzte zuerst den Fuß auf französische Erde.

Napoleon, welcher trotz der Gefangennehmung Vandamme's in Böhmen und der Niederlage Ney's bei Berlin durch Bernadotte

beharrlich in Sachſen bleiben wollte, kam nach Dresden zurück. Da erhebt ſich der Landſturm und ein Nationalkrieg, ähnlich dem, welcher Spanien befreit hat, organiſirt ſich.

Der Feldzug in Sachſen und die deutſchen Dichter.

Man hat die Kämpfe von 1813 den Feldzug von Sachſen geheißen; man könnte ihn richtiger den Feldzug des jungen Deutſchlands oder der deutſchen Dichter nennen. Zu welcher Verzweiflung hat uns Bonaparte durch ſeine Bedrückung geführt, da wir, indem wir unſer Blut fließen ſehen, uns einer Regung der Theilnahme an dieſer edelmüthigen Jugend, die im Namen der Unabhängigkeit das Schwert ergriff, nicht enthalten können? Jeder dieſer Kämpfe war eine Proteſtation zu Gunſten der Rechte der Völker.

In einer ſeiner Proclamationen, datirt aus Kaliſch vom 25. März 1813, rief Alexander die Völkerſchaften Deutſchlands unter die Waffen und verſprach ihnen im Namen ſeiner Brüder, der Könige, freie Inſtitutionen. Dieſes Signal förderte die ſchon im Geheimen gebildete Burſchenſchaft zu Tage. Die Univerſitäten Deutſchlands öffneten ſich; ſie ſetzten den Schmerz bei Seite, um nur an die Genugthuung für die Schmach zu denken. „Die Klagen und die Thränen ſeien kurz, die Trauer und der Schmerz lang," ſagten die Germanen der Vorzeit; „dem Weibe ſteht das Weinen, dem Manne die Erinnerung zu. Lamenta ac lacrymas cito, dolorem et tristitiam tarde ponunt. Feminis lugere honestum est, viris meminisse." Nun eilt das junge Deutſchland zur Befreiung des Vaterlandes herbei; jetzt drängten ſich Germanen, die Verbündeten des Reiches, deren ſich das alte Rom als Waffen und Wurfſpieße bediente, um eine Fahne; velut tela atque arma.

Professor Fichte hielt 1813 in Berlin Vorlesungen über die Pflicht; er sprach von der Noth Deutschlands und schloß mit den Worten: „Der Curs wird daher bis zu Beendigung des Feldzugs eingestellt sein. Wir werden ihn in unserm freigewordenen Vaterlande wieder beginnen oder für die Erringung der Freiheit gestorben sein.“ Die jungen Zuhörer erheben sich unter Beifallrufen; Fichte steigt vom Katheder herab, schreitet durch die Menge und setzt seinen Namen auf die Liste eines zur Armee abgehenden Corps.

Alles, was Bonaparte verachtet oder beschimpft hatte, wird ihm gefährlich; der Geist tritt gegen die rohe Gewalt in die Schranken; Moskau ist die Fackel, bei deren Scheine Deutschland sein Wehrgehänge umgürtet. „Zu den Waffen!“ ruft die Muse. „Der Phönix Rußlands hat sich von seinem Scheiterhaufen emporgeschwungen!“ Jene so zartgebaute und so schöne Königin Preußens, die Napoleon mit seinen unedlen Beschimpfungen überhäuft hatte, verwandelt sich in einen flehenden und angeflehten Schatten. „Wie sanft sie schläft!“ singen die Barden. Ach, möchtest Du bis zu jenem Tage schlafen, wo Dein Volk den Rost seines Schwertes im Blute abwaschen wird! Erwache dann! erwache! Sei der Engel der Freiheit und der Rache!“

Körner hat nur eine Furcht, die, prosaisch zu sterben. „Poesie! Poesie!“ ruft er, „laß mich sterben in Gottes freier Luft!“

Im Bivouac verfaßt er sein Schwertlied:

„Du Schwert an meiner Linken,
Was soll dein heitres Blinken?
Schaust mich so freundlich an,
Hab' meine Freude dran, Hurrah!

„Mich trägt ein wackrer Reiter,
Drum blink' ich auch so heiter,
Bin freien Mannes Wehr;
Das freut dem Schwerte sehr.“ Hurrah!

6*

Ja, gutes Schwert, frei bin ich,
Und liebe dich herzinnig,
Als wärſt du mir getraut,
Als eine liebe Braut. Hurrah!

„Dir hab' ich's ja ergeben,
Mein lichtes Eiſenleben.
Ach wären wir getraut!
Wann holſt du deine Braut? Hurrah!

Meint man nicht einen jener nordiſchen Krieger, einen jener Männer der Schlachten und der Einſamkeit zu hören, von denen Saxo Grammaticus ſagt: „Er fiel, lachte und ſtarb."

Es war nicht die kalte Begeiſterung eines in Sicherheit ſich befindenden Skalden; Körner hatte das Schwert an der Seite; ſchön, blond und jung, ein Apollo zu Pferde, ſang er bei Nacht, wie der Araber auf ſeinem Sattel; die Melodien ſeiner Lieder wurden vom Hufſchlag ſeines gegen den Feind anſprengenden Schlachtroſſes begleitet. Bei Lützen verwundet, ſchleppte er ſich in's Gehölze, wo ihn Bauern fanden; er erſchien wieder und ſtarb auf den Ebenen von Leipzig, kaum fünfundzwanzig Jahre alt; er hatte ſich den Armen einer Geliebten entriſſen und verließ Alles, was das Leben Herrliches hat. „Die Frauen," ſagt Tyrtäus, „betrachten gerne den jungen in Lebensfülle ſtrahlenden Mann; doch iſt er nicht minder ſchön, wenn er in den erſten Reihen fällt.

Die neuen Arminiuſſe, in der Schule der Griechen großgezogen, hatten ein allgemeines Bardenlied. Als die Studenten die friedliche Zurückgezogenheit der Wiſſenſchaft mit dem Schlachtfeld vertauſchten, die ſtillen Freuden des Studiums mit den toſenden Gefahren des Kriegs, Homer und die Nibelungen mit dem Schwert, was ſetzten ſie da unſerm blutigen Hymnus, unſerm Revolutionslied entgegen? Folgende Strophen voll religiöſen Gefühls und natürlich humaner Biederkeit:

Was iſt des Deutſchen Vaterland?
O nenne mir das große Land!
„So weit die deutſche Zunge klingt
Und Gott im Himmel Lieder ſingt!“
Das ſoll es ſein,
Das, wackrer Deutſcher, ſoll es ſein!

Das iſt der Deutſchen Vaterland,
Wo Eide ſchwört der Druck der Hand,
Wo Treue hell vom Auge blitzt
Und Liebe warm im Herzen ſitzt.
Das ſoll es ſein,
Das, wackrer Deutſcher, ſoll es ſein!

Das ganze Deutſchland ſoll es ſein,
O Gott vom Himmel, ſieh darein,
Und gib uns ächten deutſchen Muth,
Daß wir es lieben treu und gut.
Das ſoll es ſein,
Das ganze Deutſchland ſoll es ſein!

Dieſe Schulkameraden, die jetzt Waffengefährten waren, unterzeichneten ſich nicht in jenen Venta's, wo Septembriſten dem Dolche Opfer widmeten; der Poeſie ihrer Träume, den Traditionen der Geſchichte, dem Cultus der Vergangenheit getreu, beſtimmten ſie ein altes Schloß, einen Wald zum beſchützenden Aſyl der Burſchenſchaft. Die Königin von Preußen war ſtatt der Königin der Nacht ihre Schutzheilige geworden.

Von einem Hügel, von Ruinen herab entdeckten die Schüler-Soldaten mit ihren Profeſſoren-Hauptleuten den Giebel der Säle ihrer geliebten Univerſitäten; bewegt durch die Erinnerung an ihr gelehrtes Alterthum, gerührt beim Anblick des Heiligthums der Studien und Spiele ihrer Kindheit, ſchwuren ſie, ihr Land zu befreien, wie Melchthal, Fürſt und Stauffacher beim Anblick der durch ſie unſterblich gewordenen Alpen, welche hinwiederum ſie berühmt machten, ihren dreifachen Schwur ausſprachen. Das deutſche Genie hat etwas Geheimnißvolles; Schiller's Thekla iſt noch das mit der Gabe der Weiſſagung ausgeſtattete und aus

einem göttlichen Element gebildete teutoniſche Mädchen. Die Deutſchen beten heutzutage die Freiheit in einer vagen Unbeſtimmtheit an, wie ſie einſt Gott das Geheimniß der Wälder nannten: Deorumque nominibus appellant secretum illud . . . Der Mann, deſſen Leben ein in Handlung geſetzter Dithyrambus war, fiel erſt, als die Dichter des jungen Deutſchlands geſungen und gegen ihren Nebenbuhler Napoleon, den bewaffneten Poeten, das Schwert gezogen hatten.

Alexander war würdig, der den jungen Deutſchen geſandte Herold geweſen zu ſein; er theilte ihre erhabenen Geſinnungen, und befand ſich in jener mächtigen Lage, welche die Ausführung von Plänen möglich macht; er ließ ſich jedoch durch die Furcht der ihn umgebenden Monarchen erſchrecken. Dieſe Monarchen hielten ihre Verſprechungen nicht; ſie gaben ihren Völkern keine großmüthigen Inſtitutionen. Die Söhne der Muſen — einer Flamme, durch welche die ſtumpfen Maſſen der Soldaten belebt worden waren — wurden zum Lohn für ihre Hingebung und ihre edle Leichtgläubigkeit in Kerker geworfen. Ach, die Generation, welche den Teutonen die Unabhängigkeit erfocht, iſt erloſchen; in Germanien ſind nur alte, abgenützte Cabinette geblieben. Sie nennen, ſo laut ſie können, Napoleon einen großen Mann, damit ihre jetzige Bewunderung ihnen als Entſchuldigung für ihre frühere Niederträchtigkeit diene. In der dummen Begeiſterung für den Mann, welcher die Regierungen, nachdem er ſie gegeißelt hat, fortwährend noch demüthigte, gedenkt man kaum Körner's. „Arminius, der Befreier Germaniens," ſagt Tacitus, „blieb den Griechen, welche nur ſich ſelbſt bewundern, unbekannt, war bei den Römern, die er beſiegt hatte, nicht beſonders berühmt; aber barbariſche Nationen beſingen ihn noch, caniturque barbarus apud gentes.

Schlacht bei Leipzig. — Rückkehr Bonaparte's nach Paris. — Vertrag von Valençay.

Am 18. und 19. October wurde auf den Feldern von Leipzig jene Schlacht geliefert, welche die Deutschen die Völkerschlacht genannt haben. Gegen Abend des zweiten Tages gingen die Sachsen und Württemberger aus Napoleon's Lager zu Bernadotte's Fahnen über und führten dadurch die Entscheidung, einen mit Verrath befleckten Sieg, herbei. Der Kronprinz von Schweden, der Kaiser von Rußland und der König von Preußen drangen durch drei verschiedene Thore in Leipzig ein.

Napoleon, der einen unermeßlichen Verlust erlitten hatte, retirirte. Da er sich nicht auf Serschantenrückzüge verstand, wie er gesagt hatte, so ließ er die Brücken hinter sich in die Luft sprengen. Der zweimal verwundete Prinz Poniatowsky ertrinkt in der Elster; Polen stürzte mit seinem letzten Vertheidiger.

Napoleon hielt erst in Erfurt an; von da aus berichtete sein Bülletin, daß seine sonst stets siegreiche Armee geschlagen hier ankomme. Kurze Zeit zuvor hatte Erfurt Napoleon auf dem Gipfel des Glücks gesehen.

Endlich versuchen die Baiern, welche nach dem Beispiele der Andern ebenfalls zu Deserteuren an einem sich wendenden Glück werden, bei Hanau den Rest unserer Soldaten zu vertilgen. Wrede wird von den Ehrengarden allein geworfen; einige Conscribirte, bereits zu Veteranen geworden, marschiren über seinen Leib, retten Bonaparte und stellen sich jenseits des Rheines auf. Als Flüchtling in Mainz angekommen, fand sich Napoleon am 19. November wieder in Saint-Cloud ein und der unermüdliche Lacepède sagt ihm von Neuem: „Ew. Majestät hat Alles überwunden."

Herr von Lacepède hatte geziemend von den Eier legenden Thieren gesprochen, mußte aber immer seinen Rücken krümmen.

Holland erringt seine Unabhängigkeit wieder und ruft den

Prinzen von Oranien zurück. Am 1. December erklären die verbündeten Mächte, „daß ſie nicht Frankreich, ſondern den Kaiſer allein oder vielmehr jenes Uebergewicht bekriegen, das er zum Unglück Europa's und Frankreichs außerhalb der Grenzen ſeines Reiches allzu lange ausgeübt hat.“

Wenn man den Augenblick herannahen ſieht, wo wir in unſerm alten Gebiete eingeſchloſſen werden ſollten, ſo frägt man ſich, wozu der Umſturz Europa's und das Abſchlachten ſo vieler Millionen Menſchen genützt habe. Die Zeit verſchlingt uns und ſetzt ruhig ihren Lauf fort.

In Folge des am 11. December in Valençay geſchloſſenen Vertrages wird der elende Ferdinand VII nach Madrid zurückgeſchickt. So kläglich und raſch endigte jene verbrecheriſche Eroberung Spaniens, die erſte Urſache von Napoleon's Untergang. Man kann wohl Böſes thun, man kann wohl ein Volk oder einen König umbringen; aber die Rückkehr iſt ſchwierig. Jacques Clement beſſerte ſeine Sandalen zur Reiſe nach Saint-Cloud aus; ſeine Mitbrüder fragten ihn lachend, wie lange ſeine Arbeit halten würde: „Hinlänglich für den Weg, den ich zu machen habe,“ antwortete er; „ich muß gehen, nicht zurückkehren.“

Der geſetzgebende Körper wird einberufen und dann vertagt. — Die Verbündeten gehen über den Rhein. — Bonaparte's Zorn. — Neujahrstag 1814.

Am 19. December 1813 verſammelt ſich der geſetzgebende Körper. Wunderbar auf dem Schlachtfelde, ausgezeichnet in ſeinem Staatsrath, beſitzt Bonaparte in der Politik nicht den gleichen Werth; die Sprache der Freiheit iſt ihm unbekannt; will er eine geniale Gewogenheit, väterliche Gefühle ausdrücken, ſo zeigt er ſich in ganz verkehrter Weiſe gerührt und kleidet ſeine Gefühlloſigkeit in bewegte Worte.

„Mein Herz," ſagt er zu dem geſetzgebenden Körper, „bedarf der Gegenwart und Liebe meiner Unterthanen. Das Glück vermochte mich nie zu verführen; das Mißgeſchick wird mich über ſeine Angriffe erhaben finden. Ich hatte zum Wohl und Glück der Welt große Pläne gefaßt und ausgeführt. Monarch und Vater, fühle ich, daß der Friede zur Sicherheit der Throne und der Familien beiträgt."

Ein officieller Artikel des Moniteur hatte im Juli 1804 unter dem Kaiſerreiche geſagt, daß Frankreich ſich nie über den Rhein hinaus erſtrecken und ſeine Armeen denſelben nicht mehr überſchreiten werden.

Die Verbündeten überſchritten dieſen Fluß am 21. December 1813 von Baſel bis Schaffhauſen mit mehr als hunderttauſend Mann; am 31. deſſelben Monats überſchritt ihn auch die ſchleſiſche Armee unter Blücher's Commando von Mannheim bis Koblenz.

Auf Befehl des Kaiſers hatten der Senat und der geſetzgebende Körper zwei Commiſſionen ernannt, die beauftragt waren, von den auf die Verhandlungen mit den vereinigten Mächten bezüglichen Documenten Kenntniß zu nehmen; eine Vorſicht einer Macht, welche, indem ſie ſich den unvermeidlich gewordenen Folgen entzog, die Verantwortlichkeit derſelben einer andern Autorität aufbürden wollte.

Die Commiſſion des geſetzgebenden Körpers, in welchem Herr Lainé den Vorſitz führte, wagte den Ausſpruch, daß die Friedensmittel von ſicherer Wirkung begleitet wären, wenn „die Franzoſen überzeugt ſein dürften, daß ihr Blut nur zur Vertheidigung eines Vaterlandes und ſchützender Geſetze vergoſſen werde, daß Se. Majeſtät dringend erſucht werde, die gänzliche und beſtändige Vollſtreckung der Geſetze zu handhaben, welche den Franzoſen für die Rechte der Freiheit, der Sicherheit, des Eigenthums und der Nation für die freie Ausübung ihrer politiſchen Rechte Gewähr leiſten."

Der Polizeiminiſter, Herzog von Rovigo, läßt die ſämmtlichen

Exemplare des Berichtes confisciren; ein Decret vom 31. December vertagt den gesetzgebenden Körper, die Thüren des Saales werden geschlossen. Bonaparte nennt die Mitglieder der gesetzgebenden Commission von England bezahlte Agenten. „Benannter Lainé," sagte er, „ist ein Verräther, welcher durch Vermittlung Defèzes' mit dem Prinz-Regenten in Correspondenz steht; Raynouard, Maine de Biran und Flaugergues sind Aufrührer.

Der Soldat wunderte sich, jene von ihm verlassenen Polen nicht mehr zu finden, welche, um ihm zu gehorchen, ertranken und in ihrem letzten Augenblick noch riefen: „Es lebe der Kaiser!" Er nannte den Commissionsbericht eine aus einem Jakobinerklub herrührende Motion. Man kennt nicht eine Rede Bonaparte's, in welcher sich nicht sein Widerwille gegen die Republik, aus der er hervorgegangen ist, kund gibt; doch haßte er weniger ihre Verbrechen, als ihre Freiheiten. In Bezug auf diesen nämlichen Bericht fügte er hinzu: „Möchte man die Souveränetät des Volkes wieder herstellen? Wohlan, in diesem Falle werde ich das Volk; denn ich werde mich stets da behaupten, wo die Souveränetät ist." Nie hat wohl ein Despot seine Natur energischer erklärt; diese Aeußerung ist das wiederholte Wort Ludwig's XIV: „Der Staat, das bin ich."

Beim Empfang am Neujahrstage 1814 machte man sich auf eine Scene gefaßt. Ich habe einen diesem Hofe angehörigen Mann gekannt, der sich für alle Fälle hin bereit hielt, den Degen zur Hand zu nehmen. Demungeachtet trieb es Napoleon nicht weiter, als zu heftigen Worten, aber diesen überließ er sich mit jenem Ungestüm, der zuweilen sogar seine Hellebardiere in Bestürzung versetzte.

„Warum," rief er, „bespricht man diese häuslichen Zwistigkeiten vor ganz Europa? Man muß seine schmutzige Wäsche unter sich waschen. Was ist ein Thron? Ein mit einem Stück Zeug bedecktes Stück Holz. Alles hängt von dem ab, der darauf sitzt. Frankreich bedarf meiner mehr, als ich seiner. Ich bin einer

jener Männer, die man tödten, aber nicht entehren kann. In drei Monaten werden wir Frieden haben; entweder wird der Feind aus unſerem Gebiete verjagt oder werde ich todt ſein."

Bonaparte war gewohnt, die Wäſche der Franzoſen in Blut zu waſchen. Nach drei Monaten hatte man nicht Frieden, war der Feind nicht aus unſerm Gebiete verjagt, hatte Bonaparte das Leben nicht verloren; der Tod war ſeine Sache nicht. Durch ſo viel Unglück und die undankbare Hartnäckigkeit des ſich ſelbſt gegebenen Gebieters niedergedrückt, ſah ſich Frankreich mit der ſtumpfen Beſtürzung, die der Verzweiflung entſpringt, von Feinden überſchwemmt. Ein kaiſerliches Decret hatte 121 Bataillone Nationalgarde mobil gemacht, ein anderes Decret einen Regentſchaftsrath gebildet, der aus Miniſtern zuſammengeſetzt war, an deren Spitze die Kaiſerin ſtand und in welchem Cambacérès präſidirte. Joſeph, ein Monarch, der, mit ſeinem Raube aus Spanien zurückgekehrt, nun zur Verfügung ſtand, wird zum Generalcommandanten von Paris ernannt.

Am 25. Januar 1814 verläßt Bonaparte ſeinen Palaſt, um zur Armee abzugehen, wo er im Erlöſchen noch einen blendenden Schein von ſich wirft.

Der Papſt wird in Freiheit geſetzt.

Zwei Tage vorher hatte der Papſt ſeine Unabhängigkeit wieder erhalten; die Hand, welche nun bald ſelbſt Feſſeln tragen ſollte, wurde gezwungen, die Ketten zu brechen, die ſie geſchmiedet hatte. Die Vorſehung hatte die Geſchicke umgewandelt und der Wind, der Napoleon in's Geſicht blies, trieb die Verbündeten nach Paris.

Bei der Nachricht von ſeiner Befreiung beeilte ſich Pius VII., in der Kapelle Franz I. ein kurzes Gebet zu verrichten. Dann beſtieg er den Wagen und fuhr durch jenen Wald, in welchem nach

der Volksſage der Großjägermeiſter des Todes erſcheint, wenn ein König bald in die Grüfte von Saint-Denis hinabſteigen ſoll.

Der Papſt reiſte unter der Aufſicht eines Gendarmerieoffiziers, welcher ihn in einem andern Wagen begleitete. Erſt in Orleans erfuhr er den Namen der Stadt, welche er betrat.

Unter den Beifallsrufen der Menge verfolgte er die Straße nach dem mittäglichen Frankreich, die ihn durch jene Provinzen führte, welche bald Napoleon, unter Bewachung der fremden Commiſſarien kaum in Sicherheit, durchreiſen ſollte. Seine Heiligkeit wurde auf dem Wege durch den Fall ſeines Bedrückers ſelbſt aufgehalten; die Behörden hatten ihre Functionen eingeſtellt, man gehorchte Niemanden; ein ſchriftlicher Befehl Bonaparte's, der vierundzwanzig Stunden vorher den höchſten Kopf des Königreichs zu Falle gebracht hätte, war ein ungültiges Papier; es mangelte Napoleon an einigen Minuten Macht, um den Flüchtling zu beſchützen, den ſeine Macht verfolgt hatte. Es bedurfte eines proviſoriſchen Mandates der Burbonen, um den Papſt, der mit ihrem Diadem eine fremde Stirne gekrönt hatte, vollends in Freiheit zu ſetzen. Welch ein Wirrwarr der Schickſale!

Pius VII. ſetzte ſeinen Weg fort unter Lobgeſängen und Thränen, unter dem Geläute der Glocken und dem Rufe: „Es lebe der Papſt! Es lebe das Haupt der Kirche!“ An ſeinen Wagen brachte man ihm keine Schlüſſel von Städten, keine mit Blut getränkte und durch Mord erlangte Capitulationen, ſondern Kranke, um ſie zu heilen, Neuvermählte, um ſie zu ſegnen. Zu den Erſteren ſagte er: „Gott tröſte Euch.“ Ueber die letzteren breitete er ſeine Friedenshände aus; die kleinen Kinder in den Armen ihrer Mütter ſtreichelte er. Niemand blieb in den Städten zurück, als Leute, die nicht gehen konnten. Die Pilger brachten die Nacht auf den Feldern zu, um die Ankunft eines alten befreiten Prieſters abzuwarten. Die Bauern fanden in ihrer Einfalt, der heilige Vater gleiche unſerm Herrgott, und Proteſtanten äußerten ſich ſogar gerührt: Das iſt der größte Mann ſeines Jahrhunderts.“ Das

iſt die Größe der ächt chriſtlichen Geſellſchaft, wo Gott ſich beſtändig mit dem Menſchen vermiſcht, ſo überlegen über die Kraft des Schwertes iſt die Macht des Schwachen, der im Unglück an der Religion ſeine Stütze findet.

Pius VII reiste auf ſeiner Rückkehr nach Italien duch Carcaſſonne, Beziers, Montpellier und Nimes. Am Ufer der Rhone ſchien es, als ob die zahlloſen Kreuzfahrer Raymonds von Toulouſe nochmals in Saint-Remy Muſterung hielten. Der Papſt ſah Nizza, Savona, Imola wieder, die vor Kurzem noch Zeugen ſeiner Trübſal und der erſten Kaſteiungen ſeines Lebens waren. Man weint gern wieder, wo man einſt geweint hat. Unter gewöhnlichen Verhältniſſen erinnert man ſich der Orte und der Zeiten des Glückes. Pius VII ließ ſeine Tugenden und ſeine Leiden an ſeinem Geiſte vorüberziehen, wie ein Menſch in ſeinem Gedächtniß ſeine erloſchenen Leidenſchaften wieder auffriſcht.

In Bologna wurde der Papſt den Händen der öſtreichiſchen Behörden übergeben. Murat, Joachim-Napoleon König von Neapel, ſchrieb ihm am 4. April 1814:

„Allerheiligſter Vater; da das Loos der Waffen mich zum Gebieter über die Staaten gemacht hat, welche Sie beſaßen, als Sie gezwungen wurden, Rom zu verlaſſen, ſo zögere ich nicht, dieſelben wieder unter Ihre Herrſchaft zu ſtellen, indem ich zu Ihren Gunſten auf alle durch Eroberung mir in dieſem Lande erworbenen Rechte verzichte.“

Was hat man dem ſterbenden Joachim und Napoleon gelaſſen?

Der Papſt war noch nicht in Rom angekommen, als er Napoleon's Mutter ſchon ein Aſyl anbot. Legaten hatten von der ewigen Stadt Beſitz genommen. Mitten im Frühling, am 23. Mai, erblickte Pius VII die St. Peterskuppel. Er hat erzählt, daß er Thränen vergoſſen habe, als er den heiligen Tempel wieder zu Geſicht bekam. Bei der Porta del Popolo ward der Papſt angehalten; zweiundzwanzig Waiſenknaben in weißen Gewändern und fünfundvierzig junge Mädchen, die große vergoldete Palmen

trugen, kamen ihm ſingend entgegen. Die Menge rief: Hoſianna! Pignatelli, welcher den Befehl über die Truppen auf dem Quirinal führte, als Radet den Olivengarten Pius' VII mit Sturm nahm, führte jetzt den Reigen der Palmenträger an.

Zu derſelben Zeit, wo Pignatelli die Rolle wechſelte, traten meineidige Adelige in Paris hinter dem Stuhle Ludwig's XVIII wieder ihr Amt als Oberbedienten an. Das Glück wird uns ſammt ſeinen Sklaven überliefert, wie ehemals ein herrſchaftliches Gut mit ſeinen Leibeigenen verkauft wurde.

Bemerkungen, welche die Brochüre über Bonaparte und die Bourbonen bildeten. — Ich beziehe eine Wohnung in der Straße Rivoli. — Bewunderungswürdiger franzöſiſcher Feldzug im Jahr 1814.

Im zweiten Buche dieſer Memoiren liest man (ich kam eben von Dieppe aus meiner erſten Verbannung zurück): „Man hat mir erlaubt, in mein Thal zurückzukehren. Die Erde erzitterte unter den Tritten des fremden Soldaten; ich ſchreibe, wie die letzten Römer, unter dem Lärm des Einfalls der Barbaren. Bei Tage ſchreibe ich Blätter, deren Inhalt ſo aufregend iſt, wie die Ereigniſſe ebendeſſelben Tages; Nachts verſetze ich mich, während der ferne Kanonendonner in meinen einſamen Wäldern erſtirbt, in die Stille der Jahre zurück, welche im Grabe ruhen, und zu den friedlichen Erinnerungen meiner erſten Jugend."

Jene Blätter voll aufregenden Inhaltes, die ich am Tage ſchrieb, waren Noten, welche ſich auf die Ereigniſſe des Augenblicks bezogen und zuſammengeſtellt, meine Brochüre über Bonaparte und die Bourbonen bildeten. Ich hatte eine ſo hohe Idee von Napoleon's Genie und der Tapferkeit unſerer Soldaten, daß der Gedanke an einen Einfall des Auslandes, der

bis auf ſeine letzten Ergebniſſe hinaus glücklich ſein würde, mir nie in den Kopf fahren konnte; allein ich dachte, dieſer Einfall würde Frankreich fühlen laſſen, in welche Gefahr das Land durch Napoleon's Ehrgeiz geſtürzt worden ſei, und eine Bewegung im Innern herbeiführen, ſo daß die Befreiung der Franzoſen ſich durch ihre eigenen Hände bewerkſtelligen würde. Von dieſer Idee geleitet, ſchrieb ich meine Noten, damit unſere politiſchen Verſammlungen, wenn ſie den Marſch der Verbündeten aufhielten und den Entſchluß faſſen ſollten, ſich eines großen Mannes, der zur Geißel geworden war, zu entledigen, wüßten, an wen ſie ſich halten ſollten. Der Schutz ſchien mir in der den Forderungen der Zeit gemäß modificirten Autorität zu ſein, unter welcher unſere Vorfahren acht Jahrhunderte lang gelebt hatten. Wenn man bei einem Gewitter in der Nähe bloß ein altes Gebäude findet, ſo benützt man dieſes Obdach, wie verfallen es auch ſei.

In dem Winter von 1813 auf 1814 bezog ich eine Wohnung in der Straße Rivoli, dem erſten Gitterthore des Gartens der Tuilerien gegenüber, vor welchem ich den Tod des Herzogs von Enghien ausrufen gehört hatte. Man ſah in dieſer Straße erſt die von der Regierung erbauten Arkaden und einige Häuſer, die ſich hie und da mit ihren ausgezackten Seitenmauern erhoben.

Es bedurfte nichts Geringeres als aller der Uebel, von denen Frankreich erdrückt war, um die Abneigung, welche Napoleon einflößte, beizubehalten und ſich zugleich der Bewunderung zu erwehren, die er erweckte, ſobald er handelte. Er war das kühnſte handelnde Genie, das je gelebt hat; ſein erſter Feldzug in Italien und ſein letzter Feldzug in Frankreich (ich ſpreche nicht von Waterloo) ſind ſeine beiden ſchönſten Feldzüge; Condé im erſten, Türenne im zweiten, zeigte er ſich in jenem als großer Krieger, in dieſem als großer Mann. Sie waren jedoch in ihren Reſultaten verſchieden; durch den einen erlangte er das Reich, durch den andern verlor er es. So entwurzelt, ſo haltlos ſeine letzten Stunden der Macht waren, ſo konnten ſie ihm doch nur, gleich den Zähnen eines

Löwen, durch die Anſtrengungen des Armes von ganz Europa entriſſen werden. Napoleon's Name war noch immer ſo furchtbar, daß die feindlichen Armeen den Rhein nur mit Schrecken überſchritten; ſie ſchauten beſtändig rückwärs, um ſich von der Möglichkeit eines Rückzuges zu verſichern. Selbſt als ſie ſchon Herren von Paris waren, zitterten ſie noch. Als Alexander beim Einmarſch in Frankreich einen Blick auf Rußland warf, beglückwünſchte er die Perſonen, welche dahin zurückkehren konnten, und theilte ſeiner Mutter in einem Briefe ſeine Angſt und ſeine Beſorgniſſe mit.

Napoleon ſchlägt die Ruſſen bei St. Dizier, die Preußen und die Ruſſen bei Brienne, als wollte er den Feldern, auf welchen er erzogen wurde, Ehre machen. Er wirft die ſchleſiſche Armee bei Montmirail, bei Champaubert und einen Theil der großen Armee bei Montereau. Ueberall bietet er die Spitze, geht und kommt wieder und drängt die Colonnen, von denen er umringt iſt, zurück. Die Verbündeten ſchlagen einen Waffenſtillſtand vor; Bonaparte zerreißt die angebotenen Friedensbedingungen und ruft: „Ich ſtehe Wien näher, als der Kaiſer von Oeſtreich Paris!“

Um ſich gegenſeitig zu ſtärken, ſchloſſen Rußland, Oeſtreich, Preußen und England in Chaumont einen neuen Bundesvertrag; im Grunde aber dachten ſie, durch Napoleon's Widerſtand erſchreckt, an den Rückzug. In Lyon bildete ſich an der Seite der Oeſtreicher eine Armee; im Süden hielt der Marſchall Soult die Engländer auf; noch immer unterhandelte der Congreß von Chatillon, der erſt am 15. März aufgelöst wurde. Bonaparte verjagte Blücher von den Höhen von Craone. Die große Armee der Verbündeten hatte am 27. Februar bei Bar-ſur-Aube nur durch ihre Ueberlegenheit an Mannſchaft geſiegt. Bonaparte, der ſich vervielfältigte, hatte Troyes wieder erlangt, das die Verbündeten zum zweiten Mal beſetzten. Von Craone hatte er ſich nach Rheims gewendet. „Heute Nacht,“ ſagte er, „will ich meinen Schwiegervater in Troyes holen.“

Am 20. März fand ein Gefecht bei Arcis-sur-Aube statt. Während des Donners der Artillerie war eine Haubitzenkugel auf die Front eines Carré der Garde gefallen; das Carré schien eine leichte Bewegung zu machen; Bonaparte stürzt sich auf den in die Höhe geworfenen Ball, dessen Lunte raucht, er läßt sein Pferd daran riechen; die Kugel zerplatzt und der Kaiser geht gesund und wohlbehalten aus dem zermalmenden Strahl hervor.

Die Schlacht sollte am folgenden Tage wieder beginnen; allein Bonaparte, welcher der Eingebung des Genies folgte, einer Eingebung, die ihm nichtsdestoweniger verderblich wurde, zieht sich zurück, um sich den verbündeten Truppen in den Rücken zu werfen, sie von ihren Magazinen zu trennen und seine Armee mit den Garnisonen der Grenzplätze zu vergrößern. Die Fremden schickten sich an, sich an den Rhein zurückzuziehen, als Alexander in Folge einer jener vom Himmel eingegebenen Bewegungen, die eine ganze Welt umgestalten, den Entschluß faßte, nach Paris zu marschiren, wohin der Weg frei geworden war. *)

Napoleon glaubte die Masse der Feinde in's Schlepptau zu nehmen, während ihm nur 10,000 Mann Reiterei folgten, welche er für die Avantgarde der Haupttruppen hielt und die ihm die wirkliche Bewegung der Preußen und Moscowiten verbargen. In Saint-Dizier und Vitry zersprengte er diese 10,000 Pferde und gewahrte dann, daß die große Armee der Verbündeten sich nicht hinter ihm befinde. Diese Armee, welche sich auf die Hauptstadt zustürzte, hatte nur die Marschälle Marmont und Mortier mit ungefähr 12,000 Mann Conscribirten vor sich.

Napoleon wendet sich schleunig Fontainebleau zu; hier hatte ein heiliges Opfer bei seiner Entfernung den Vergelter und Rächer zurückgelassen. In der Geschichte gehen immer zwei Dinge

---

*) Ich hörte den General Pozzo erzählen, daß er den Kaiser Alexander zum Vorwärtsmarschiren bestimmt habe.

mit einander; wo ſich ein Menſch eine Bahn der Ungerechtigkeit öffnet, öffnet er ſich zugleich eine Bahn des Verderbens, auf welcher in einer gewiſſen Entfernung der erſte Weg mit dem zweiten zuſammenſtößt.

Ich laſſe den Druck meiner Brochüre beginnen. — Eine Note von der Hand der Frau von Chateaubriand.

Die Geiſter waren ſehr aufgeregt; die Hoffnung, einen grauſamen Krieg, der ſeit zwanzig Jahren auf dem mit Unglück und Ruhm überſättigten Frankreich laſtete, aufhören zu ſehen, koſte es, was es wolle, trug in den Maſſen den Sieg über die Nationalität davon. Jeder beſchäftigte ſich mit dem Gedanken, welch eine Partei er bei der bevorſtehenden Kataſtrophe ergreifen ſolle. Jeden Abend beſuchten meine Freunde Frau von Chateaubriand, um bei ihr zu plaudern und die Tagesereigniſſe zu erzählen und zu beſprechen. Die Herren von Fontanes, von Clauſel, Joubert fanden ſich mit der Maſſe jener zugvogelartigen Freunde ein, welche die Ereigniſſe uns bringen und nehmen. Die ſchöne, friedliche und hingebungsvolle Herzogin von Levis, die wir in Gent wieder finden werden, war eine treue Geſellſchafterin der Frau von Chateaubriand. Auch die Frau Herzogin von Duras befand ſich in Paris, und ich beſuchte oft die Marquiſe von Montcalm, die Schweſter des Herzogs von Richelieu.

Trotz der Annäherung des Schlachtfeldes behielt ich fortwährend die Ueberzeugung bei, daß die Verbündeten Paris nicht betreten würden und ein Nationalaufſtand unſeren Befürchtungen ein Ende machen werde. Von dieſer Idee erfaßt, ſchmerzte mich die Anweſenheit der fremden Armeen nicht ſo lebhaft, wie es ſonſt der Fall geweſen wäre; ich konnte jedoch nicht umhin, an die Trübſal zu denken, die Europa durch uns erlitten hatte, als ich ſah, wie Europa ſie uns zurückbrachte.

Ich beschäftigte mich unablässig mit meiner Brochüre; ich bereitete sie gleich einem Heilmittel für den Augenblick zu, wo die Anarchie ausbrechen würde. Heutzutage schreiben wir nicht so, sondern behaglicher, da wir Nichts als den Krieg der Feuilletons zu befürchten haben. Nachts riegelte ich mich ein, legte die überschriebenen Wische unter mein Kopfkissen, zwei geladene Pistolen auf meinen Tisch und schlief zwischen diesen zwei Musen. Ich hatte einen doppelten Text, einen in Form einer Brochüre abgefaßten, der beibehalten wurde, und einen in der Weise von Gesprächen, der in einiger Hinsicht von der Brochüre verschieden war. Ich nahm an, daß man sich bei einem Aufstande Frankreichs im Stadthause versammeln werde, und hatte mich auf beide Themata vorbereitet.

Frau von Chateaubriand hat zu verschiedenen Zeiten unseres Zusammenlebens einige Notizen geschrieben; unter diesen Notizen finde ich folgenden Paragraphen:

„Herr von Chateaubriand schrieb seine Brochüre: Ueber Bonaparte und die Bourbonen. Wäre diese Brochüre in Beschlag genommen worden, so würde das Urtheil nicht zweifelhaft gewesen sein; es hätte auf Schaffot gelautet. Dennoch zeigte der Verfasser eine unglaubliche Nachlässigkeit im Verbergen derselben. Oft vergaß er es, wenn er ausging, und ließ es auf seinem Tische liegen; seine Klugheit ging nie weiter, als es unter sein Kopfkissen zu legen, was er vor den Augen seines Kammerdieners that, der zwar ein sehr ehrlicher Bursche war, sich aber bestechen lassen konnte. Ich für mich befand mich in tödtlichen Aengsten; sobald daher Herr von Chateaubriand ausgegangen war, nahm ich schnell das Manuscript weg und steckte es zu mir. Als ich eines Tages durch die Tuilerien ging, bemerkte ich, daß ich es nicht mehr habe, und fest überzeugt, es beim Ausgehen gefühlt zu haben, zweifle ich nicht, daß ich es unterwegs verloren habe. Schon sehe ich die unselige Schrift in den Händen der Polizei und Herrn von Chateaubriand verhaftet; ich falle mitten im Garten bewußtlos

7*

zu Boden; gute Leute leisteten mir Beistand und führten mich dann in unsere nicht sehr entfernte Wohnung. Welche Qual, als ich, die Treppe hinaufsteigend, zwischen einer Befürchtung, die beinahe Gewißheit war, und der leisen Hoffnung schwebte, ich möchte vergessen haben, die Brochüre zu mir zu stecken. Als ich mich dem Zimmer meines Mannes näherte, wollte mich eine neue Ohnmacht anwandeln; endlich trete ich ein; ... Nichts auf dem Tische; ich gehe auf das Bett zu, ich betaste zuerst das Kissen; ich fühle Nichts; ich hebe es auf ... und sehe die Papierrolle! So oft ich daran denke, pocht mir das Herz gewaltig. Nie habe ich einen solchen Augenblick von Freude in meinem Leben empfunden. Gewiß, ich darf wohl sagen, sie wäre nicht so groß gewesen, wenn ich am Fuße des Schaffotes begnadigt worden wäre; denn ich sah ja Jemand, der mir theurer war als ich selbst, davon befreit."

Wie unglücklich bin ich, daß ich der Frau von Chateaubriand einen solchen Augenblick der Qual verursachen konnte!

Ich war indessen genöthigt gewesen, einen Drucker in's Geheimniß zu ziehen; dieser zeigte sich bereit, die Sache zu wagen. Je nach den Nachrichten einer jeden Stunde und dem Paris sich nähernden oder sich entfernenden Kanonendonner brachte er mir die zur Hälfte gesetzten Probebogen zurück oder holte sie wieder ab. So setzte ich beinahe vierzehn Tage lang mein Leben auf's Spiel.

Der Krieg an die Barrièren von Paris gerückt. — Das Aussehen von Paris. — Kampf bei Bellevile. — Flucht Marie Louisens und der Regentschaft. — Herr von Talleyrand bleibt in Paris.

Der Kreis zog sich enger um die Hauptstadt; jeden Augenblick vernahm man einen Fortschritt des Feindes. In buntem Durcheinander zogen russische Gefangene und verwundete Fran-

zoſen auf Karren durch die Barrièren ein; einige Halbtodte fielen unter die Räder, die ſie mit Blut bedeckten. Conſcribirte, die aus dem Innern herbeigerufen wurden, durchzogen in langen Reihen die Hauptſtadt und marſchirten gegen die Armeen. Nachts hörte man Artillerietrains über die äußeren Boulevards fahren und wußte nicht, ob der ferne Donner den entſcheidenden Sieg oder die letzte Niederlage verkündete.

Endlich rückte der Krieg an die Barrièren von Paris. Von den Thürmen von Notre-Dame ſah man die Spitze der ruſſiſchen Colonnen wie die erſten Wogen der Flut am Meeresufer erſcheinen. Ich fühlte, was ein Römer hatte empfinden müſſen, als er vom Giebel des Capitols die Soldaten Alarich's entdeckte und die alte Stadt der Lateiner zu ſeinen Füßen ſah, wie ich jetzt die ruſſiſchen Soldaten entdeckte und zu meinen Füßen die alte Stadt der Gallier ſah. So lebt denn wohl, ihr väterlichen Laren, erhaltende Herde der Traditionen des Landes, Dächer, unter denen jene durch ihren Vater der Keuſchheit und Freiheit geopferte Virginia und jene durch die Liebe den Wiſſenſchaften und der Religion geweihte Heloiſe athmeten.

Seit Jahrhunderten hatte Paris nicht den Rauch eines feindlichen Lagers geſehen; Bonaparte iſt es, der von Triumphen zu Triumphen die Thebaner zum Anblick der Frauen von Sparta geführt hat. Paris war der Markſtein, von dem er ausgegangen war, um die Welt zu durchziehen; er kehrte dahin zurück, indem er den ungeheuren Brand ſeiner neuen Eroberungen hinter ſich ließ.

Man ſtürzte in den Jardin-des-Plantes, den ehemals die befeſtigte Abtei von Saint-Victor hätte beſchützen können. Die kleine Welt der Schwanen und Piſangbäume, der unſere Macht einen ewigen Frieden verſprochen hatte, wurde aus ihrer Ruhe aufgeſchreckt. Vom Gipfel des Labyrinthes, von der großen Ceder, von den Speichern des Ueberfluſſes herab, zu deren Vollendung Bonaparte nicht Zeit gehabt hatte, jenſeits des Platzes der Baſtille und des alten Thurmes von Vincennes (Orte, welche unſere Geſchichte

erzählen) ſchaute die Menge dem Infanteriefeuer in dem Kampfe bei Belleville zu. Montmartre iſt genommen, die Kugeln fallen bis auf die Boulevards des Temple.

Einige Compagnieen der Nationalgarde machten einen Ausfall und verloren in den um das Grab der Märtyrer liegenden Feldern dreihundert Mann. Nie ſtrahlte das militäriſche Frankreich mitten in ſeinem Mißgeſchicke in hellerem Glanze; die letzten Helden waren die hundertfünfzig jungen Leute der polytechniſchen Schule, die ſich auf den Schanzen des Weges von Vincennes in Kanoniere verwandelt hatten. Von Feinden umringt, weigerten ſie ſich noch immer, ſich zu ergeben; man mußte ſie von ihren Geſchützen wegreißen. Ruſſiſche Grenadiere packten die von Pulver geſchwärzten und mit Wunden bedeckten Helden, die ſich in ihren Armen noch wehrten, hoben dieſe jungen franzöſiſchen Palmen unter Siegesgeſchrei und Rufen der Bewunderung in die Höhe und gaben ſie blutend ihren Müttern zurück.

Während dieſer Zeit floh Cambacérès mit Marie Louiſe, dem König von Rom und der Regentſchaft. An den Mauern las man folgende Proclamation:

„Der König Joſeph, Generallieutenant des Kaiſers, Obercommandant der Nationalgarde.

„Bürger von Paris,

„Der Regentſchaftsrath hat für die Sicherheit der Kaiſerin und des Königs von Rom Sorge getragen. Ich bleibe bei Euch. Laßt uns unter die Waffen treten, um dieſe Stadt, ihre Monumente, ihre Reichthümer, unſere Frauen, unſere Kinder und Alles, was uns theuer iſt, zu vertheidigen. Dieſe umfangreiche Stadt werde für einige Augenblicke ein Lager; möge der Feind unter ihren Mauern, die er triumphirend zu überſchreiten hofft, nur ſeine Schande finden!“

Roſtopſchin hatte Moskau nicht vertheidigen wollen, er verbrannte es. Joſeph kündete an, daß er die Pariſer niemals verlaſſen

werde, und machte ſich dann geräuſchlos aus dem Staube, indem er uns ſeinen an den Straßenecken angeſchlagenen Muth zurückließ.

Herr von Talleyrand gehörte zu der durch Napoleon ernannten Regentſchaft. Von dem Tage an, wo der Biſchof von Autun unter dem Kaiſerreiche als Miniſter der auswärtigen Angelegenheiten aus dem Amte trat, hatte er nur einen Gedanken, die Entfernung Bonaparte's und eine Regentſchaft Marie Louiſen's, verfolgt, in welcher Regentſchaft er, der Fürſt von Benevent, das Haupt gebildet hätte. Indem ihn Bonaparte im Jahr 1814 zum Mitglied einer proviſoriſchen Regentſchaft ernannte, ſchien er ſeine geheimen Wünſche begünſtigt zu haben. Der Tod Napoleon's war nicht eingetroffen; es blieb Herrn von Talleyrand nichts übrig, als hinter den Füßen des Koloſſes, den er nicht ſtürzen konnte, her zu hinken und den Augenblick für ſeine Intereſſen zu nützen; die Geſchicklichkeit war das Genie dieſes Menſchen der Compromiſſe und Kaufverträge. Seine Stellung ward eine ſchwierige. Er hatte die Weiſung, in der Hauptſtadt zu bleiben; wenn aber Napoleon zurückkam, ſo lief der Fürſt, der ſich von der flüchtigen Regentſchaft getrennt, der ſaumſelige Fürſt, Gefahr, erſchoſſen zu werden; wie durfte er andererſeits Paris in dem Augenblick verlaſſen, wo die Verbündeten ſtündlich eindringen konnten? Hieße das nicht auf den Vortheil des Erfolges verzichten, jener Zukunft der Ereigniſſe ſchaden, für welche Herr von Talleyrand geſchaffen war? Weit entfernt, ſich zu den Bourbonen hinzuneigen, fürchtete er ſie ſeiner verſchiedenen Apoſtaſien wegen. Da indeß immerhin einige Chance für dieſe vorhanden war, ſo hatte ſich Herr von Vitrolles mit Zuſtimmung des verheiratheten Prälaten als unberufener Zwiſchenträger der Legitimität verſtohlen zu dem Congreß in Chatillon begeben. Nachdem dieſe Vorſicht angewandt war, nahm der Fürſt, um ſich aus der Verlegenheit zu ziehen, zu einem jener Streiche Zuflucht, in welchen er für einen Meiſter galt.

Herr Laborie, der bald nachher unter Herrn Dupont von Nemours Privatſecretär der proviſoriſchen Regierung wurde, ſuchte

Herrn von Laborde auf, welcher der Nationalgarde zugetheilt war, und eröffnete ihm die Abreiſe des Herrn von Talleyrand.

„Er ſchickt ſich an," ſagte er zu dieſem, „der Regentſchaft zu folgen; es ſcheint Ihnen vielleicht nothwendig, ihn zu verhaften, um im Stande zu ſein, im Nothfalle mit den Verbündeten zu unterhandeln."

Die Komödie wurde vortrefflich geſpielt. Man packt die Wagen des Fürſten unter großem Lärm; er macht ſich den 30. März am hellen Mittage auf den Weg. An der Barrière d'Enfer angekommen, weist man ihn trotz ſeiner Proteſtationen unerbittlich zurück. Im Falle eines wunderbaren Umſchlages waren die Beweiſe da, welche bezeugen ſollten, daß der ehemalige Miniſter ſich zu Marie Louiſe habe begeben wollen und die bewaffnete Macht ihm die Durchfahrt verweigert habe.

Proclamation des Generaliſſimus Fürſten Schwarzenberg. — Alexander's Rede. — Capitulation von Paris.

Inzwiſchen waren in Folge der Abweſenheit der Verbündeten der Graf Alexander von Laborde und Herr Tourton, Oberoffizier der Nationalgarde, zu dem Generaliſſimus Fürſt von Schwarzenberg geſchickt worden, welcher während des ruſſiſchen Feldzugs einer von Bonaparte's Generälen geweſen war. Die Proclamation des Generaliſſimus wurde in Paris am Abend des 30. März bekannt. Sie lautete:

„Seit zwanzig Jahren iſt Frankreich mit Blut und Thränen überſchwemmt; die Verſuche, ſo vielem Unglück ein Ende zu ſetzen, ſind vergeblich geweſen, weil in dem Regierungsprincip ſelbſt, das Euch bedrückt, ein unüberwindliches Hinderniß des Friedens vorhanden iſt. Pariſer, Ihr kennt die Lage Eures Vaterlandes; die Erhaltung und Ruhe Eurer Stadt ſollen der Gegenſtand der Sorge

der Verbündeten ſein. Mit dieſen Geſinnungen wendet ſich das vor Euren Mauern unter Waffen ſtehende Europa an Euch."

Welch herrliches Eingeſtändniß von der Größe Frankreichs: Das vor Euren Mauern unter Waffen ſtehende Europa wendet ſich an Euch!

Wir, die wir Nichts geachtet hatten, wir wurden von Denen geachtet, deren Städte wir verheert hatten und die nun die ſtärkeren geworden waren. Wir ſchienen ihnen eine heilige Nation, unſer Boden eine heilige Landſchaft Elis, die nach einem Ausſpruche der Götter von keinem Kriegsheer betreten werden durfte. Wenn demungeachtet Paris geglaubt hätte, Widerſtand leiſten zu müſſen, was vierundzwanzig Stunden lang ſehr leicht geweſen wäre, ſo hätten wir andere Reſultate geſehen; aber mit Ausnahme der vom Feuer und der Ehre berauſchten Soldaten wollte Niemand mehr Etwas von Bonaparte, und in der Befürchtung, ihn beizubehalten, beeilte man ſich, die Barrièren zu öffnen.

Paris capitulirte am 31. März; die militäriſche Capitulation iſt Namens der Marſchälle Mortier und Marmont von den Oberſten Denis und Fabvrier unterzeichnet; die bürgerliche Capitulation fand im Namen der Maires von Paris ſtatt. Der Municipal- und Departementalrath ſchickte zur Regulirung der verſchiedenen Artikel eine Deputation in's ruſſiſche Hauptquartier ab; mein Exilgefährte, Chriſtian von Lamoignon, befand ſich unter den Bevollmächtigten. Alexander ſagte zu ihnen:

„Euer Kaiſer, der mein Verbündeter war, iſt bis in das Herz meiner Staaten gedrungen und hat ein Unheil über uns gebracht, deſſen Spuren lange dauern werden. Eine gerechte Vertheidigung hat mich bis hieher geführt. Ich bin weit entfernt, Frankreich den Jammer zurückbringen zu wollen, mit dem es uns heimgeſucht hat. Ich bin gerecht und weiß, daß dieſes Unrecht nicht von den Franzoſen herrührte. Die Franzoſen ſind meine Freunde und ich will ihnen beweiſen, daß ich komme, um ihnen Schlimmes mit Gutem zu vergelten. Napoleon allein iſt mein Feind. Ich

verſpreche der Stadt Paris meinen beſondern Schutz; ich werde alle öffentlichen Anſtalten ſchirmen und erhalten; ich werde nur Kerntruppen dahin verlegen; ich werde Eure Nationalgarde, welche aus dem Kerne Eurer Bürger beſteht, beibehalten. An Euch iſt es, Euer kommendes Glück zu ſichern; man muß Euch eine Regierung geben, die Euch und Europa Ruhe ſchafft. An Euch iſt es, Eure Wünſche auszuſprechen; Ihr werdet mich ſtets bereit finden, Eure Anſtrengungen zu unterſtützen."

Dieſe Worte wurden pünktlich erfüllt; das Siegesglück wog in den Augen der Verbündeten jedes andere Intereſſe auf. Welche Gefühle mußten Alexander bewegen, als er die Giebel der Gebäude dieſer Stadt erblickte, welche der Fremde ſtets nur betreten hatte, um uns zu bewundern, und ſich an den Wunderwerken unſerer Civiliſation und Intelligenz zu erfreuen, dieſer unverletzlichen Stadt, welche zwölf Jahrhunderte lang durch ihre großen Männer vertheidigt wurde, dieſer Hauptſtadt des Ruhms, die Ludwig XIV noch mit ſeinem Schatten und Bonaparte mit ſeiner Rückkehr zu beſchützen ſchien!

Einzug der Verbündeten in Paris. — Bonaparte in Fontainebleau.

Gott hatte eines jener Worte geſprochen, von denen das Schweigen der Ewigkeit von Zeit zu Zeit unterbrochen wird. Jetzt hob ſich inmitten der gegenwärtigen Generation der Hammer, welcher die Stunde ſchlug, die Paris bisher nur einmal hatte ſchlagen hören. Am 25. December 496 kündete Reims die Taufe von Chlodwig an und die Thore von Lutetia öffneten ſich den Franken; am 30. März 1814 hob ſich nach der Bluttaufe Ludwig's XVI der ſeither regungslos gebliebene Hammer an der Glocke der alten Monarchie von Neuem; ein zweiter Schlag ertönte, die Tartaren drangen in Paris ein. In einem Zwiſchenraum von eintauſend dreihundert und achtzehn Jahren hatte der Fremde an die Mauern

der Hauptſtadt unſeres Reiches geklopft, ohne ſie je überſchreiten zu können, außer wenn er ſich, von unſeren eigenen Diviſionen gerufen, hereinſchlich. Die Normannen belagerten die Stadt der Pariſii; die Pariſii ließen die Sperber fliegen, die ſie auf der Fauſt trugen; Eudes, ein Pariſerkind und künftiger König, rex futurus, ſagt Abbon, drängte die nordiſchen Piraten zurück. Die Pariſer ließen im Jahr 1814 ihre Adler los; die Verbündeten zogen im Louvre ein.

Bonaparte hatte Alexander, ſeinen Bewunderer, der ihn auf den Knieen um Frieden anflehte, ungerechterweiſe mit Krieg überzogen; Bonaparte hatte das Gemetzel an der Moskowa befohlen; er hatte die Ruſſen gezwungen, mit eigenen Händen Moskau zu verbrennen; Bonaparte hatte Berlin geplündert, ſeinen König erniedrigt, ſeine Königin beſchimpft; auf welche Repreſſalien mußten wir uns daher gefaßt machen? Man wird es ſogleich ſehen.

Ich war in Florida unter unbekannten Monumenten umhergeirrt, die einſt durch Eroberer, von denen keine Spur übrig geblieben, zerſtört worden waren, und nun war mir das Schauſpiel der im Hof des Louvre gelagerten kaukaſiſchen Horden vorbehalten. Bei dieſen geſchichtlichen Ereigniſſen, welche, nach Montaigne, „ein mageres Zeugniß von unſerm Werthe und unſerer Fähigkeit ablegen,“ klebt mir die Zunge am Gaumen.

Adhaeret lingua mea faucibus meis.

Die Armee der Verbündeten zog am 31. März 1814 Mittags in Paris ein, bloß zehn Tage nach dem Jahrestage des Todes des Herzogs von Enghien, welcher am 21. März 1804 ſtarb. Lohnte ſich's für Bonaparte wohl der Mühe, eine ſo lange im Andenken ſtehende Handlung um eines Reiches willen, das von ſo kurzer Dauer ſein ſollte, begangen zu haben?

Der Kaiſer von Rußland und der König von Preußen befanden ſich an der Spitze ihrer Truppen. Ich ſah ſie auf den Boulevards defiliren. Beſtürzt und im Innern vernichtet, als

würde man mir meinen Namen eines Franzoſen entreißen und an deſſen Stelle die Nummer hinſetzen, unter welcher ich fortan in den Bergwerken Sibiriens bekannt ſein ſollte, fühlte ich zugleich meine Erbitterung gegen den Mann wachſen, deſſen Ruhm dieſe Schmach über uns gebracht hatte.

Immerhin iſt dieſe erſte Invaſion der Verbündeten ohne Beiſpiel in den Annalen der Weltgeſchichte geblieben. Ueberall herrſchten Ordnung, Friede und Mäßigung. Die Kaufläden wurden wieder geöffnet; ſechs Fuß hohe ruſſiſche Soldaten der Garde wurden von kleinen franzöſiſchen Gaſſenjungen, die ſich über ſie luſtig machten, wie Faſchingsmasken durch die Straßen geführt. Die Beſiegten konnten für Sieger gehalten werden; über ihre Erfolge zitternd, hatten dieſe das Ausſehen, als wollten ſie um Entſchuldigung bitten. Mit Ausnahme der Hotels, in welchen die fremden Könige und Fürſten wohnten, war das Innere von Paris von der Nationalgarde allein beſetzt. Am 31. März 1814 hielten zahlloſe Truppen Frankreich beſetzt; einige Monate ſpäter überſchritten alle dieſe Truppen unſere Grenzen wieder, ohne ſeit der Wiedereinſetzung der Bourbonen einen Schuß gethan oder einen Tropfen Blut vergoſſen zu haben.

Das alte Frankreich wird an einigen ſeiner Grenzen vergrößert; man theilt die Schiffe und die Magazine von Antwerpen mit ihm; man gibt ihm dreimalhunderttauſend Gefangene zurück, die in den Ländern umher zerſtreut ſind, wo Niederlagen oder Siege ſtattfanden. Nach fünfundzwanzig Jahren voller Kämpfe hört das Waffengetöſe von einem Ende Europa's bis zum andern auf. Alexander marſchirt mit ſeinen Truppen ab und läßt uns die eroberten Kunſtwerke und die in der Charte niedergelegte Freiheit, eine Freiheit, welche wir ſowohl ſeinen Einſichten, als ſeinem Einfluß verdankten. Als Oberhaupt der beiden höchſten Autoritäten, in doppeltem Sinne, dem des Schwertes und der Religion, Selbſtherrſcher, hatte von allen Monarchen Europa's er allein begriffen,

daß Frankreich auf der Stufe der Civiliſation, zu der es gelangt war, nur mittelſt einer freien Conſtitution regiert werden könne.

Vermöge unſerer ganz natürlichen Feindſchaft gegen die Ausländer, haben wir den Einfall von 1814 und den von 1815, die ſich keineswegs gleichen, in eine Kategorie geſtellt.

Alexander hielt ſich nicht für ein Werkzeug der Vorſehung und ſchrieb Nichts ſich ſelbſt zu. Als Frau von Staël ihm das Compliment machte, daß ſeine Unterthanen, die keine Conſtitution beſäßen, ſtatt deſſen das Glück hätten, von ihm regiert zu werden, gab er ihr die bekannte Antwort: „Ich bin nur ein glücklicher Zufall.“

Einem jungen Manne, der ihm in den Straßen von Paris ſeine Bewunderung über die Leutſeligkeit bezeugte, mit welcher er die geringſten Bürger behandelte, entgegnete er:

„Sind die Monarchen nicht für das geſchaffen?“

Er wollte das Schloß der Tuilerien nicht bewohnen, weil er daran dachte, wie ſehr Bonaparte ſich in den Paläſten von Wien, Berlin und Moskau gefallen hatte.

Als er Napoleon's Statue auf der Säule des Vendomeplatzes betrachtete, ſagte er: „Wenn ich ſo hoch ſtünde, ſo würde ich fürchten, der Kopf möchte mir ſchwindeln.“

Bei der Beſichtigung des Palaſtes der Tuilerien zeigte man ihm den Friedensſaal. „Wozu,“ ſagte er lachend, „diente dieſer Saal Bonaparte?“

Am Tage des Einzugs Ludwig's XVIII in Paris verbarg ſich Alexander, ohne irgend ein Abzeichen ſeines Ranges zu tragen, hinter einem Kreuzſtocke, um das Gefolge vorbeiziehen zu ſehen.

Er wußte zuweilen eine anziehende Freundlichkeit in ſein Benehmen zu legen. Beim Beſuche einer Irrenanſtalt fragte er eine Frau, ob die Zahl der durch Liebe Verrücktgewordenen beträchtlich ſei. „Bis jetzt nicht,“ antwortete ſie, „es ſteht jedoch zu befürchten, daß ſie ſich von dem Augenblicke des Einzugs Ew. Majeſtät in Paris an vermehren werde.“

Ein Großwürdenträger Napoleon's ſagte zu dem Czaren: „Schon lange, Sire, wurde Ihre Ankunft hier erwartet und gewünſcht.“ — „Ich wäre gerne früher gekommen,“ antwortete er, „meſſen Sie die Schuld meiner Verſpätung nur der franzöſiſchen Tapferkeit bei.“

So viel iſt gewiß, daß er beim Uebergang über den Rhein bedauerte, ſich nicht im Frieden in den Schooß ſeiner Familie zurückziehen zu können.

Im Invalidenhauſe fand er die verſtümmelten Soldaten, welche ihn bei Auſterlitz beſiegt hatten. Sie waren ſchweigſam und düſter; in ihren öden Höfen und ihrer entblößten Kirche hörte man nur das Geräuſch ihrer Stelzbeine. Alexander wurde durch dieſes Geräuſch der Tapfern gerührt und befahl, ihnen zwölf ruſſiſche Kanonen zu bringen.

Man machte ihm den Vorſchlag, der Auſterlitzbrücke einen andern Namen zu geben. „Nein,“ ſagte er, „es genügt, daß ich mit meiner Armee über dieſe Brücke gezogen bin.“

Alexander hatte etwas Ruhiges und Wehmüthiges in ſeinem Weſen; er machte ohne Gefolge und ohne Gepränge Spaziergänge zu Pferd oder zu Fuß in Paris umher. Er ſchien über ſeinen Triumph verwundert; ſeine beinahe gerührten Blicke ſchweiften über eine Bevölkerung hin, die er als über ihm ſtehend zu betrachten ſchien; man hätte meinen können, er fühle ſich in unſerer Mitte als Barbar, wie ein Römer in Athen Scham fühlte. Vielleicht dachte er auch daran, daß dieſe gleichen Franzoſen in ſeiner eingeäſcherten Hauptſtadt erſchienen ſeien; daß nun umgekehrt ſeine Soldaten Herren dieſes Paris ſeien, wo er noch einige der erloſchenen Fackeln hätte finden können, durch welche Moskau befreit und verzehrt worden war. Dieſe Geſchichte, dieſes wechſelnde Glück, dieſes gemeinſame Elend der Völker und Könige mußten auf ein ſo religiöſes Gemüth wie das ſeine einen tiefen Eindruck machen.

Bonaparte in Fontainebleau. — Die Regentschaft in Blois.

Was that inzwischen der Sieger von Borodino? Sobald er Alexander's Entschluß erfahren, hatte er dem Artilleriemajor Maillard de Lescourt den Befehl gesandt, den Pulverthurm von Grenelle in die Luft zu sprengen. Rostopschin hatte Moskau angezündet, aber vorher die Stadt von den Bewohnern räumen lassen.

Von Fontainebleau, wohin er zurückgekehrt war, rückte Napoleon bis Villejuif vor; hier warf er einen Blick auf Paris. Fremde Soldaten bewachten dessen Barrièren; der Eroberer gedachte der Tage, wo seine Grenadiere auf den Wällen von Berlin, Moskau und Wien Wache standen.

Ereignisse zerstören Ereignisse. Wie armselig erscheint uns heutzutage der Schmerz Heinrich's IV, als er in Villejuif Gabriele's Tod erfuhr und nach Fontainebleau zurückkehrte! Auch Bonaparte kehrte in diese Einsamkeit zurück, wo ihn nur die Erinnerung an seinen erhabenen Gefangenen erwartete. Der friedliche Gefangene hatte so eben das Schloß verlassen, um dem kriegerischen Gefangenen Platz zu machen, „so behende ist das Unglück im Ausfüllen seiner Plätze."

Die Regentschaft hatte sich nach Blois zurückgezogen. Bonaparte hatte befohlen, die Kaiserin und der König von Rom sollten Paris verlassen, da er, wie er sagte, sie lieber in der Tiefe der Seine, als im Triumph nach Wien zurückgekehrt sehen wolle; zugleich hatte er aber Joseph eingeschärft, in der Hauptstadt zu bleiben. Das Davongehen seines Bruders machte ihn wüthend, und er beschuldigte den ehemaligen König von Spanien, Alles verdorben zu haben. Die Minister, die Mitglieder der Regentschaft, Napoleon's Brüder, seine Frau und sein Sohn kamen in wilder Flucht und Unordnung in Blois an. Gepäckwagen, Kutscher, Alles war da; selbst die Staatswagen des Königs befanden sich dabei und wurden durch den Koth der Beauce nach Chambord

geführt, dem einzigen Fleck Landes in Frankreich, den man dem Erben Ludwig's XIV gelassen hatte. Einige Minister gingen durch und verbargen sich in der Bretagne, während Cambacérès sich in den bergigten Straßen von Blois in einer Sänfte breit machte.

Verschiedene Gerüchte waren im Umlauf; man sprach von zwei Lagern und einer allgemeinen Requisition. Mehrere Tage lang wußte man nicht, was in Paris vorging; erst bei der Ankunft eines Fuhrmanns, dessen Paß von Sacken unterzeichnet war, fand die Ungewißheit ein Ende. Bald nachher stieg der russische General Schuwaloff im Gasthof zur Galeere ab; er ward unverzüglich von den hohen Herrschaften belagert, die sich beeilten, ein Visa für ihre Flucht von ihm zu erhalten. Bevor man jedoch Blois verließ, ließ sich Jeder aus den Fonds der Regentschaft seine Reisekosten und seine rückständige Besoldung bezahlen; mit der einen Hand hielt man seine Pässe, mit der andern seine Gelder, indem man Sorge trug, zugleich seine Beistimmung zur provisorischen Regierung abzusenden; denn man verlor den Kopf nicht. Die Kaiserin Mutter und ihr Bruder, der Kardinal Fesch, reisten nach Rom ab. Der Fürst Esterhazy holte im Auftrage Franz II Marie Louise und ihren Sohn. Joseph und Jerome zogen sich in die Schweiz zurück, nachdem sie vergeblich die Kaiserin hatten zwingen wollen, ihr Loos zu theilen. Marie Louise beeilte sich, sich zu ihrem Vater zu begeben. Nicht besonders anhänglich an Napoleon, fand sie Mittel, sich zu trösten, und wünschte sich Glück, von der doppelten Tyrannei des Gatten und Gebieters befreit zu sein. Als Bonaparte im folgenden Jahre wieder eine solch wirre Flucht unter die Bourbonen brachte, hatten diese, kaum ihrer langen Trübsal entronnen, noch nicht vierzehn Jahre unerhörten Glückes genossen, um an die Annehmlichkeiten des Thrones gewöhnt zu sein.

Veröffentlichung meiner Brochüre „Ueber Bonaparte und die Bourbonen.“

Napoleon war indeß noch nicht entthront; gegen vierzigtausend der besten Soldaten standen an seiner Seite; er konnte sich hinter die Loire zurückziehen; im Süden drohten die aus Spanien zurückgekehrten französischen Armeen; die glühende militärische Bevölkerung konnte noch immer ihre Lava ergießen; sogar unter den fremden Häuptern handelte es sich noch darum, ob Napoleon oder sein Sohn Frankreich regieren sollte; zwei Tage lang schwankte Alexander. Herr von Talleyrand neigte sich, wie schon gesagt, insgeheim der Politik zu, welche dahinstrebte, den König von Rom zu krönen, denn er fürchtete die Bourbonen. Wenn er damals nicht ganz auf den Plan einer Regentschaft unter Marie Louise einging, so geschah es, weil Napoleon noch nicht gestürzt war und er, der Fürst von Benevent, fürchtete, bei einer durch das Dasein eines unruhigen, unvorsichtigen, unternehmenden und noch in der Kraft der Jahre stehenden Mannes bedrohten Minorität nicht Herr bleiben zu können.*)

In diesen kritischen Tagen nun warf ich meine Brochüre Ueber Bonaparte und die Bourbonen unter das Publikum, um ein Gewicht in die Wagschale zu legen. Man weiß, welche Wirkung sie that. Ich stürzte mich ohne Schonung in's Handgemenge, um der wiedererwachenden Freiheit als Schild gegen die noch aufrecht stehende Tyrannei zu dienen, deren Kräfte die Verzweiflung verdreifachte. Ich sprach im Namen der Legitimität, um meinen Worten die Autorität der positiven Angelegenheiten beizufügen. Ich that Frankreich zu wissen, was die alte königliche Familie eigentlich sei; ich sagte, wie viel Glieder dieser Familie

*) Man sehe später die hundert Tage in Gent, und Herrn von Talleyrand's Portrait am Ende dieser Memoiren. (Paris, Note von 1839.)

noch vorhanden, welches ihre Namen und ihre Charaktere seien; es war, als hätte ich ein Verzeichniß der Kinder des Kaisers von China gegeben, so ganz hatten die Republik und das Kaiserreich die Gegenwart verschlungen und die Bourbonen in die Vergangenheit verwiesen. Ludwig XVIII erklärte, wie ich schon oft erwähnt, daß meine Brochüre ihm mehr genützt habe, als eine Armee von hunderttausend Mann; er hätte hinzufügen können, sie sei ein Certificat des Lebens für ihn gewesen. Ich trug dazu bei, ihm durch den glücklichen Ausgang des spanischen Krieges zum zweiten Mal die Krone zu geben.

Gleich bei Beginn meiner politischen Laufbahn wurde ich populär bei der Menge; aber auch von da an hatte ich kein Glück bei den Mächtigen mehr. Alles, was unter Bonaparte Sklave gewesen war, verabscheute mich; andererseits war ich allen Denen verdächtig, welche Frankreich zur Lehnbarkeit verurtheilen wollten. Im ersten Augenblick hatte ich unter den Monarchen nur Bonaparte selbst für mich. Er durchlief meine Brochüre in Fontainebleau, der Herzog von Bassano hatte sie ihm gebracht; er beurtheilte sie unparteiisch und sagte: „Dieß ist richtig; das ist nicht richtig. Ich kann Chateaubriand keinen Vorwurf machen; er hat meiner Macht Widerstand geleistet; aber jene Kanaillen, die und diese!“ Und er nannte sie.

Ich habe stets eine große und aufrichtige Bewunderung für Bonaparte gehegt, selbst da, als ich Napoleon am eifrigsten angriff.

Die Nachwelt ist in ihren Urtheilen nicht so billig, wie man sagt; die Ferne hat ihre Leidenschaften, Vorurtheile und Irrthümer, wie die Nähe. Wenn die Nachwelt ohne Einschränkung bewundert, so ärgert sie sich, daß die Zeitgenossen des bewunderten Mannes von diesem Manne nicht die nämliche Idee, wie sie, hatten. Das ist jedoch erklärlich; was Verletzendes an dieser Person war, ist vergangen; ihre Schwächen sind mit ihr gestorben; von dem, was er war, ist nur sein unvergängliches Leben geblieben; das Unheil aber, das er verursachte, bleibt darum nicht minder

Thatſache und ſchlimm an ſich ſelbſt und in ſeinem Weſen, beſonders aber ſchlimm für die, welche es ertragen mußten.

Es iſt jetzt an der Tagesordnung, Bonaparte's Siege zu preiſen. Die darunter Leidenden ſind verſchwunden, man hört die Verwünſchungen, das Schmerz- und Nothgeſchrei der Opfer nicht mehr, man ſieht das erſchöpfte Frankreich nicht mehr, das ſeinen Boden durch ſeine Frauen bearbeiten laſſen muß; man ſieht die als Bürgen für ihre Söhne verhafteten Eltern, die Dorfbewohner nicht mehr, welche die einem Widerſpenſtigen auferlegte Strafe ſolidariſch tragen mußten; man ſieht jene die Conſcriptionen betreffenden Anſchlagzettel an den Straßenecken und die vor dieſen ungeheuren Todesurtheilen ſich ſchaarenden Vorübergehenden nicht mehr, welche beſtürzt die Namen ihrer Kinder, ihrer Brüder, ihrer Freunde, ihrer Nachbarn darauf ſuchen. Man vergißt, daß Jedermann über ſeine Triumphe jammerte; man vergißt, daß auf dem Theater die geringſte von den Cenſoren überſehene Anſpielung auf Bonaparte mit Jubel aufgenommen wurde; man vergißt, daß das Volk, der Hof, die Generäle, die Miniſter, die Verwandten Napoleon's ſeiner Bedrückung und ſeiner Eroberungen müde waren, dieſer ſtets gewonnenen und ſtets neu geſpielten Partie, dieſer durch die Unmöglichkeit der Ruhe jeden Morgen in Frage geſtellten Exiſtenz müde waren.

Die Wirklichkeit unſerer Leiden iſt durch die Kataſtrophe ſelbſt bewieſen; hätte Frankreich für Bonaparte geſchwärmt, würde es ihn dann zweimal plötzlich und vollſtändig im Stich gelaſſen haben, ohne durch eine letzte Anſtrengung ſeine Beibehaltung zu verſuchen? Wenn Frankreich Napoleon Alles verdankte, Ruhm, Freiheit, Ordnung, Wohlfahrt, Induſtrie, Handel, Manufacturen, Monumente, Literatur, ſchöne Künſte; wenn vor ſeinem Auftreten die Nation Nichts aus ſich ſelbſt gethan hatte, wenn die Republik, alles Genies und Muthes bar, ihren Boden weder vertheidigt, noch vergrößert hatte, ſo iſt alſo Frankreich höchſt undankbar und höchſt niederträchtig geweſen, daß es Napoleon in die Hände ſeiner

8*

Feinde fallen ließ oder wenigſtens gegen die Gefangenſchaft eines ſolchen Wohlthäters nicht proteſtirte?

Und doch macht man uns dieſen Vorwurf, zu dem man vollkommen Recht hätte, nicht; und warum? Weil es klar iſt, daß Frankreich Napoleon im Augenblicke ſeines Sturzes nicht vertheidigen wollte; im Gegentheil, es hat ihn freiwillig aufgegeben; in unſerm bitteren Widerwillen gegen ihn, ſahen wir in ihm nur noch den Urheber und Verächter unſeres Jammers. Die Verbündeten haben uns nicht beſiegt; wir ſelbſt haben, zwiſchen zwei Geißeln wählend, darauf verzichtet, unſer Blut zu vergießen, das nicht mehr für unſere Freiheit floß.

Unſtreitig war die Republik ſehr grauſam geweſen, aber Jeder hoffte, ſie werde vorbeigehen und wir früher oder ſpäter unſere Rechte mit Beibehaltung der ſchützenden Eroberungen, die ſie uns in den Alpen und am Rhein gebracht hatte, wieder erlangen. Alle Siege, die ſie davontrug, waren in unſerm Namen genommen; unter ihr war nur von Frankreich die Rede; immer war es Frankreich, das geſiegt hatte; unſere Soldaten waren es, die Alles gethan hatten und für die man Triumphfeſte oder Leichenfeierlichkeiten anordnete; die Generäle (und es gab deren ſehr große) erhielten einen ehrenvollen, aber beſcheidenen Platz in dem öffentlichen Andenken; ſo Marceau, Moreau, Hoche, Joubert. Die beiden Letzteren waren beſtimmt, an Bonaparte's Stelle zu treten, welcher, zu Ruhm gelangend, plötzlich General Hoche überflügelte und durch ſeine Eiferſucht dieſen friedliebenden Krieger berühmt machte, der nach ſeinen Siegen bei Altenkirchen, Neuwied und Kleinniſter plötzlich ſtarb.

Unter dem Kaiſerreiche verſchwanden wir; von uns war nicht mehr die Rede, Alles gehörte Bonaparte an: Ich habe befohlen, ich habe geſiegt, ich habe geſprochen, meine Adler, meine Krone, mein Blut, meine Familie, meine Unterthanen, hieß es jetzt.

Wie ging es indeß in dieſen zwei einander ſo ähnlichen und

zugleich ſo entgegengeſetzten Lagen? Wir verließen die Republik in ihrem Mißgeſchicke nicht; ſie tödtete uns, aber ſie ehrte uns; ſie machte uns nicht die Schande, das Eigenthum eines Mannes zu ſein; Dank unſeren Anſtrengungen ward ſie nicht von Feinden überſchwemmt; die jenſeits der Berge geſchlagenen Ruſſen fanden ihr Ende in Zürich.

Bonaparte aber iſt trotz ſeiner ungeheuren Errungenſchaft unterlegen, nicht weil er beſiegt war, ſondern weil Frankreich Nichts mehr von ihm wollte. Eine große Lehre! Möchte ſie uns ſtets erinnern, daß Alles, was die Menſchenwürde verletzt, Veranlaſſung zum Tode wird.

Die unabhängigen Geiſter aller Schattirungen und aller Meinungen redeten zur Zeit der Veröffentlichung meiner Brochüre eine und dieſelbe Sprache. Lafayette, Camille Jordan, Ducis, Lemercier, Lanjuinais, Frau von Staël, Chenier, Benjamin Conſtant, Le Brun dachten und ſchrieben wie ich. Lanjuinais ſagte: „Wir ſuchten uns einen Gebieter unter den Menſchen, welchen die Römer nicht einmal als Sklaven wollten.“

Chenier behandelte Bonaparte nicht günſtiger:

Ein Corſe ſtahl ihr Erbe den Franzoſen.
Du Blüthe unſrer Helden hingeſchlachtet
Im Schlachtrevier, Märtyrer, die mit Ruhm
Auf dem Schaffot ihr euer Blut vergoſſen,
Ihr ſtarbet wohl für eine beſſre Hoffnung!
Wie viele Thränen, wie viel Blut gefloſſen,
Er heimste dieſe Blut- und Thränen-Ernte.
Und ich Leichtgläubiger, ich feierte
Lang auf dem Forum, wie in dem Senat,
Bei Spiel und Feſten, den Eroberer!
. . . . . .
. . . . . .
Doch als, ein Flüchtling, er zurückgekehrt *)
Als er den Lorbeer hingab für die Krone,

*) Aus Aegypten.

Da ſchmeichelte ich nimmer ſeiner Schmach,
Weil ſtets mein Wort die Deſpotie bekriegte,
Und in der Schmeichler Chören, die den Staat
Ihm und verbuhlten Lobgeſang verkauften,
Hat niemals der Tyrann mich wohl erſchaut,
Denn nur den Ruhm ſing' ich, nicht die Gewalt.
(„Spaziergang", 1805.)

Frau von Staël fällte ein nicht minder ſtrenges Urtheil über Napoleon:

„Wäre es nicht eine große Lehre für das Menſchengeſchlecht, wenn dieſe Directoren (die fünf Glieder des Directoriums), Männer, welche nicht beſonders kriegeriſch waren, ſich aus ihrem Staube erhöben und von Napoleon Rechenſchaft über die durch die Republik eroberten Grenzen am Rhein und den Alpen verlangten, Rechenſchaft über die zweimal nach Paris gekommenen Fremden, Rechenſchaft über die drei Millionen Franzoſen, welche von Cadix bis Moskau umgekommen ſind, Rechenſchaft beſonders über jene Sympathie, welche die Nationen für die Sache der Freiheit in Frankreich fühlen und die ſich jetzt in einen eingewurzelten Widerwillen verwandelt hat?" (Betrachtungen über die franzöſiſche Revolution.)

Hören wir Benjamin Conſtant:

„Der, welcher ſich ſeit zwölf Jahren als den vom Schickſal beſtimmten Welteroberer verkündigte, hat für ſeine Anmaßungen öffentliche Abbitte thun müſſen . . . Bevor noch ſein Gebiet vom Feinde überfallen iſt, hat ihn eine Verwirrung erfaßt, die er nicht verbergen kann. Kaum werden ſeine Grenzen berührt, ſo wirft er alle ſeine Eroberungen von ſich. Er fordert die Abdankung eines ſeiner Brüder, er heißt die Vertreibung eines andern gut; ohne daß es von ihm verlangt wird, erklärt er, daß er auf Alles Verzicht leiſtet.

„Während die Könige, ſelbſt als beſiegt, ihrer Würde nicht entſagen, warum weicht der Beſieger der Erde beim erſten Stoße?

Das Flehen ſeiner Familie, ſagt er zu uns, zerreiße ſein Herz. Gehörten die, welche in Rußland unter der dreifachen Todesqual der Wunden, der Kälte und des Hungers umkamen, nicht zu dieſer Familie? Aber während ſie, von ihrem Führer im Stiche gelaſſen, hinſtarben, glaubte dieſer Führer ſich in Sicherheit; doch jetzt macht ihn die Gefahr, die er theilt, plötzlich gefühlvoll.

„Die Furcht iſt ein übler Rathgeber, beſonders da, wo kein Gewiſſen vorhanden iſt; im Unglück wie im Glück leitet uns nur die Moral richtig. Wo die Moral nicht herrſcht, führt das Glück zum Wahnſinn, das Unglück zur Erniedrigung.

. . . . . .

. . . . . .

„Welch einen Eindruck muß dieſer blinde Schrecken, dieſer plötzliche Kleinmuth, von dem wir bei allen unſeren Stürmen noch kein Beiſpiel geſehen haben, auf eine muthige Nation machen? Der Nationalſtolz fand (zwar mit Unrecht) eine gewiſſe Schadloshaltung darin, daß das Land nur durch ein unbeſiegliches Oberhaupt bedrückt werde. Was bleibt heutzutage? Kein Blendwerk, keine Triumphe mehr, kein verſtümmeltes Reich, der Fluch der Welt, ein Thron, deſſen Pracht erblichen iſt, deſſen Trophäen im Staube liegen und den ſtatt aller Umgebung nur die irrenden Schatten des Herzogs von Enghien, Pichegrü's und ſo vieler Anderer umſchweben, die um ſeiner Gründung willen erwürgt wurden." *)

Bin ich in meiner Schrift: Ueber Bonaparte und die Bourbonen ſo weit gegangen? Haben nicht die Proclamationen der Behörden vom Jahr 1814, die ich ſogleich mittheilen werde, dieſe verſchiedenen Meinungen ausgeſprochen, gebilligt und beſtätigt? Wenn ſich auch die Behörden, die ſich ſolchergeſtalt ausdrücken, niederträchtig gezeigt und durch ihre erſte Schmeichelei erniedrigt haben, ſo ſchadet das nur den Verfaſſern dieſer Adreſſen, raubt aber der Stärke ihrer Argumente Nichts.

---

*) „Vom Eroberungsgeiſte."

Ich könnte eine Menge von Beweisſtellen anführen, will aber deren nur noch zwei erwähnen und zwar der Meinung der beiden Männer halber. Glaubt nicht ſelbſt Beranger, dieſer beſtändige und bewunderungswürdige Bewunderer Bonaparte's, ſich entſchuldigen zu müſſen, wovon dieſe Worte Zeugniß ablegen: „Meine enthuſiaſtiſche und beſtändige Bewunderung des Genies des Kaiſers, dieſe Abgötterei machten mich nie für den ſtets wachſenden Deſpotismus des Kaiſers blind.“

Paul-Louis Courier ſagt, indem er von Napoleon's Thronbeſteigung ſpricht: „Was ſoll das bedeuten, ſage mir ... daß ein Mann wie er, Bonaparte, ein Soldat, das Oberhaupt der Armee, der erſte Feldherr der Welt, will, daß man ihn Majeſtät nenne! Bonaparte ſein und ſich zum Sire machen! Er will hinabſteigen; nicht doch, er glaubt emporzuſteigen, indem er ſich den Königen gleichſtellt. Ein Titel iſt ihm lieber, als ein Name. Armer Mann, ſeine Ideen ſind ſeinem Schickſal untergeordnet! Jener Cäſar verſtand es weit beſſer, und er war auch ein anderer Mann. Er nahm keine abgenützten Titel an, ſondern machte aus ſeinem Namen einen dem Königstitel überlegenen Titel.“

Die lebenden Talente haben den Weg ebenderſelben Unabhängigkeit eingeſchlagen; Herr von Lamartine auf der Rednerbühne, Herr von Latouche in der Zurückgezogenheit; in zwei oder drei ſeiner ſchönſten Oden iſt Victor Hugo's edle Leier in folgender Weiſe erklungen:

In ſeiner Frevel Nacht, in ſeiner Siege Glanz
Verkannte dieſer Mann den Gott, der ihn geſandt u. ſ. w.

Draußen endlich zeigte ſich das europäiſche Urtheil eben ſo ſtreng. Ich will unter den Engländern nur die Geſinnungen der Oppoſitionsmänner anführen, die mit Allem an unſerer Revolution zufrieden waren und ſie in Allem rechtfertigten. Leſt Mackintoſh in ſeiner Vertheidigung Pelletier's; Sheridan ſagte bei Gelegenheit des Friedens von Amiens zu dem Parlamente: „Wer aus Frankreich

nach England kommt, meint einem Verließe zu entfliehen und wieder die Luft und das Leben der Unabhängigkeit zu athmen.

In seiner Ode an Napoleon behandelt Lord Byron diesen auf die zornvollste Weise:

Dahin! — noch gestern Fürst und groß,
Der Fürsten ließ erbeben —
Und nun ein Wesen, namenlos,
Erniedrigt — doch am Leben!

In diesem Sinne geht die ganze Ode fort, jede Strophe überbietet die andere, was Lord Byron indessen nicht verhinderte, das Grab auf St. Helena zu besingen. Die Dichter sind Vögel, jedes Geräusch bringt sie zum Singen.

Wenn die verschiedenen ausgezeichnetsten Geister in einem Urtheil übereinstimmen, so vermögen keine erkünstelte noch aufrichtige Bewunderung, keine Zusammenstellung von Thatsachen, kein nach geschehener That aufgestelltes System das Urtheil zu schwächen. Wie, man sollte, wie Napoleon, die Gesetze seinem Willen nachsetzen, jedes unabhängige Leben verfolgen, sich ein Vergnügen daraus machen, die Charaktere zu entehren, die Lebensverhältnisse zu stören, die Sitten des Privatlebens wie die öffentlichen Freiheiten zu verletzen, und der edle Widerstand, der sich gegen diese Abscheulichkeiten erhöbe, würde für Verleumdung und Lästerung erklärt! Wer wollte die Sache des Schwachen gegen den Starken vertheidigen, wenn der Muth, welcher ohnedieß der Sache der Schlechtigkeit der Gegenwart ausgesetzt ist, sich auch noch auf den Tadel der Niederträchtigkeiten der Zukunft gefaßt machen müßte?

Diese theilweise aus Musensöhnen bestehende rühmliche Minorität wurde stufenweise zur Nationalmajorität. Gegen das Ende des Kaiserreichs verabscheute Jedermann den kaiserlichen Despotismus. Ein schwerer Vorwurf wird auf Bonaparte's Andenken haften; er machte sein Joch so drückend, daß die feindseligen Gesinnungen gegen das Ausland dadurch geschwächt wurden und ein heutzutage noch in bedauernswerthem Andenken stehender Einfall

im Augenblick ſeines Zuſtandekommens Etwas von einer Befreiung annahm. Das iſt ſogar die republikaniſche Meinung, die mein unglücklicher und wackerer Freund Carrel ausgeſprochen hat.

„Die Rückkehr der Bourbonen," hatte auch Carnot geſagt, „brachte in Frankreich einen allgemeinen Enthuſiasmus hervor; ſie wurden mit einer unausſprechlichen Herzensfreude aufgenommen; die alten Republikaner theilten aufrichtig den allgemeinen Jubel. Napoleon hatte beſonders ſie unterdrückt; alle Klaſſen der Geſellſchaft hatten ſo ſtark gelitten, daß man Niemand fand, der nicht wirklich freudetrunken war."

Zur Beſtätigung dieſer Meinungen bedarf es nur einer ſie bekräftigenden Autorität; Bonaparte hatte es übernommen, die Wahrheit derſelben zu beſcheinigen. Beim Abſchiede von ſeinen Soldaten im Hofe von Fontainebleau bekennt er laut, daß Frankreich ihn verſtößt: „Frankreich ſelbſt," ſagt er, „hat ein anderes Loos gewollt."

Ein unerwartetes und denkwürdiges Geſtändniß, deſſen Gewicht durch Nichts geſchwächt und deſſen Werth durch Nichts verringert werden kann!

In ſeiner ewigen Langmuth ſendet Gott früher oder ſpäter ſeinen Engel der Gerechtigkeit; in Augenblicken, wo der Himmel ſcheinbar ſchläft, wird es immer rühmlich ſein, wenn die Mißbilligung eines Ehrenmannes wacht und gleichſam einen Zaum für die abſolute Macht bildet. Frankreich wird die edlen Seelen nicht verleugnen, welche gegen ſeine Knechtſchaft Einſpruch erhoben, als Alles dem Götzen huldigte, als dieß ſo viele Vortheile brachte, als Schmeicheleien ſo viele Gnaden, Wahrheiten ſo viele Verfolgungen eintrugen. Ehre daher den Lafayette, den von Staël, den Benjamin Conſtant, Camille Jordan, Ducis, Lemercier, den Lanjuinais, Chenier, welche, inmitten der kriechenden Menge der Völker und Könige aufrecht ſtehend, den Sieg zu verachten und gegen die Tyrannei zu proteſtiren wagten!

Durchgeſehen am 22. Februar 1845.

Der Senat erläßt das Abſetzungsdecret.

Am 2. April decretirten die Senatoren, welchen man nur einen einzigen Artikel der Charte vom Jahr 1814, den unedeln Artikel verdankt, der ihnen ihre Penſionen ſichert, die Abſetzung Bonaparte's. Wenn dieſes Befreiungsdecret Frankreichs denjenigen, welche es erlaſſen haben, Schande macht und für das Menſchengeſchlecht ein Schimpf iſt, ſo lehrt es zu gleicher Zeit die Nachwelt den Werth der Größen und des Glückes kennen, die verſchmähten, ſich an die Grundlagen der Moral, der Gerechtigkeit und Freiheit zu halten.

Decret des Erhaltungsſenates.

„Der Erhaltungsſenat, in Betracht, daß in einer conſtitutionellen Monarchie der Monarch nur kraft der Conſtitution oder des ſocialen Vertrages beſteht.

„Daß Napoleon Bonaparte einige Zeit lang durch eine feſte und kluge Regierung der Nation Anlaß gegeben hatte, auch für die Zukunft auf Thaten der Weisheit und Gerechtigkeit zu zählen; daß er aber hernach den Vertrag, der ihn mit dem franzöſiſchen Volke verband, zerriß, indem er hauptſächlich auf andere Weiſe, als kraft des Geſetzes, Steuern erhob und Abgaben auflegte und zwar gegen den ausdrücklichen Inhalt des bei ſeiner Thronbeſteigung geleiſteten Eides laut Artikel 53 der Conſtitution vom 28. Floreal des Jahres XII;

„Daß er ein Attentat an den Rechten des Volkes verübt hat, als er ohne Noth den geſetzgebenden Körper vertagte und einen Bericht dieſes Körpers, deſſen Titel und Recht bei der Nationalvertretung er beſtritt, als verbrecheriſch unterdrücken ließ;

„Daß er mit Verletzung des Artikels 50 der Conſtitutionsacte vom Jahr VIII, welcher verlangt, daß die Kriegserklärung gleich einem Geſetze vorgeſchlagen, berathen, decretirt und verkündigt werde, eine Reihe von Kriegen unternommen hat;

„Daß er inconſtitutionellerweiſe mehrere Decrete, auf welchen Todesſtrafe ſteht, erlaſſen hat, namentlich die beiden Decrete vom 5. März dieſes Jahres, welche dahin zielen, einen Krieg, der nur im Intereſſe ſeines maßloſen Ehrgeizes ſtatt fand, als Nationalſache anſehen zu laſſen;

„Daß er durch ſeine Decrete über die Staatsgefängniſſe die conſtitutionellen Geſetze verletzt hat;

„Daß er die Verantwortlichkeit der Miniſter aufgehoben, alle Gewalten in Verwirrung gebracht und die Unabhängigkeit der Gerichte zerſtört hat;

„In Betracht, daß die Freiheit der Preſſe, eines der beſtehenden und geweihten Rechte der Nation, beſtändig der willkürlichen Cenſur ſeiner Polizei unterworfen wurde, und daß er ſich zugleich immer der Preſſe bedient hat, um Frankreich und Europa mit erdichteten Thaten, falſchen Maximen, dem Deſpotismus günſtigen Doctrinen und groben Beleidigungen der auswärtigen Regierungen zu erfüllen;

„Daß vom Senat ausgefertigte Acten und Berichte bei deren Veröffentlichung Veränderungen erlitten haben;

„In Betracht daß, ſtatt dem Inhalte ſeines Eides gemäß bloß von dem Geſichtspunkte des Intereſſes, des Glücks und des Ruhms des franzöſiſchen Volkes aus zu regieren, Napoleon durch ſeine Weigerung, auf Bedingungen einzugehen, die das Nationalintereſſe anzunehmen verpflichtete und welche die franzöſiſche Ehre nicht compromittirten, durch den Mißbrauch, den er mit allen den Mitteln, welche man ihm in Menſchen und Geld anvertraut hat, durch das Verlaſſen der Verwundeten, die ohne Hülfe, ohne Verband, ohne Lebensmittel in Feindesland zurückbleiben mußten, durch verſchiedene Maßregeln, deren Folgen der Ruin der Städte, die Entvölkerung der Landſchaft, Hungersnoth und anſteckende Krank-

heiten waren, das Unglück des Vaterlandes auf die Spitze getrieben hat;

„In Betracht daß, vermöge aller dieser Ursachen die durch den Senatsbeschluß vom 28. Floreal des Jahres XII oder dem 18. Mai 1804 eingesetzte kaiserliche Regierung zu existiren aufgehört hat und der offenkundige Wunsch aller Franzosen eine Ordnung der Dinge verlangt, deren erstes Resultat die Wiederherstellung des allgemeinen Friedens, welche auch der Zeitpunkt einer feierlichen Versöhnung zwischen allen Staaten der großen europäischen Familie sein soll, so erklärt und decretirt der Senat, wie folgt:

„Napoleon ist des Thrones verlustig erklärt; das Erblichkeitsrecht seiner Familie erloschen, das französische Volk und die Armee ihres Eides der Treue gegen ihn entbunden."

Der römische Senat war weniger hart, als er Nero für den öffentlichen Feind erklärte; die Geschichte ist nur eine Wiederholung der gleichen Thatsachen auf verschiedene Menschen und Zeiten angewandt.

Man stelle sich den Kaiser vor, als er dieses officielle Document zu Fontainebleau las? Was mußte er von dem, was er gethan, und von den Menschen halten, die er zur Mitschuld seiner Unterdrückung unserer Freiheiten berufen hatte? Als ich meine Brochüre: Ueber Bonaparte und die Bourbonen veröffentlichte, durfte ich da erwarten, sie erweitert und in ein Absetzungsdecret des Senates umgewandelt zu sehen? Wer hinderte diese Gesetzgeber in den Tagen des Wohlergehens, die Uebel zu entdecken, als deren Urheber sie Bonaparte anklagten, zu bemerken, daß die Constitution verletzt worden sei? Welcher Eifer erfaßte plötzlich diese für die Preßfreiheit Stummen? Wie konnten die, welche Napoleon bei der Rückkunft von jedem seiner Kriege mit Schmeicheleien überhäuft hatten, jetzt finden, er habe sie nur im Interesse seines maßlosen Ehrgeizes unternommen? Wie konnten die, welche ihm so viele Conscribirte

zum Verzehren vorgeworfen hatten, jetzt plötzlich zum Mitleiden mit verwundeten Soldaten bewegt werden, welche ohne Hülfe, ohne Verband, ohne Lebensmittel in Feindesland zurückbleiben mußten? Es gibt Zeiten, wo man der großen Zahl der Bedürftigen wegen die Verachtung nur sparsam austheilen muß; ich beklage diese Verschwendung derselben für sie hin, weil sie ihrer noch während und nach den hundert Tagen bedürfen werden.

Ich frage, was Napoleon in Fontainebleau von den Acten des Senates dachte; seine Antwort war schon bereit; ein nicht officiell veröffentlichter, aber in verschiedenen Journalen der Provinz aufgenommener Tagesbefehl vom 4. April 1814 dankte der Armee für ihre Treue und fügte hinzu:

„Der Senat hat sich erlaubt, über die französische Regierung zu verfügen; er hat vergessen, daß er dem Kaiser die Macht verdankt, die er jetzt mißbraucht; daß dieser einen Theil seiner Mitglieder aus dem Sturme der Revolution gerettet, aus der Dunkelheit gezogen, und den andern gegen den Haß der Nation beschützt hat. Der Senat stützt sich auf die Artikel der Constitution, um diese über den Haufen zu werfen; er erröthet nicht, dem Kaiser Vorwürfe zu machen, ohne zu bemerken, daß er als erster Staatskörper an allen Ereignissen Theil genommen hat. Der Senat erröthet nicht, von den öffentlichen Schmähschriften gegen auswärtige Regierungen zu sprechen; er vergißt, daß sie in seinem Schooße abgefaßt wurden. So lange das Glück sich seinem Monarchen treu gezeigt hat, sind diese Menschen ihm treu geblieben und keine Klage über Mißbrauchung der Gewalt wurde vernommen. Wenn der Kaiser die Menschen verachtet hätte, wie man ihm zum Vorwurf machte, dann würde die Welt heute erkennen, daß er Gründe hatte, die seine Verachtung motivirten."

Es ist dieß eine der Preßfreiheit von Bonaparte selbst dargebrachte Huldigung; er mußte annehmen, sie habe etwas Gutes, da sie ihm einen letzten Zufluchtsort und eine letzte Hülfe anbot.

Und ich, der ich gegen die Zeit ankämpfe, ich, der ich ſuche, ſie Rechenſchaft ablegen zu laſſen von dem, was ſie geſehen hat, ich, der ich dieſes ſo ferne von den vergangenen Ereigniſſen unter der Regierung Philipp's, des Erbſchleichers eines ſo großen Erbtheils, ſchreibe, was bin ich in den Händen dieſer Zeit, dieſer großen Verſchlingerin der Jahrhunderte, die ich in ihrem Laufe aufgehalten glaubte, dieſer Zeit, die mich im weiten Weltraume mit ſich im Kreiſe herumdreht?

Hotel in der Straße Saint-Florentin. — Herr von Talleyrand.

Alexander hatte bei Herrn von Talleyrand Quartier bezogen. Ich wohnte den verdächtigen Zuſammenkünften nicht bei; man kann ſie in den Erzählungen des Abbé von Pradt und der verſchiedenen Mäkler leſen, welche mit ihren ſchmutzigen kleinen Händen das Loos eines der größten Männer der Geſchichte und das Schickſal der Welt regierten. Außerhalb der Maſſen galt ich in der Politik Nichts; jeder untergeordnete Intriguant hatte in den Vorzimmern mehr Recht und fand mehr Gunſt als ich. Als der Mann der Zukunft bei der möglichen Reſtauration wartete ich unter den Fenſtern auf der Straße.

In Folge der Machinationen im Hotel der Straße Saint-Florentin ernannte der Erhaltungsſenat eine proviſoriſche Regierung, beſtehend aus dem General Bournonville, dem Senator Jaucourt, dem Herzog von Dalberg, dem Abbé von Montesquiou und Dupont von Nemours; der Fürſt von Benevent verſicherte ſich zum Voraus der Präſidentſchaft.

Als ich dieſem Namen zum erſten Mal begegnete, mußte ich von der Perſon ſprechen, welche an den Angelegenheiten der damaligen Zeit einen bedeutenden Antheil nahm; ich behalte mir jedoch ihr Portrait für den Schluß meiner Memoiren vor.

Die Intrigue, welche Herrn von Talleyrand beim Einzug der Verbündeten in Paris zurückhielt, wurde die Urſache ſeiner Erfolge ſchon zu Anfang der Reſtauration. Der Kaiſer von Rußland kannte ihn von Tilſit her, wo er ihn einſt geſehen hatte. Bei der Abweſenheit der franzöſiſchen Autoritäten ſtieg Alexander im Hotel del Infantado ab, das ihm anzubieten der Gebieter des Hotels ſich beeilte.

Von da an galt Herr von Talleyrand für den unumſchränkten Herrn der Welt; ſeine Salons wurden der Mittelpunkt der Verhandlungen. Die proviſoriſche Regierung nach ſeinem Gutdünken beſtellend, ſchob er die Partner ſeiner Whiſtpartie hin; der Abbé von Montesquiou figurirte nur als Cuſtos der Legitimität darin.

Der Unfruchtbarkeit des Biſchofs von Autun wurden die erſten Werke der Reſtauraton anvertraut; mit dieſer Unfruchtbarkeit ſchlug er auch die Reſtauration und theilte ihr einen Keim des Siechthums und des Todes mit.

Adreſſen der proviſoriſchen Regierung. — Die vom Senate vorgeſchlagene Conſtitution.

Die erſten Werke der unter die Dictatur ihres Präſidenten geſtellten proviſoriſchen Regierung waren an die Soldaten und an das Volk gerichtete Proclamationen.

„Soldaten," ſagten ſie zu den erſteren, „Frankreich hat jetzt das Joch zerbrochen, unter welchem es mit Euch ſeit ſo vielen Jahren ſchmachtete. Betrachtet, was Ihr Alles von der Tyrannei gelitten habt. Soldaten, es iſt Zeit, den Leiden des Vaterlandes ein Ende zu machen. Ihr ſeid ſeine edelſten Kinder; Ihr könnt dem, der es verheert hat, der Euren Namen bei allen Nationen verhaßt machen wollte, der vielleicht Euren Ruhm in Frage geſtellt hätte, wenn ein Mann, der **nicht einmal Franzoſe iſt,**

je die Ehre unſerer Waffen und die Großmuth unſerer Soldaten zu verdunkeln vermöchte, Ihr könnt dem nicht angehören."

In den Augen ſeiner ſervilſten Sklaven iſt alſo der, welcher ſo viele Siege davontrug, nicht einmal mehr Franzoſe! Als zur Zeit der Liga Du Bourg Heinrich IV die Baſtille übergab, weigerte er ſich, die ſchwarze Schärpe abzulegen und das Geld zu nehmen, das man ihm für die Uebergabe des Platzes anbot. Zur Anerkennung des Königs gezwungen, antwortete er, daß dieſer ohne Zweifel ein ganz guter Prinz ſein möge, daß er jedoch Herrn von Mayenne Treue gelobt habe. Uebrigens ſei Briſſac ein Verräther und zur Behauptung deſſen wolle er mit ihm in Anweſenheit des Königs vier Lanzen brechen und ihm das Herz aus dem Leibe reißen."

Welche Verſchiedenheit der Zeiten und Menſchen!

Am 4. April erſchien eine neue Anſprache der Regierung an das franzöſiſche Volk; ſie lautete:

„Bei Beendigung Eures bürgerlichen Zwieſpaltes hattet Ihr zum Oberhaupt einen Mann gewählt, der mit Anzeichen von Größen auf der Bühne der Welt erſchien. Dieſer hat auf den Ruinen der Anarchie nur den Deſpotismus gegründet. Er hätte wenigſtens aus Erkenntlichkeit Franzoſe mit Euch werden ſollen; er war es nie. Als Abenteurer, der ſich berühmt machen will, unternahm er unabläſſig und ohne Grund zweckloſe und ungerechte Kriege. Vielleicht brütet er noch immer über ſeinen Rieſenplänen, ſelbſt wo unerhörte Mißgeſchicke den Hochmuth und den Mißbrauch des Sieges ſo glänzend ſtrafen. Er wußte weder im Nationalintereſſe, noch ſelbſt in dem Intereſſe ſeines Deſpotismus zu herrſchen. Er hat Alles, was er ſchaffen wollte, zerſtört, und Alles, was er zerſtören wollte, wieder geſchaffen. Er glaubte nur an die Gewalt; die Gewalt hält ihn heute in Banden, als gerechte Vergeltung eines unſinnigen Ehrgeizes."

Unbeſtreitbare Wahrheiten, verdiente Verwünſchungen; aber

von wem kamen ſie, dieſe Verwünſchungen? Was wurde aus meiner armen kleinen, zwiſchen dieſe bösartigen Adreſſen eingeklemmten Brochüre? Verſchwindet ſie nicht gänzlich?

Am nämlichen Tage, am 4. April, erklärt die proviſoriſche Regierung die Abzeichen und Embleme der kaiſerlichen Regierung in die Acht; wäre der Triumphbogen ſchon errichtet geweſen, man hätte ihn niedergeriſſen. Mailhes, welcher der Erſte für den Tod Ludwig's XVI ſtimmte, Cambacérès, der Napoleon zuerſt mit dem Kaiſernamen begrüßte, anerkannten bereitwillig die Handlungen der proviſoriſchen Regierung.

Am 6. macht der Senat den oberflächlichen Entwurf einer Conſtitution; ſie beruhte ungefähr auf den Grundlagen der künftigen Charte; der Senat wurde als erſte Kammer beibehalten, die Senatorenwürde für unentſetzbar und erblich erklärt; mit ihrem Majoratstitel waren die Einkünfte der Senatorerien verbunden; die Conſtitution machte dieſe Titel und Majorate auf die Nachkommen des Beſitzers übertragbar. Zum Glück trugen dieſe unedlen Erblichkeiten Parzen in ſich, wie die Alten ſagten.

Die ſchmutzige Unverſchämtheit dieſer Senatoren, welche mitten unter dem Einfalle des Feindes in ihr Vaterland ſich nicht einen Augenblick aus den Augen verlieren, fällt ſelbſt unter dem ungeheuren Andrange der öffentlichen Ereigniſſe auf.

Wäre es für die Bourbonen nicht bequemer geweſen, bei ihrer Ankunft die beſtehende Regierung, einen ſtummen geſetzgebenden Körper, einen geheimen und ſklaviſchen Senat, eine gefeſſelte Preſſe anzunehmen? Bei Ueberlegung findet man die Sache unmöglich. Natürliche Freiheiten hätten ſich in Abweſenheit des ſie beugenden Armes wieder aufgerichtet und unter dem ſchwachen Drucke ihre verticale Linie von Neuem angenommen. Wenn die legitimen Prinzen Bonaparte's Armee, wie ſie geſollt hätten, und welcher Anſicht auch Napoleon auf der Inſel Elba war, aufgelöst und zugleich die kaiſerliche Regierung beibehalten haben würden, ſo wäre

die Verantwortung, das Werkzeug des Ruhmes zu brechen und nur das Werkzeug der Tyrannei beizubehalten, zu groß gewesen; die Charte war das Lösegeld Ludwig's XVIII.

Ankunft des Grafen von Artois. — Abdankung Bonaparte's in Fontainebleau.

Am 12. April kam der Graf von Artois in der Eigenschaft eines Generallieutenants des Königreichs an. Drei- bis vierhundert Männer ritten ihm entgegen; ich befand mich ebenfalls unter der Truppe. Seine Artigkeit, die so verschieden von den Manieren des Kaiserreichs war, nahm die Franzosen ungemein für ihn ein. Sie erkannten mit Vergnügen in seiner Person ihre alten Sitten, ihre alte Höflichkeit und ihre alte Sprache wieder; die Menge umringte ihn und drängte sich um ihn, als um eine tröstliche Erscheinung der Vergangenheit und einen doppelten Schirm gegen den fremden Sieger und den noch drohenden Bonaparte. Ach, dieser Prinz setzte den Fuß nur wieder auf französischen Boden, um auf diesem seinen Sohn ermorden zu sehen und um wieder in die Verbannung, aus der er kam, zurückzukehren und dort zu sterben! Es gibt Leute, welchen das Leben wie eine Kette um den Hals geworfen wird.

Man hatte mich dem Bruder des Königs vorgestellt; meine Brochüre war ihm zu lesen gegeben worden, sonst hätte er meinen Namen nicht gekannt; er erinnerte sich nicht, mich weder am Hofe Ludwig's XVI, noch im Lager von Thionville gesehen zu haben und hatte ohne Zweifel nie vom Geist des Christenthums sprechen hören. Das war ganz natürlich. Wenn man viel und lange gelitten, hat man nur noch Gedächtniß für sich selbst; das persönliche Unglück ist ein etwas kalter, aber viel verlangender Gefährte, der uns beständig plagt, keinem andern Gefühle Raum

9*

gönnt, uns nicht verläßt und ſich unſerer Kniee und unſeres Lagers bemächtigt.

Am Tag vor dem Einzuge des Grafen von Artois hatte Napoleon, nachdem er durch Vermittlung des Herrn von Caulaincourt vergeblich mit Alexander zu unterhandeln geſucht, den Act ſeiner Abdankung bekannt machen laſſen:

„Da die verbündeten Mächte verkündigt haben, daß der Kaiſer Napoleon das einzige Hinderniß zur Wiederherſtellung des europäiſchen Friedens ſei, ſo erklärt er, getreu ſeinem Eide, daß er für ſich und ſeine Erben auf den franzöſiſchen uud italieniſchen Thron verzichtet, weil er bereit iſt, der Wohlfahrt der Franzoſen jedes perſönliche Opfer, ſelbſt das ſeines Lebens, zu bringen."

Der Kaiſer ſäumte nicht, durch ſeine Rückkehr dieſe glänzenden Worte nicht minder glänzend Lügen zu ſtrafen; er nahm ſich bloß die Zeit dazu, um auf die Inſel Elba zu gehen. In Fontainebleau blieb er bis zum 20. April.

Am 20. April ſtieg Napoleon die zweiarmige Freitreppe hinab, welche zum Periſtyl des verödeten Schloſſes der Monarchie der Capets führt. Einige Grenadiere, Ueberreſte der Europa beſiegenden Soldaten, ſtellten ſich im großen Hofe, als ob er ihr letztes Schlachtfeld wäre, in Reih und Glied auf. Um ſie her ſtanden jene alten Bäume, die verſtümmelten Gefährten Franz I und Heinrich's IV. Bonaparte richtete folgende Worte an die letzten Zeugen ſeiner Kämpfe:

„Generäle, Offiziere, Unteroffiziere und Soldaten meiner alten Garde, ich ſage Euch Lebewohl. Zwanzig Jahre lang war ich zufrieden mit Euch; ich habe Euch immer auf der Bahn des Ruhmes gefunden.

„Die verbündeten Mächte haben das ganze Europa gegen mich bewaffnet; ein Theil der Armee wurde ihren Pflichten untreu und Frankreich ſelbſt hat ein anderes Loos verlangt.

„Mit Euch und den Tapferen, die mir treu geblieben ſind, hätte ich den Bürgerkrieg noch drei Ihre lang fortſetzen können;

allein Frankreich wäre unglücklich gewesen und das würde dem Zwecke, den ich im Auge hatte, zuwider gewesen sein.

„Seid dem neuen König, den Frankreich sich erwählt hat, getreu; verlaßt unser theures, nur allzu lange unglückliches Vaterland nicht! Liebt es immer, liebt es sehr, dieses theure Vaterland.

„Beklagt mein Loos nicht; ich werde immer glücklich sein, wenn ich weiß, daß Ihr es seid.

„Ich hätte sterben können; Nichts wäre mir leichter gefallen; ich werde jedoch unablässig den Weg der Ehre verfolgen. Ich muß noch niederschreiben, was wir gethan haben.

„Ich kann Euch nicht Alle umarmen; Euren General aber will ich umarmen . . . Kommen Sie, General . . . (Er schließt den General Petit in seine Arme.) Man bringe mir den Adler . . . (Er küßt ihn.) Theurer Adler, mögen diese Küsse in den Herzen aller Tapfern wiederhallen! . . . Lebt wohl, meine Kinder! . . . Meine Wünsche werden Euch stets begleiten; behaltet mich im Andenken."

Nach diesen Worten bricht Napoleon sein Zelt ab, das die Welt bedeckt hatte.

Reise Napoleon's nach der Insel Elba.

Bonaparte hatte von der Allianz Commissäre verlangt, um sich unter ihrem Schutze auf die Insel zu begeben, welche die Monarchen ihm als volles und vererbliches Eigenthum überließen. Für Rußland war der Graf Schuwaloff, für Oestreich der General Kohler, für England der Oberst Campbell und für Preußen der Graf Waldburg-Truchseß ernannt, welch Letzterer die Beschreibung der Reise Napoleon's von Fontainebleau nach der Insel Elba verfaßt hat.

Diese Brochüre und die des Abbé von Pradt über die Sendung nach Polen sind die zwei Berichterstattungen, welche Napoleon

am meiſten betrübt haben. Ohne Zweifel bedauerte er damals die Zeit ſeiner liberalen Cenſur, während welcher er den armen Palm, einen deutſchen Buchhändler, hatte erſchießen laſſen, weil er in Nürnberg die Schrift des Herrn von Gentz: „Deutſchland in ſeiner tiefſten Erniedrigung“ verbreitet hatte. Zur Zeit der Veröffentlichung dieſer Schrift war Nürnberg noch eine freie Stadt und gehörte Frankreich nicht an. Hätte Palm dieſe Eroberung nicht ahnen ſollen?

Der Graf von Waldburg erzählt zuerſt mehrere Geſpräche, welche der Abreiſe in Fontainebleau vorangingen. Er berichtet, daß Bonaparte Lord Wellington das größte Lob ertheilte und ſich nach ſeinem Charakter und ſeinen Gewohnheiten erkundigte. Er entſchuldigte ſich, nicht in Prag, in Dresden oder Frankfurt Friede geſchloſſen zu haben; er gab zu, daß er Unrecht gehabt, aber damals ganz andere Abſichten hatte.

„Ich war nicht Uſurpator,“ fügte er hinzu, „weil ich die Krone nur auf den einſtimmigen Wunſch der Nation hin angenommen habe, während Ludwig XVIII ſie uſurpirt hat, da er bloß durch einen ſchlechten Senat, von dem mehr als zehn Mitglieder für den Tod Ludwig's XVI geſtimmt haben, auf den Thron berufen wurde.“

Graf Waldburg ſagt in ſeiner Erzählung weiter:

„Der Kaiſer begab ſich mit ſeinen vier andern Wagen am 21. gegen Mittag auf den Weg, nachdem er mit dem General Kohler noch eine lange Unterredung gehabt, deren Hauptinhalt ungefähr folgender war: „„Wohlan, Sie haben geſtern meine Anſprache an die alte Garde gehört; ſie hat Ihnen gefallen und Sie haben geſehen, welche Wirkung ſie hervorbrachte. So muß man mit dieſen Leuten reden und verfahren und befolgt Ludwig XVIII dieſes Beiſpiel nicht, ſo wird er aus dem franzöſiſchen Soldaten nie Etwas machen.““

. . . . . .

. . . . . .

„Die Rufe: Es lebe der Kaiser! hörten auf, sobald die französischen Truppen nicht mehr bei uns waren. In Moulins sahen wir die ersten weißen Kokarden und die Bewohner empfingen uns mit dem Rufe: Es leben die Verbündeten! Oberst Campbell reiste von Lyon aus voraus, um in Toulon oder Marseille eine englische Fregatte zu suchen, welche Napoleon's Wunsch zufolge ihn auf seine Insel führen könnte."

„In Lyon, wo wir gegen elf Uhr Nachts durchkamen, versammelten sich einige Gruppen, welche riefen: Es lebe Napoleon! Am 24. gegen Mittag trafen wir bei Valence den Marschall Augereau an. Der Kaiser und der Marschall verließen ihre Wagen; Napoleon nahm seinen Hut ab und breitete die Arme gegen Augereau aus, der ihm um den Hals fiel, ohne jedoch seinen Hut abzunehmen.

„„Wohin gehst Du?"" fragte ihn der Kaiser, indem er ihn beim Arm nahm, „„Du gehst an den Hof?""

„Augereau antwortete, daß er vorderhand nach Lyon gehe. Sie gingen nun fast eine Viertelstunde mit einander auf der Straße von Valencia fort. Der Kaiser machte dem Marschall Vorwürfe über sein Betragen gegen ihn und sagte zu ihm:

„„Deine Proclamation ist recht dumm; weßhalb Beschimpfungen gegen mich? Man hätte ja einfach sagen können: Da die Wünsche der Nation sich für einen neuen Souverän ausgesprochen haben, so erheischt die Pflicht der Armee, sich darein zu fügen. Es lebe der König! Es lebe Ludwig XVIII.

„Nun begann Augereau Bonaparte ebenfalls zu dutzen und ihm bittere Vorwürfe über seinen unersättlichen Ehrgeiz zu machen, dem er Alles, selbst das Glück von ganz Frankreich geopfert habe. Da dieses Gespräch Napoleon ermüdete, so kehrte er sich mit Ungestüm gegen den Marschall, umarmte ihn, zog noch einmal den Hut vor ihm ab und warf sich in seinen Wagen.

„Die Hände auf dem Rücken kreuzend, ließ Augereau seine

Mütze unberührt auf dem Kopfe ſitzen; und erſt als der Kaiſer wieder im Wagen ſaß, ſagte er ihm mit einer verächtlichen Handbewegung Lebewohl.

. . . . . .

„Am 25. kamen wir in Orange an, wo wir mit dem Rufe: Es lebe der König! Es lebe Ludwig XVIII! empfangen wurden.

„An demſelben Morgen traf der Kaiſer eine Strecke von Avignon, wo die Pferde gewechſelt werden mußten, viel Volk verſammelt, das ihn auf ſeiner Durchreiſe erwartete und uns mit den Rufen empfing: Es lebe der König! Es leben die Verbündeten! Nieder mit dem Tyrannen, dem Schurken, dem elenden Bettler! . . . Und noch in tauſend weiteren Schmähungen ergoß ſich die Menge gegen ihn.

„Wir thaten unſer Möglichſtes, um dieſem Scandal Einhalt zu thun und die Menge, welche ſeinen Wagen angriff, zu zerſtreuen, konnten jedoch von dieſen Raſenden nicht erlangen, daß ſie aufhörten, den Mann zu beſchimpfen, der, wie ſie ſagten, ſie ſo unglücklich gemacht und kein anderes Verlangen hatte, als ihr Elend noch zu ſteigern.

„Aller Orten, wo wir durchkamen, wurde er auf die gleiche Weiſe empfangen. In Orgon, einem kleinen Dorfe, wo wir die Pferde wechſelten, hatte die Wuth des Volkes ihren Gipfel erreicht. Vor dem Wirthshauſe, wo wir anhalten mußten, hatte man einen Galgen errichtet, an welchem ein Strohmann in einer blutbedeckten franzöſiſchen Uniform hing, der auf der Bruſt die Inſchrift trug: Dieß wird, früher oder ſpäter, das Loos des Tyrannen ſein.

Das Volk klammerte ſich an Napoleon's Wagen und ſuchte ihn zu ſehen, um ihn mit den gröbſten Beſchimpfungen zu überhäufen. Der Kaiſer verbarg ſich, ſo gut er konnte, hinter dem General Bertrand; er war blaß und entſtellt und ſprach kein Wort.

Durch unermüdliche Ermahnungen an das Volk gelang es uns, ihn dieser schlimmen Lage zu entreißen.

„Der Graf Schuwaloff redete neben Napoleon's Wagen die Bevölkerung mit folgenden Worten an: „„Schämt Ihr Euch nicht, einen vertheidigungslosen Unglücklichen zu beschimpfen? Er ist gedemüthigt genug durch die traurige Lage, in welcher er sich befindet, er, der sich einbildete, dem Weltall Gesetze vorschreiben zu können, und sich heute in der Gewalt Eurer Großmuth sieht. Ueberlaßt ihn sich selbst, schaut ihn an; Ihr seht, die Verachtung ist die einzige Waffe, die Ihr gegen diesen Mann anwenden müßt, welcher nicht mehr gefährlich ist. Es wäre unter der Würde der französischen Nation, eine andere Rache zu nehmen.““

„Das Volk klatschte dieser Rede Beifall zu und Bonaparte, welcher die Wirkung, die sie hervorbrachte, bemerkte, gab Schuwaloff Zeichen der Beistimmung und dankte ihm nachher für den ihm geleisteten Dienst.

„Eine Viertelstunde jenseits Orgon hielt er die Vorsicht, sich zu verkleiden, für unerläßlich. Er zog einen schlechten blauen Ueberrock an, setzte einen runden Hut mit einer weißen Kokarde auf und bestieg ein Postpferd, um vor seinem Wagen herzugaloppiren und auf solche Weise für einen Curier zu gelten. Da wir ihm nicht folgen konnten, so kamen wir lange nach ihm in Saint-Canat an. Wir kannten die Mittel nicht, die er ergriffen hatte, um sich der Volkswuth zu entziehen, und glaubten ihn in der größten Gefahr, denn wir sahen seinen Wagen von wüthenden Leuten umringt, welche die Schläge zu öffnen suchten; sie waren aber zum Glück wohl verschlossen, was den General Bertrand rettete. Am meisten wunderten wir uns über den Starrsinn der Frauen; sie baten uns, ihnen Bonaparte auszuliefern, indem sie sagten:

„„Er hat es an uns und selbst an Euch wohl verdient; wir verlangen nur etwas Gerechtes!““

„Eine halbe Stunde außerhalb Saint-Canat erreichten wir

den Wagen des Kaisers, welcher bald nachher vor einem schlechten Wirthshause an der Landstraße, la Calade genannt, anhielt. Wir begaben uns in das Haus und erfuhren erst hier die Verkleidung, deren er sich bedient hatte, und seine unangefochtene Ankunft in diesem wunderlichen Anzuge. Er war bloß von einem Curier begleitet gewesen; sein Gefolge war vom General bis zum Küchenjungen hinab mit weißen Kokarden geschmückt, mit welchen sie sich im Voraus versehen zu haben schienen. Sein Kammerdiener, der uns entgegen kam, bat uns, den Kaiser für den General Campbell auszugeben, weil er sich bei seiner Ankunft der Wirthin als solchen angekündigt habe. Wir versprachen, diesem Wunsche zu entsprechen. Ich trat zuerst in eine Art Stube, wo ich zu meiner Ueberraschung den ehemaligen Herrn der Welt in tiefe Betrachtungen versunken und den Kopf in die Hände gestützt fand. Ich erkannte ihn Anfangs nicht und näherte mich ihm. Als er Jemand gehen hörte, fuhr er jählings auf und ließ mich in sein bethränktes Antlitz sehen. Er gab mir einen Wink, Nichts zu sagen, hieß mich zu ihm hersitzen und sprach dann, so lange die Wirthin sich in der Stube befand, über gleichgültige Dinge. Als sie jedoch hinausging, nahm er seine erste Stellung wieder an. Ich hielt für anständig, ihn allein zu lassen; er ließ uns jedoch bitten, von Zeit zu Zeit in sein Zimmer zu kommen, damit man seine Anwesenheit nicht ahne.

„Wir thaten ihm zu wissen, daß bekannt geworden sei, der Oberst Campbell sei Tags zuvor durch diesen Ort gekommen, um sich nach Toulon zu begeben. Er beschloß alsobald, den Namen eines Lord Burghers anzunehmen.

„Man setzte sich zu Tische; da jedoch das Mittagessen nicht durch seine Köche bereitet worden war, so konnte er sich nicht entschließen, irgend eine Nahrung zu sich zu nehmen, aus Furcht, sie möchte vergiftet sein. Als er uns aber mit gutem Appetite essen sah, schämte er sich, uns die Angst, die ihn bewegte, sehen zu lassen, und nahm von Allem, was man ihm anbot. Er that, als

koſte er davon, ließ ſich jedoch den Teller wieder wegnehmen, ohne das Gericht berührt zu haben; zuweilen warf er das Angenommene unter den Tiſch, damit man glauben ſolle, er hätte es gegeſſen. Sein Mittageſſen beſtand aus etwas Brod und einer Flaſche Wein, die er ſich aus ſeinem Wagen herbringen ließ und ſogar mit uns theilte.

„Er ſprach viel und zeigte ſich ausnehmend liebenswürdig. Als wir allein waren und die Wirthin, die uns bediente, hinausgegangen war, theilte er uns mit, wie ſehr er ſein Leben in Gefahr glaube; er war überzeugt, daß die franzöſiſche Regierung Maßregeln ergriffen habe, um ihn an dieſem Orte aufzuheben oder zu ermorden.

„Tauſend Pläne kreuzten ſich in ſeinem Kopfe über die Art und Weiſe, wie er ſich retten könnte; er ſann auch über die Mittel nach, wie er das Volk in Air täuſchen ſolle, denn man hatte ihn benachrichtigt, daß eine bedeutende Menſchenmenge ihn bei der Poſt erwarte. Er erklärte uns daher, daß er für das Vernünftigſte halte, nach Lyon zurückzukehren und von dort aus einen anderen Weg einzuſchlagen, um ſich nach Italien einzuſchiffen. Wir hätten in keinem Falle unſere Einwilligung zu dieſem Plane geben können und ſuchten ihn zu beſtimmen, ſich direct nach Toulon zu begeben oder über Digne nach Frejus zu gehen. Wir bemühten uns, ihn zu überzeugen, daß die franzöſiſche Regierung in Bezug auf ihn unmöglich ſo perfide Abſichten haben könnte, ohne daß wir davon unterrichtet wären, und daß das Volk, trotz der Ungebührlichkeiten, zu denen es ſich verleiten ließ, ſich eines Verbrechens dieſer Art nie ſchuldig machen werde.

„Um uns beſſer zu überzeugen und zu beweiſen, in welchem Grade ſeiner Anſicht nach ſeine Befürchtungen gegründet ſeien, erzählte er uns, was zwiſchen ihm und der Wirthin, die ihn nicht erkannt hatte, vorgefallen ſei.

„„Wohlan!““ hatte ſie zu ihm geſagt, „„haben Sie Bonaparte angetroffen?““

„„Nein!““ hatte er geantwortet.

„„Es nimmt mich doch Wunder,““ fuhr ſie fort, „„ob er ſich wird retten können; ich denke immer, das Volk wird ihn niedermachen. Man muß aber auch zugeben, daß er es verdient hat, der Schurke! Sagen Sie mir doch, man will ihn alſo nach ſeiner Inſel einſchiffen?““

„„Freilich.““

„„Man wird ihn erſäufen, nicht wahr?““

„„Hoffentlich,““ erwiederte Napoleon.

„„Sie ſehen alſo,““ fügte er, an uns gewendet, hinzu, „„welcher Gefahr ich ausgeſetzt bin!““

„Und nun begann er uns wieder mit ſeinen Beſorgniſſen und ſeiner Unſchlüſſigkeit zu ermüden. Er bat uns ſogar, nachzuſehen, ob nicht irgendwo eine verborgene Thüre vorhanden ſei, durch die er entwiſchen könnte, oder ob das Fenſter, deſſen Läden er bei ſeiner Ankunft ſchließen ließ, nicht zu hoch ſei, um hinabſpringen und auf dieſe Weiſe entſchlüpfen zu können.

„Das Fenſter war von Außen vergittert, und ich verſetzte ihn in ungeheure Unruhe, als ich ihm dieſe Entdeckung mittheilte. Beim geringſten Geräuſch zitterte er und wechſelte die Farbe.

„Nach Tiſche überließen wir ihn ſeinen Gedanken, und wenn wir nach ſeinem ausdrücklichen Wunſche von Zeit zu Zeit in ſein Zimmer traten, fanden wir ihn immer in Thränen . . . . .

. . . . . .

„Der Adjutant des Generals Schuwaloff brachte die Nachricht, daß das Volk, das ſich auf der Straße zuſammengerottet, ſich beinahe ganz verlaufen habe. Der Kaiſer beſchloß, um Mitternacht abzureiſen.

„Vermöge einer übertriebenen Vorſicht bediente er ſich wieder neuer Mittel, um nicht erkannt zu werden.

„Durch ſeine dringenden Bitten zwang er den Adjutanten des Generals Schuwaloff, den blauen Ueberrock und den runden Hut anzuziehen, in welchen er in dem Wirthshauſe angekommen war.

„Bonaparte, der ſich nun für einen öſtreichiſchen Oberſt ausgeben wollte, legte die Uniform des General Kohler an, ſchmückte ſich mit dem St. Thereſienorden, den der General trug, ſetzte meine Reiſekappe auf und warf ſich den Mantel des General Schuwaloff um.

„Nachdem die Commiſſäre der verbündeten Mächte ihn ſo ausſtaffirt hatten, fuhren die Wagen vor; doch bevor wir hinab gingen, hielten wir in der Stube noch eine Probe ab wegen der Marſchordnung, die wir zu beobachten hatten: der General Druot eröffnete den Zug, dann kam der vorgebliche Kaiſer, der Adjutant des General Schuwaloff, hernach der General Kohler, der Kaiſer, der General Schuwaloff und ich, der die Ehre hatte, zum Nachtrab zu gehören, welchem ſich das Gefolge des Kaiſers anſchloß.

„So zogen wir durch die ſtaunende Menge, die ſich unendliche Mühe gab, um Den unter uns, welchen ſie ihren Tyrannen nannte, zu entdecken.

„Schuwaloff's Adjutant (der Major Olewieff) nahm Napoleon's Platz in deſſen Wagen ein und Napoleon reiſte mit dem General Kohler in deſſen Kaleſche . . . . . .

. . . . . .

„Demungeachtet beruhigte ſich der Kaiſer noch nicht; er blieb immer in der Kaleſche des öſtreichiſchen Generals und befahl dem Kutſcher zu rauchen, damit dieſe Vertraulichkeit jede Aufmerkſamkeit von ihm ablenken ſollte. Er bat ſogar den General Kohler zu ſingen, und als dieſer ihm antwortete, daß er nicht ſingen könne, verlangte Bonaparte, er ſolle pfeifen.

„Auf ſolche Weiſe ſetzte er, in einem der Winkel der Kaleſche verborgen, ſeinen Weg fort, indem er ſich den Anſchein gab, als ſchlafe er, eingewiegt durch die angenehme Muſik des Generals und umduftet vom Rauche des Kutſchers.

„In Saint-Maximin frühſtückte er mit uns. Als er vernahm, daß ſich der Unterpräfect von Aix in dieſem Dorfe befinde, ließ er ihn rufen und redete ihn in folgenden Worten an:

„„Sie müſſen erröthen, mich in öſtreichiſcher Uniform zu ſehen; ich war genöthigt, dieſelbe anzunehmen, um mich vor den Beſchimpfungen der Provençalen ſicher zu ſtellen. Voller Vertrauen kam ich in Eure Gegend, während ich ſechstauſend Mann meiner Garde hätte mit mir nehmen können. Ich finde hier nur Maſſen von Raſenden, welche mein Leben bedrohen. Dieſe Provençalen ſind ein boshaftes Pack; ſie haben zur Zeit der Revolution alle erdenklichen Gräuel und Verbrechen begangen und ſind ſtets bereit, wieder anzufangen; ſobald es ſich aber darum handelt, ſich muthig zu ſchlagen, dann ſind ſie Feiglinge. Nie hat mir die Provence nur ein einziges Regiment geliefert, mit dem ich hätte zufrieden ſein können. Vielleicht ſind ſie morgen wieder eben ſo erbittert über Ludwig XVIII, als ſie es heute über mich zu ſein ſcheinen u. ſ. w.

„Indem er ſich hernach an uns wandte, ſagte er uns, daß Ludwig XVIII Nichts mit der franzöſiſchen Nation ausrichten werde, wenn er ſie mit zu großer Schonung behandle. „„Ferner,““ fuhr er fort, „„muß er nothwendig beträchtliche Auflagen erheben, und dieſe Maßregeln werden ihm alſobald den Haß ſeiner Unterthanen zuziehen.““

„Er erzählte uns, daß er vor achtzehn Jahren mit mehreren tauſend Mann in dieſe Gegend geſchickt worden ſei, um zwei Royaliſten zu befreien, welche gehängt werden ſollten, weil ſie die weiße Kokarde getragen hatten. „„Ich rettete ſie mit großer Mühe aus den Händen dieſer Raſenden, und heute,““ fuhr er fort, „„würden dieſe Menſchen die nämlichen Exceſſe mit Demjenigen unter ihnen beginnen, welcher ſich weigerte, die weiße Kokarde zu tragen! So groß iſt die Unbeſtändigkeit des franzöſiſchen Volkes!““

„Wir vernahmen, daß ſich bei Luc zwei Schwadronen öſtreichiſcher Huſaren befänden und ſchickten auf Napoleon's Anſuchen dem Commandanten Befehl, unſere Ankunft daſelbſt zu erwarten, um den Kaiſer bis nach Frejus zu escortiren.“

Hier endigte die Erzählung des Grafen von Waldburg; ſolche

Berichte zu leſen thut weh. Wie, die Commiſſäre vermochten Den, für welchen ſie gut zu ſtehen die Ehre hatten, nicht beſſer zu beſchützen? Was waren ſie, um einem ſolchen Manne gegenüber ein ſo überlegenes Weſen zu erheucheln? Bonaparte ſagt mit Recht, daß er, wenn er gewollt hätte, von einem Theil ſeiner Garde begleitet hätte reiſen können. Es liegt am Tage, daß man für ſein Loos gleichgültig war; man fand einen Genuß in ſeiner Entwürdigung; man gab zu den demüthigenden Maßregeln, zu welchen das Opfer um ſeiner Sicherheit willen Zuflucht nahm, mit Vergnügen ſeine Einwilligung. Es iſt ſo ſüß, das Schickſal Deſſen, der über die höchſten Häupter hinſchritt, unter ſeinen Füßen zu haben, ſich durch Beſchimpfung für den Stolz zu rächen. Auch finden die Commiſſäre nicht ein Wort, ſelbſt nicht einmal ein Wort philoſophiſchen Gefühls über einen ſolchen Schickſalswechſel, um dem Menſchen ſein Nichts und die Größe von Gottes Fügungen anſchaulich zu machen.

In den Reihen der Verbündeten hatte es ehemals zahlreiche Schmeichler Napoleon's gegeben; wenn man ſich vor der Gewalt auf die Kniee geworfen hat, iſt man nicht berechtigt, über das Unglück zu triumphiren. Ich gebe zu, daß Preußen einer tugendhaften Anſtrengung bedurfte, um zu vergeſſen, was es gelitten hatte, es, ſein König und ſeine Königin; aber dieſe Anſtrengung mußte gemacht werden. Leider hatte Bonaparte mit Niemand Mitleid gehabt und darum alle Herzen gegen ſich erkältet. Am grauſamſten hat er ſich in Jaffa gezeigt, am kleinſten auf dem Wege nach der Inſel Elba; im erſteren Falle dienten ihm die militäriſchen Nothwendigkeiten zur Entſchuldigung, im letzteren beſticht die Härte der fremden Commiſſäre die Gefühle der Leſer und verringert ſeine Erniedrigung.

Die proviſoriſche Regierung Frankreichs ſcheint mir ſelbſt nicht ganz tadellos. Ich verwerfe Maubreuil's Verleumdungen; demungeachtet hätte bei dem Schrecken, welchen Napoleon noch ſeinen

alten Bedienten einflößte, eine Kataſtrophe in ihren Augen nicht für ein Unglück gelten können.

Man möchte vielleicht verſucht ſein, an der Wahrheit der durch den Grafen von Waldburg-Truchſeß mitgetheilten Berichte zu zweifeln; allein der General Kohler hat in einer Fortſetzung der Reiſebeſchreibung Waldburg's einen Theil der Erzählung ſeines Collegen beſtätigt, und der General Schuwaloff mich von der Genauigkeit derſelben verſichert; ſeine kargen Worte ſagten über dieſen Gegenſtand mehr als Waldburg's weitläufige Erzählung. Fabry's Reiſebeſchreibung endlich beruht auf hiſtoriſchen franzöſiſchen Documenten, die durch Augenzeugen geliefert wurden.

Nachdem ich jetzt über die Commiſſäre und Verbündeten Gericht gehalten habe, wollen wir einen Blick auf den Beſieger der Welt werfen. Erkennt man dieſen in Waldburg's Reiſebeſchreibung? Wir ſehen den Helden zu Thränen gebracht, zu Verkleidungen Zuflucht nehmen, im Hinterſtübchen eines Wirthshauſes in einer Curiersjacke weinen! Benahm ſich Marius auch ſo auf den Ruinen von Karthago, ſtarb Hannibal in Bithynien ſo, Cäſar ſo im Senate? Wie verkleidete ſich Pompejus? Indem er das Haupt mit ſeiner Toga bedeckte. Und Der, welcher ſich mit dem Purpur bekleidet hatte, ſuchte jetzt Schutz unter der weißen Kokarde und Rettung durch den Ruf: Es lebe der König! jener König, deſſen Erben er hatte erſchießen laſſen! Der Herr der Völker ermuthigte die Demüthigungen, die ihm die Commiſſäre ohnedieß verſchwenderiſch zutheilten, um ſich beſſer zu verbergen, war entzückt, daß der General Kohler in ſeiner Gegenwart pfiff, ein Kutſcher ihm in's Geſicht rauchte; er zwang den Adjutanten des Generals Schuwaloff, die Rolle des Kaiſers zu ſpielen, während er, Bonaparte, das Kleid eines öſtreichiſchen Oberſten trug und ſich mit dem Mantel eines ruſſiſchen Generals bedeckte! Er mußte das Leben gewaltig lieben; dieſe Unſterblichen wollen ſich nie in's Sterben fügen.

Moreau ſagte von Bonaparte: „Was ihn charakteriſirt, das

iſt die Lüge und die Liebe zum Leben; wenn ich ihn ſchlüge, ſo würde er zu meinen Füßen fallen und mich um Verzeihung bitten.“ Moreau dachte ſo, weil er Bonaparte's Natur nicht zu faſſen vermochte; er verfiel in den gleichen Irrthum, wie Lord Byron. Wenigſtens hatte Napoleon auf St. Helena, durch die Muſen gehoben, wenn auch nicht ſehr edel in ſeinen Händeln mit dem engliſchen Gouverneur, nur die Laſt ſeiner ungeheuren Größe zu tragen. In Frankreich ſchien ihm das Schlimme, das er gethan hatte, in den Wittwen und Waiſen perſonificirt und zwang ihn, unter den Händen einiger Frauen zu zittern.

Dieß Alles iſt nur zu wahr; allein Bonaparte darf nicht nach den Regeln beurtheilt werden, die man auf die großen Genie's anwendet, weil es ihm an Großmuth gebrach. Es gibt Menſchen, welche die Fähigkeit beſitzen, emporzuſteigen, nicht aber die, hinabzuſteigen. Er, Napoleon, beſaß beide Fähigkeiten. Wie der Engel der Empörung konnte er ſeine unermeßliche Geſtalt verkürzen, um ſie in einem zugemeſſenen Raume einzuſchließen; ſeine Dehnbarkeit lieferte ihm Mittel zur Rettung und Wiedergeburt; bei ihm war noch nicht Alles zu Ende, wenn er auch geendigt zu haben ſchien. Nach Belieben die Sitten und das Koſtüm verändernd, im Komiſchen wie im Tragiſchen ein eben ſo vollkommener Schauſpieler, wußte er in der Tunika des Sklaven wie im Königsmantel, in Attila's oder in Cäſar's Rolle natürlich zu erſcheinen. Noch einen Augenblick und ihr werdet den Zwerg aus der Tiefe ſeiner Erniedrigung ſein Briareushaupt erheben ſehen, Asmodeus wird aus dem Kölbchen, in welchem er zuſammengedrückt ſaß, als ungeheurer Dampf herausſteigen. Napoleon ſchätzte das Leben um Deſſen willen, was es ihm eintrug; er ahnte, was ihm noch zu malen blieb, und wollte nicht, daß die Leinwand ihm ausginge, bevor er ſeine Gemälde vollendet hätte.

Ueber Napoleon's Angſt bemerkt Walter Scott, der weniger ungerecht iſt, als die Commiſſäre, mit Gutmüthigkeit, daß die

Volkswuth großen Eindruck auf Napoleon machte, daß er Thränen vergoß und mehr Schwäche zeigte, als ſich von ſeinem anerkannten Muthe erwarten ließ; doch fügte er hinzu: „Die Gefahr war auch von beſonders ſchrecklicher Art und geeignet, Leute einzuſchüchtern, welche mit den Schrecken eines Schlachtfeldes vertraut waren; der tapferſte Soldat kann vor dem Tode des de Witt ſchaudern.“

Napoleon mußte dieſe revolutionäre Angſt an eben demſelben Orte erdulden, wo er ſeine Laufbahn mit dem Schrecken begann.

Indem der preußiſche General ſeine Erzählung einmal unterbricht, hat er ſich verpflichtet geglaubt, ein Uebel zu enthüllen, das der Kaiſer nicht verbarg. Der Graf von Waldburg mochte wohl das, was er ſah, mit den Schmerzen verwechſeln, von denen Herr von Segur im ruſſiſchen Feldzuge Augenzeuge war, als Bonaparte, gezwungen, vom Pferde zu ſteigen, ſeinen Kopf an die Kanonen anlehnte. Unter die Zahl der Schwächen berühmter Krieger zählt die wirkliche Geſchichte nur den Dolch, welcher das Herz Heinrich's IV durchbohrte, oder die Kugel, die Türenne wegraffte.

Nach der Erzählung von Bonaparte's Ankunft in Frejus verfällt Walter Scott, der großen Scenen los, mit Freude wieder in ſein Talent; er wird zur Plaudertaſche, wie Frau von Sevigné ſagt, er ſchwatzt von der Ueberfahrt Napoleon's auf die Inſel Elba, von der durch Bonaparte verſuchten Verführung der engliſchen Matroſen, mit Ausnahme Hinton's, der das dem Kaiſer gezollte Lob nicht hören konnte, ohne zu murmeln: Humbug. Als Napoleon abreiste, wünſchte Hinton Seiner Herrlichkeit gute Geſundheit und ein andermal mehr Glück. In Napoleon vereinigten ſich alle Erbärmlichkeiten und alle Größen des Menſchen.

Ludwig XVIII in Compiegne. — Sein Einzug in Paris. — Die alte Garde. — Unverbeſſerlicher Fehler. — Erklärung von Saint-Ouen. — Vertrag von Paris. — Die Charte. — Abmarſch der Verbündeten.

Während der in der ganzen Welt bekannte Bonaparte unter Verwünſchungen aus Frankreich floh, verließ der allenthalben vergeſſene Ludwig XVIII London unter einem Walde von weißen Fahnen und Kronen.

Bei ſeiner Landung auf der Inſel Elba fand Napoleon ſeine Kraft wieder. Als Ludwig XVIII in Calais landete, hätte er bereits Louvel erblicken können; er traf den General Malſon dort an, welcher ſechszehn Jahre ſpäter beauftragt wurde, Karl X in Cherbourg einzuſchiffen. Vermuthlich, um ihn würdig zu ſeiner künftigen Botſchaft zu machen, verlieh Karl X in der Folge Herrn Maiſon den Marſchallsſtab von Frankreich, wie ein Ritter, bevor er ſich ſchlug, dem unter ihm ſtehenden Manne, mit dem er ſich zu meſſen geruhte, den Ritterſchlag ertheilte.

Ich fürchtete den Eindruck, welchen die Erſcheinung Ludwig's XVIII machen würde und beeilte mich, ihm in jene Reſidenz voranzureiſen, in welcher Johanna d'Arc in die Hände der Engländer fiel und wo man mir einen Band zeigte, den die gegen Bonaparte abgeſchoſſenen Kugeln getroffen hatten. Welche Gedanken mußte der Anblick des königlichen Invaliden anregen, welcher an die Stelle des Cavaliers trat, der wie Attila hätte ſagen können: „Ueberall, wo mein Pferd hingetreten iſt, wächst kein Gras mehr?" Ohne Vollmacht und ohne Luſt dazu unternahm ich (man hatte mich behert) eine ziemlich ſchwierige Aufgabe, die, die Ankunft in Compiegne zu ſchildern, den Sohn des heiligen Ludwig in dem Lichte zu zeigen, wie ich ihn mit Hülfe der Muſen idealiſirte. Ich drückte mich folgendermaßen aus:

„Vor dem Wagen des Königs her ritten die Generäle und

10*

Marſchälle von Frankreich, welche Sr. Majeſtät entgegengezogen waren. Man hörte nicht mehr die Rufe: Es lebe der König! ſondern ein verworrenes Geſchrei, in welchem man nur noch die Töne der Rührung und Freude unterſchied. Der König trug ein blaues Kleid, das keine andere Auszeichnung als einen Stern und Epauletten hatte; ſeine Beine waren in weite Kamaſchen von rothem Sammet, mit einer kleinen Goldſchnur berändert, gehüllt. Wenn er mit ſeinen alterthümlichen Kamaſchen in ſeinem Lehnſtuhl ſitzt und ſeinen Stock zwiſchen ſeinen Knieen hält, meint man Ludwig XIV in ſeinem fünfzigſten Jahre zu ſehen . . . . .

„Die Marſchälle Macdonald, Ney, Moncey, Serrurier, Brune, der Fürſt von Neuchatel, alle Generäle und alle Anweſenden haben ebenfalls die wohlwollendſten Worte von dem König empfangen. Solche Gewalt beſitzt in Frankreich der legitime Monarch, ſolch ein Zauber haftet an dem Königstitel. Ein Mann kommt allein, von Allem entblößt, ohne Gefolge, ohne Wachen, ohne Reichthümer aus der Verbannung; er hat Nichts zu geben, faſt Nichts zu verſprechen. Auf den Arm einer jungen Frau geſtützt, ſteigt er aus ſeinem Wagen; er zeigt ſich Feldherren, die ihn noch nie geſehen haben, Grenadieren, die kaum ſeinen Namen kennen. Wer iſt dieſer Mann? Es iſt der König! Jedermann fällt ihm zu Füßen.“

Was ich zur Erreichung des mir vorgenommenen Zweckes hier von den Kriegern ſagte, war in Bezug auf die Anführer wahr, hinſichtlich der Soldaten aber log ich. Das Schauſpiel, von dem ich Zeuge war, als Ludwig XVIII am 3. Mai in Paris einzog und in Notre-Dame abſtieg, vergegenwärtigt ſich meinem Gedächtniß, als ob ich es jetzt noch ſähe. Man hatte dem König den Anblick der fremden Truppen erſparen wollen; ein Fußregiment der alten Garde bildete vom Pont-Neuf längs dem Kai der Orfèvres Spaliere bis zu Notre-Dame. Ich glaube nicht, daß menſchliche Geſichter je etwas ſo Drohendes und Schreckliches ausgedrückt haben. Dieſe mit Wunden bedeckten Grenadiere, die Beſieger Europa's, welche ſo viele tauſend Kugeln über ihren

Häuptern hinfahren ſahen, welche nach Feuer und Pulver rochen; dieſe nämlichen Männer waren ihres Feldherrn beraubt, in Folge der Ueberwachung einer Armee Ruſſen, Oeſtreicher und Preußen gezwungen, in der Hauptſtadt, der ſich Napoleon einſt mit Gewalt bemächtigt hatte, einen alten König, Invaliden der Zeit und nicht des Krieges, zu ſalutiren. Durch Bewegungen der Stirnhaut ſuchten die Einen ihre große Haarmütze auf die Augen herabzuziehen, gleichſam um nicht zu ſehen; die Andern verzogen mit höhniſcher Wuth die Mundwinkel; wieder Andere fletſchten hinter ihren Schnurrbärten die Zähne wie Tiger. Wenn ſie das Gewehr präſentirten, geſchah es mit einer Bewegung der Wuth, und der Lärm dieſer Waffen machte zittern. Man muß geſtehen, nie wurden Männer auf eine ſolche Probe geſtellt und haben eine ſolche Qual erlitten. Wären ſie in dieſem Augenblick zur Rache aufgerufen worden, man hätte ſie bis auf den letzten Mann vertilgen müſſen oder ſie hätten die Erde verſchlungen.

Am einen Ende der Linie ſaß ein junger Huſar auf ſeinem Pferde; er ſchwang ſeinen entblößten Säbel und ließ ihn mit einer vor Zorn convulſiviſchen Bewegung gleichſam tanzen. Er war blaß, ſeine Augen rollten wild in den Höhlen; er öffnete und ſchloß abwechſelnd den Mund, indem er mit den Zähnen klapperte und Schreie erſtickte, von denen man ſtets nur den erſten Ton hörte. Er erblickte einen ruſſiſchen Officier; der Blick, den er dieſem zuſchleuderte, läßt ſich nicht beſchreiben. Als der Wagen des Königs an ihm vorbeifuhr, ließ er ſein Pferd raſende Sprünge machen und gerieth jedenfalls in Verſuchung, ſich auf den König zu ſtürzen.

Die Reſtauration beging ſogleich bei ihrem Beginne einen unverbeſſerlichen Fehler; ſie hätte die Armee auflöſen und nur die Marſchälle, die Generäle, die militäriſchen Gouverneure und die Officiere mit ihren Penſionen, Ehrentiteln und Graden beibehalten ſollen. Die Soldaten wären nachher allmälig wieder in die neuconſtituirte Armee eingetreten, wie ſie ſeither in die Garde traten,

die Legitimität hätte dann nicht von Anfang an jene organiſirten, in Brigaden eingetheilten Soldaten des Kaiſerreichs gegen ſich gehabt, welche noch die nämlichen Namen wie in den Tagen ihrer Siege trugen, unabläſſig unter ſich von den vergangenen Zeiten ſchwatzten und Klagen und feindſelige Geſinnungen gegen ihren neuen Herrn nährten.

Die klägliche Auferſtehung des Rothen Hauſes, dieſes Gemiſch von Militärperſonen der alten Monarchie und Soldaten des neuen Reiches verſchlimmerte das Uebel. Glauben zu können, daß Veteranen, die ſich auf tauſend Schlachtfeldern berühmt gemacht hatten, nicht verletzt werden müßten, wenn ſie ſähen, daß junge, ohne Zweifel auch tapfere Leute, deren Mehrzahl jedoch im Waffenhandwerk Neulinge waren, die Abzeichen eines hohen militäriſchen Grades trugen, ohne ſich dieſelben gehörig erworben zu haben, das hieß die menſchliche Natur nicht kennen.

Während des Aufenthaltes, den Ludwig XVIII in Compiegne gemacht, hatte ihm Alexander einen Beſuch abgeſtattet. Ludwig XVIII verletzte ihn durch ſeinen Hochmuth. Das Ergebniß dieſer Zuſammenkunft war die in Saint-Ouen erlaſſene Erklärung vom 2. Mai. Der König ſagte darin, daß er entſchloſſen ſei, folgende Garantien als Grundlage der Conſtitution zu geben, die er ſeinem Volke beſtimmte: Die in zwei Körper eingetheilte Repräſentativregierung, freie Verwilligung der Auflagen, öffentliche und individuelle Freiheit, Freiheit der Preſſe, Freiheit der Culte, Unverletzlichkeit und Heilighaltung des Eigenthums, Unwiderruflichkeit des Verkaufs der Nationalgüter, verantwortliche Miniſter, unentſetzbare Richter, eine unabhängige Juſtizgewalt, Zuläſſigkeit jedes Franzoſen zu ſämmtlichen Aemtern u. ſ. w. u. ſ. w.

Obwohl dieſe Erklärung dem Geiſte Ludwigs XVIII. angemeſſen war, gehörte ſie demungeachtet weder ihm noch ſeinen Räthen an; ſie lag ganz einfach in der Zeit, welche ſich aus ihrer Ruhe aufraffte; ihre Schwingen waren entfaltet, ihre Flucht ſeit dem Jahre 1792 eingeſtellt worden; nun ſetzte ſie ihren Flug oder

ihren Lauf wieder fort. Die Exceſſe der Schreckensherrſchaft, Bonaparte's Deſpotismus hatten die Ideen einen andern Lauf nehmen laſſen; ſobald jedoch die in den Weg gelegten Hinderniſſe zerſtört waren, ſtrömten ſie in das Bett, in dem ſie fortfließen und das ſie zugleich aushöhlen ſollten. Man nahm die Dinge wieder da auf, wo ſie ſtillgeſtanden waren, was vergangen war, als hätte es ſich nie ereignet; das zum Beginn der Revolution zurückverſetzte Menſchengeſchlecht hatte nur vierzig Jahre ſeines Lebens verloren; was ſind aber vierzig Jahre in dem allgemeinen Leben der Geſellſchaft? Dieſe Lücke iſt verſchwunden, ſobald die von der Zeit durchſchnittenen Theile ſich zuſammengefügt haben.

Am 30. Mai 1814 wurde zwiſchen den Verbündeten und Frankreich der Friede von Paris abgeſchloſſen. Man kam überein, daß alle Mächte, welche auf dieſe oder jene Art in den gegenwärtigen Krieg verwickelt worden waren, innerhalb einer Friſt von zwei Monaten Bevollmächtigte nach Wien ſchicken ſollten, um bei einem allgemeinen Congreſſe die definitiven Vergleiche zu reguliren.

Am 4. Juni erſchien Ludwig XVIII in königlicher Sitzung bei einer gemeinſchaftlichen Verſammlung des geſetzgebenden Körpers und einer Fraction des Senates. Er hielt eine edle Rede; alt, vergangen und verbraucht, dienen jedoch dieſe langweiligen Gegenſtände nur noch als hiſtoriſcher Faden.

In den Augen des größten Theils der Nation beſaß die Charte den Uebelſtand, daß ſie octroyirt war; das hieß durch dieſes höchſt unnütze Wort die glühende Frage der königlichen oder Volksſouveränität wieder aufrühren. Auch datirte Ludwig XVIII ſeine Wohlthat vom Jahre ſeiner Regierung aus, indem er Bonaparte als nicht dageweſen betrachtete, gleich wie Carl II mit beiden Füßen über Cromwell hinausgeſprungen war. Dieß war eine Art Schimpf für die Monarchen, die alle Napoleon anerkannt hatten und ſich in dieſem Augenblicke noch in Paris befanden. Dieſe verjährte Sprache und dieſe Anmaßungen der alten Monarchie

fügten der Legitimität des Rechtes Nichts bei und waren bloß kindiſche Anachronismen. Bei Alle dem enthielt die Charte, indem ſie an die Stelle des Deſpotismus trat und uns die legale Freiheit brachte, hinlänglich Gutes, um die gewiſſenhaften Menſchen zu befriedigen. Demungeachtet empfingen die Royaliſten, denen ſie ſo viele Vortheile gewährte, und die, ihr Dorf oder ihren armſeligen Heerd oder die dunkeln Winkel verlaſſend, in welchen ſie unter dem Kaiſerreiche gelebt, in eine hohe und öffentliche Stellung gerufen wurden, die Wohlthat nur murrend; die Liberalen, welche ſich freudigen Herzens in Bonaparte's Tyrannei gefügt hatten, fanden in der Charte einen wahren Sklavencodex. Wir ſind in die Zeiten von Babel zurückgekommen; man arbeitet jedoch nicht mehr an einem gemeinſchaftlichen Monumente der Verwirrung; Jeder baut ſich ſeinen Thurm nach ſeiner eigenen Höhe, ſeiner Kraft und ſeinem Wuchſe. Wenn übrigens die Charte mangelhaft erſcheint, ſo war die Revolution noch nicht am Ziele; das Princip der Gleichheit und der Demokratie hatte in den Geiſtern Wurzel gefaßt und arbeitete der monarchiſchen Ordnung entgegen.

Die verbündeten Fürſten ſäumten nicht, Paris zu verlaſſen; bei ſeinem Abzuge ließ Alexander auf dem Concordiaplatze ein religiöſes Feſt abhalten. Wo das Schaffot Ludwig's XVI geſtanden war, wurde ein Altar errichtet. Sieben moskowitiſche Prieſter celebrirten das Hochamt und die fremden Truppen deſilirten vor dem Altare. Das Tedeum wurde nach einer der ſchönen Melodieen der alten griechiſchen Muſik geſungen. Die Soldaten und die Monarchen bogen ein Knie zur Erde, um den Segen zu empfangen. Die Franzoſen verſetzten ſich in Gedanken in die Jahre 1793 und 1794 zurück, wo die Ochſen ſich ſträubten, über dieſes Pflaſter zu ſchreiten, das der Blutgeruch ihnen unausſtehlich machte. Welche Hand hatte dieſe Menſchen aller Länder, dieſe Söhne der alten barbariſchen Eindringlinge, dieſe Tartaren, deren viele am

Fuße der großen chineſiſchen Mauer Zelte von Schaffellen bewohnten, zu dem Bußfeſte hergeführt? Das ſind Schauſpiele, wie ſie die ſchwachen Generationen eines künftigen Jahrhunderts nicht mehr ſehen werden.

Erſtes Jahr der Reſtauration.

Im erſten Jahre der Reſtauration wohnte ich der dritten ſocialen Umgeſtaltung bei. Ich hatte die alte Monarchie zur conſtitutionellen Monarchie und dieſe zur Republik übergehen geſehen; ich hatte geſehen, wie die Republik ſich in militäriſchen Deſpotismus umwandelte; ich ſah den militäriſchen Deſpotismus zu einer freien Monarchie zurückkehren, die neuen Ideen und die neuen Generationen ſich wieder an die alten Principe und an die alten Menſchen halten. Die Marſchälle des Kaiſerreichs wurden Marſchälle von Frankreich; unter die Uniformen der Napoleon'ſchen Garde miſchten ſich die Uniformen der Garde-du-corps und des Rothen Hauſes, die genau nach den alten Muſtern geſchnitten wurden. Der alte Herzog von Havré marſchirte mit ſeiner gepuderten Perrücke und ſeinem ſchwarzen Stocke mit dem Kopfe wackelnd als Capitän der Garde-du-corps neben dem Marſchall Victor, der nach Bonaparte's Weiſe hinkte; der Herzog von Mouchy, der nie ein Zündpulver hatte brennen geſehen, deſilirte bei der Meſſe neben dem mit Narben bedeckten Marſchall Oudinot. Das Schloß der Tuilerien, unter Napoleon ſo rein und ſo militäriſch gehalten, füllte ſich jetzt ſtatt mit Pulvergeruch mit dem Dampf der Frühſtücke an, der von allen Seiten aufſtieg; unter den Herren Kammerjunkern, mit den Herren Mundköchen und Garderobeverwaltern nahm Alles wieder den Charakter des Bedientenſtandes an. In den Straßen ſah man hinfällige Emigrirte mit den Airs und den Kleidern von ehemals, ohne Zweifel die achtungswertheſten Leute, aber unter der modernen Menge ſo fremd, wie die neuen Offiziere

es unter den Soldaten Napoleon's waren. Die kaiſerlichen Hofdamen führten die Erbherzogin vom Faubourg Saint-Germain ein und lehrten ſie die Gelegenheiten des Palaſtes kennen. Es kamen Deputationen von Bordeaux an, die mit Halsbergen geſchmückt waren, Dorfvorſteher aus der Vendée mit Hüten à la Larochejaquelin. Dieſe verſchiedenen Perſonen behielten den Ausdruck der Geſinnungen, der Gedanken, der Gewohnheiten, der Sitten bei, die bei ihnen gewöhnlich waren. Die Freiheit, welche den Hintergrund dieſer Epoche bildete, brachte das, was auf den erſten Blick nicht leben zu ſollen ſchien, zum Zuſammenleben; allein man hatte Mühe, dieſe Freiheit zu erkennen, weil ſie die Farben der alten Monarchie und des kaiſerlichen Deſpotismus trug. Auch verſtand jeder die conſtitutionelle Sprache ſchlecht; die Royaliſten machten grobe Fehler, wenn ſie von der Charte redeten; die Kaiſerlichen waren noch weniger darin eingeſchult; die Conventsmitglieder, welche abwechſelnd Grafen, Barone, Senatoren Napoleon's und Pairs Ludwig's XVIII geworden waren, verfielen bald in den republikaniſchen Dialekt, den ſie beinahe vergeſſen hatten, bald in die Mundart des Abſolutismus, die ſie gründlich gelernt hatten. Generallieutenants wurde die Bewachung der Haſengehege übertragen. Adjutanten des letzten militäriſchen Tyrannen hörte man von der unverletzlichen Freiheit der Völker ſprechen und Königsmörder das heilige Dogma der Legitimität verfechten.

Dieſe Metamorphoſen wären verächtlich, wenn ſie nicht theilweiſe von der Biegſamkeit des franzöſiſchen Geiſtes herrührten. Das Volk von Athen regierte ſich ſelbſt; Redner wandten ſich auf dem öffentlichen Platze an ſeine Leidenſchaften; die ſouveräne Menge beſtand aus Bildhauern, Malern, Arbeitern, Beſchauern der Zuhörer und handelnden Zuhörern, wie Thucydides ſagt. Wenn aber das Decret, ob gut oder ſchlecht, erlaſſen war, wer trat dann, um es auszuführen, aus dieſer unzuſammenhängenden und unerfahrenen Maſſe? Sokrates, Phocion, Perikles, Alcibiades.

---

welche ſo oft vor ihm gekniet. Die Männer der Republik und des Kaiſerreichs begrüßten mit Enthuſiasmus die Reſtauration. Das Benehmen und die Undankbarkeit der durch die Revolution emporgekommenen Perſonen gegen den, den zu bedauern und zu bewundern ſie ſich heutzutage den Anſchein geben, war abſcheulich.

Kaiſerliche und Liberale, ihr ſeid es, unter deren Händen die Macht zerfallen iſt, ihr, die ihr vor den Söhnen Heinrich's IV knietet! Es war ganz natürlich, daß die Royaliſten glücklich waren, ihre Prinzen wieder zu finden und das Reich deſſen, den ſie als Uſurpator betrachteten, ein Ende nehmen zu ſehen; aber ihr, ihr Kreaturen dieſes Uſurpators, ihr thatet es in eurer Uebertreibung den Gefühlen der Royaliſten zuvor. Die Miniſter, die Großwürdenträger, leiſteten um die Wette der Legitimität den Eid; alle Civil- und Gerichtsbehörden verbanden ſich, um der neuen, geächteten Dynaſtie Haß und dem alten Stamme, den ſie hundert- und hundertmal verdammt hatten, Liebe zu ſchwören. Wer verfaßte jene Proclamationen, jene anklagenden und für Napoleon ſo beleidigenden Adreſſen, mit denen Frankreich überſchwemmt ward? Royaliſten? Nein; die von Napoleon erwählten und aufrecht erhaltenen Miniſter, Generäle und Behörden. Wo wurde die Reſtauration abgekartet? Bei Royaliſten? Nein, bei Herrn von Talleyrand. Mit wem? Mit Herrn von Pradt, dem Almoſenier des Gottes Mars und dem mit dem Biſchofshute bekleideten Marktſchreier. Bei wem und mit wem ſpeiste der Generallieutenant des Königreichs bei ſeiner Ankunft? Bei Royaliſten und mit Royaliſten? Nein; bei dem Biſchof von Autun, mit Herrn von Caulaincourt. Wo gab man den verfluchten fremden Prinzen Feſte? In den Schlöſſern der Royaliſten? Nein; in Malmaiſon, bei der Kaiſerin Joſephine. Wem weihten Bonaparte's theuerſte Freunde, zum Beiſpiel Berthier, ihre glühende Hingebung? Der Legitimität. Wer umlagerte ſtets den Selbſtherrſcher Alexander, den „rohen Tartaren?“ Die Klaſſen des Inſtitutes, die Gelehrten, die Leute der Wiſſenſchaft, die philanthro-

piſchen, theophilanthropiſchen und andere Philoſophen; ſie kamen entzückt, mit Lobſprüchen und Tabaksdoſen überhäuft von ihm zurück. Wir aber, wir armen Teufel von Legitimiſten, wir wurden nirgends aufgenommen; man zählte uns für nichts. Bald ließ man uns auf die Straße ſagen, wir ſollten zu Bette gehen, bald empfahl man uns, nicht zu laut: Es lebe der König! zu rufen, da Andere dieſe Sorge übernommen hätten. Weit entfernt, Jemand zu zwingen, Legitimiſt zu ſein, erklärten die Machthaber, daß Niemand gezwungen ſei, die Rolle oder die Sprache zu wechſeln, daß der Biſchof von Autun unter dem Königreiche ſo wenig gezwungen ſein werde, die Meſſe zu leſen, als unter dem Kaiſerreiche, ſie zu beſuchen. Ich habe nicht geſehen, daß irgend eine Burgfrau, eine Johanna d'Arc mit dem Falken auf der Fauſt oder der Lanze in der Hand den rechtmäßigen Souverän proclamirt hätte; aber Frau von Talleyrand, die Bonaparte ihrem Mann gleich einer Inſchrift angehängt hatte, fuhr in ihrer Kaleſche durch die Straßen, unter Abſingung von Hymnen auf die fromme Familie der Bourbonen. Einige an den Fenſtern der kaiſerlichen Hofbedienten aufgehängten Tücher brachten die guten Koſacken auf den Glauben, es habe in den Herzen der bekehrten Bonapartiſten ſo viele Lilien, als weiße Fetzen an ihren Fenſtern. Die Anſteckung in Frankreich iſt etwas Merkwürdiges und gewiß würde man nieder mit meinem Kopfe! ſchreien, wenn man es von ſeinem Nachbar hörte. Die Kaiſerlichen kamen ſogar in unſere Häuſer und hießen uns Bourboniſten die Ueberreſte unſeres Weißzeuges als fleckenloſe Fahne heraushängen. Das geſchah bei mir; allein Frau von Chateaubriand wollte ſich nicht dazu verſtehen und vertheidigte wacker ihre Linnen.

Erſtes Miniſterium. — Ich veröffentliche die politiſchen Betrachtungen. — Die Frau Herzogin von Duras. — Ich werde zum Geſandten in Schweden ernannt.

Der in eine Deputirtenkammer umgewandelte geſetzgebende Körper und die aus hundert zweiundfünfzig in's Leben gerufenen Mitgliedern beſtehende Patrskammer, welche mehr als ſechzig Senatoren zählte, bildeten die zwei erſten geſetzgebenden Kammern. Herr von Talleyrand, der in's Miniſterium der auswärtigen Angelegenheiten eingetreten war, reiſte zu dem Congreß nach Wien ab, deſſen Eröffnung nach dem Artikel 32 des Vertrags vom 30. Mai auf den 3. November feſtgeſetzt war; Herr von Jaucourt übernahm das Portefeuille während eines Interims, das bis zur Schlacht von Waterloo dauerte. Der Abbé von Monteſquiou wurde Miniſter des Auswartigen und ihm als Generalſecretär Herr Guizot beigegeben; Herr Malouet trat in die Marine ein; er ging mit Tod ab und wurde durch Herrn Beugnot erſetzt. Der General Dupont erhielt das Kriegsdepartement, man gab ihm den Marſchall Soult bei, deſſen ausgezeichnetſte That darin die Errichtung des Grabmals von Quiberon war. Der Herzog von Blacas wurde Miniſter des königlichen Hauſes, Herr Anglès Polizeipräfect, der Kanzler von Ambray Juſtizminiſter, der Abbé Louis Finanzminiſter.

Am 21. October brachte der Abbé von Monteſquiou das erſte Geſetz in Bezug auf die Preſſe ein; es unterwarf jede Schrift von weniger als zwanzig Druckbogen der Cenſur; dieſes erſte Geſetz der Freiheit arbeitete Herr Guizot aus.

Carnot richtete einen Brief an den König; er geſtand, daß die Bourbonen mit Freude empfangen worden ſeien; indem er jedoch weder der Kürze der Zeit, noch Alledem, was die Charte verlieh, irgend welche Rechnung trug, ertheilte er mit gewagten Rathſchlägen noch hochmüthige Lehren. Dieß Alles paßt

nicht, wenn man den Rang eines Miniſters und den Titel eines Reichsgrafen angenommen hat; es ziemt ſich nicht, ſich einem ſchwachen und liberalen Fürſten gegenüber ſtolz zu zeigen, wenn man einem gewaltthätigen und deſpotiſchen Fürſten unterwürfig war, wenn man ſich nach abgenützter Schreckensmaſchine in der Berechnung der Verhältniſſe des Napoleoniſchen Krieges unzulänglich fand.

Als Antwort ließ ich die politiſchen Betrachtungen drucken; ſie enthalten das Weſen der Monarchie nach der Charte. Herr Lainé, Präſident der Deputirtenkammer, ſprach dem König lobend von dieſem Werke. Der König ſchien immer entzückt über die Dienſte, welche ihm zu erweiſen ich das Glück hatte; der Himmel ſchien mir den Heroldsmantel der Legitimität über die Schultern geworfen zu haben; je größeren Erfolg jedoch die Arbeit hatte, deſto minder gefiel der Verfaſſer Sr. Majeſtät. Die politiſchen Betrachtungen brachten meine conſtitutionellen Lehrſätze unter das Publikum; ſie machten auf den Hof einen Eindruck, den meine Treue für die Bourbonen nicht auszulöſchen vermochte. Ludwig XVIII ſagte zu ſeinen Vertrauten: „Hütet Euch, je einen Poeten in Euren Angelegenheiten zuzulaſſen. Dieſe Leute taugen zu Nichts.“

Eine mächtige und lebhafte Freundſchaft erfüllte damals mein Herz. Die Herzogin von Duras beſaß Einbildungskraft und ſogar im Geſichte Etwas von dem Ausdruck der Frau von Staël; ihr ſchriftſtelleriſches Talent ließ ſich nach Urika beurtheilen. Aus der Emigration in ihr Schloß Ueſſé, am Ufer der Loire, zurückgekehrt, hielt ſie ſich hier mehrere Jahre in vollſtändiger Abgeſchiedenheit auf. In den ſchönen Gärten von Mereville hörte ich zum erſten Male von ihr reden, nachdem ich, ohne ſie angetroffen zu haben, mit ihr in London gelebt hatte. Sie kam wegen der Erziehung ihrer reizenden Töchter, Felicia und Clara, nach Paris. Familienverhältniſſe, mein Provinzleben, meine literariſchen und

politiſchen Werke verſchafften mir Zutritt in ihre Geſellſchaft. Das Feuer der Seele, der Adel des Charakters, die Hoheit des Geiſtes, die edeln Geſinnungen machten ſie zu einer ausgezeichneten Frau. Zu Anfang der Reſtauration hatte ſie mich unter ihren Schutz genommen; denn trotz Allem, was ich für die legitime Monarchie gethan hatte, und der Dienſte, die Ludwig XVIII von mir empfangen zu haben geſtand, war ich ſo ſehr auf die Seite geſetzt worden, daß ich im Sinne hatte, mich in die Schweiz zurückzuziehen. Vielleicht hätte ich gut gethan; wäre ich in jenen Einſamkeiten, die Napoleon mir als ſeinem Geſandten in den Bergen beſtimmt hatte, nicht glücklicher geweſen, als im Schloß der Tuillerien? Als ich bei der Rückkehr der Legitimität in die Salons eintrat, machten ſie einen faſt eben ſo peinlichen Eindruck auf mich, wie jener Tag, an welchem ich Bonaparte im Begriff ſah, den Herzog von Enghien zu tödten. Frau von Duras ſprach Herrn von Blacas von mir. Er antwortete, es ſtünde mir frei, zu gehen, wohin ich wollte. Frau von Duras war ſo ungeſtüm, ſie kämpfte mit einem ſolchen Muth für ihre Freunde, daß man eine vacante Geſandtſchaftsſtelle entdeckte, den ſchwediſchen Geſandtſchaftsposten. Des Aufſehens, das ich machte, ſchon müde, war Ludwig XVIII glücklich, mich ſeinem guten Bruder, dem König Bernadotte, zum Geſchenk zu machen. Stellte ſich dieſer nicht vor, man ſchicke mich nach Stockholm, um ihn des Thrones zu entſetzen? Ei, du lieber Gott, Ihr Fürſten der Erde, ich entthrone Keinen. Behaltet Eure Kronen, wenn Ihr könnt; beſonders aber gebt ſie nicht mir, denn ich will kein Stäubchen davon.

Frau von Duras, eine treffliche Frau, die mir erlaubte, ſie Schweſter zu nennen, und welche noch mehrere Jahre in Paris zu ſehen ich die Ehre hatte, ſtarb in Nizza ... wieder eine ſchmerzliche Wunde! Die Herzogin von Duras kannte Frau von Staël ſehr gut; ich kann nicht begreifen, daß ich nicht von Madame Recamier, die aus Italien nach Frankreich zurückgekehrt war, angezogen wurde, ich hätte den Beiſtand, der meinem Leben zu Hülfe

kam, freudig begrüßt; denn ich gehörte ſchon nicht mehr jenen Morgen an, die ſich ſelbſt tröſten; ich näherte mich bereits jenen Abendſtunden, welche der Tröſtung bedürftig ſind.

Ausgrabung der Ueberreſte Ludwig's XVI. — Die erſte Feier des 21. Januar in Saint-Denis.

Am 30. December des Jahres 1814 wurden die geſetzgebenden Kammern bis zum 1. Mai vertagt, als hätte man ſie zur Verſammlung auf Bonaparte's Maifeld zuſammenberufen.

Am 18. Januar wurden die Ueberreſte Marie Antoinetten's und Ludwig's XVI ausgegraben. Ich wohnte dieſer Ausgrabung auf dem Kirchhofe bei, auf welchem Fontaine und Percier ſeither, dem frommen Aufrufe der Frau Dauphine zufolge und mit Nachahmung einer Begräbnißkirche von Rimini das vielleicht merkwürdigſte Monument von Paris erbaut haben. Dieſes aus einer Verkettung von Gräbern gebildete Kloſter ergreift die Einbildungskraft und erfüllt ſie mit Trauer. Im III. Theile dieſer Memoiren ſprach ich von den Ausgrabungen im Jahr 1815. Mitten unter den Gebeinen erkannte ich den Kopf der Königin vermöge des Lächelns, welches dieſer Kopf in Verſailles an mich gerichtet hatte.

Am 21. Januar legte man den erſten Grundſtein zu der Statue, welche auf dem Platze Ludwig's XV errichtet werden ſollte und es nie ward. Ich beſchrieb das Leichengepränge vom 21. Januar; ich ſagte: „Dieſe Prieſter, welche mit der Oriflamme vor die Gruft des heiligen Ludwig traten, werden den Abkömmling des heiligen Königs nicht empfangen. In dieſen unterirdiſchen Wohnungen, wo dieſe vernichteten Könige und Prinzen ſchliefen, wird ſich Ludwig XVI allein befinden! . . . Wie, ſind ſo viele Todte auferſtanden? Warum iſt

Saint-Denis verödet? Fragen wir lieber, warum ſein Dach wieder hergeſtellt ſei, ſein Altar wieder ſtehe? Welche Hand hat das Gewölbe dieſer Grüfte wieder aufgebaut und dieſe leeren Gräber bereitet? Die Hand eben dieſes Mannes, der auf dem Throne der Bourbonen ſaß. O Vorſehung! Er glaubte Gräber für ſeinen Stamm zu bereiten und baute nur das Grab Ludwig's XVI."

Ich hegte ziemlich lange den Wunſch, das Bild Ludwig's XVI möchte an eben dem Orte aufgeſtellt werden, wo der Märtyrer ſein Blut vergoß; jetzt wäre ich nicht mehr dieſer Anſicht. Es gereicht den Bourbonen zum Lobe, daß ſie vom erſten Augenblicke ihrer Rückkehr an an Ludwig XVI gedacht haben; ſie mußten mit ſeiner Aſche ihre Stirne beſtreichen, bevor ſie ſeine Krone auf ihr Haupt ſetzten. Jetzt glaube ich, ſie hätten nicht weiter gehen ſollen.

In Paris befand ſich nicht, wie in London, eine Commiſſion, welche den Monarchen verurtheilte, ſondern der ganze Convent; daher der jährliche Vorwurf, den eine wiederholte Trauerceremonie, dem Anſcheine nach durch eine vollſtändige Verſammlung repräſentirt, der Nation zu machen ſchien. Alle Völker haben zur Feier ihrer Siege, ihrer Umgeſtaltungen oder ihrer Unglücksfälle Jahresfeſte feſtgeſetzt, denn alle haben gleicherweiſe die Erinnerung an die Einen und die Andern bewahren wollen. Wir haben Feierlichkeiten für die Barricaden, Geſänge für die Bartholomäusnacht, Feſte für Capet's Tod gehabt; iſt es aber nicht merkwürdig, daß das Geſetz ohnmächtig iſt, Erinnerungstage zu ſchaffen, während die Religion den unbedeutendſten Heiligen durch alle Zeitalter hindurch beim Leben erhält? Wenn die für das Opfer Karl's I eingeſetzten Feſte noch dauern, ſo kommt es daher, weil in England der Staat die Obergewalt des Königs in Kirchenſachen mit der politiſchen Obergewalt vereinigt und der 30. Januar von 1649 kraft dieſer Obergewalt ein Feiertag geworden iſt. In Frankreich verhält es ſich nicht ſo; Rom allein hat das Recht, in Religionsſachen zu befehlen; wie ſteht es daher mit einer Verordnung, die ein Fürſt erläßt, mit einem Decrete, das eine politiſche

Verſammlung verkündigt, wenn ein anderer Fürſt, eine andere Verſammlung das Recht haben, ſie für ungültig zu erklären? Meine jetzige Anſicht geht daher dahin, daß es nicht paſſend iſt, das Symbol eines Feſtes, das abgeſchafft werden kann, das Zeugniß einer tragiſchen, nicht durch den Cultus geweihten Kataſtrophe auf den Weg der ſorgloſen und von ihren Vergnügungen zerſtreuten Menge zu bringen. Bei der jetzigen Zeit ſtünde zu befürchten, daß ein Monument, welches mit dem Zweck errichtet würde, Schrecken vor populären Exceſſen einzuprägen, den Wunſch erweckte, ſie nachzuahmen. Man wird mehr zum Böſen als zum Guten verlockt; indem man den Schmerz fortpflanzen will, pflanzt man oft nur das Beiſpiel fort. Die Jahrhunderte nehmen die Trauervermächtniſſe nicht an, ſie haben in der Gegenwart Anlaß genug zu weinen, ohne noch auf ſich zu nehmen, ererbte Thränen zu vergießen.

Beim Anblick des Katafalks, der, mit den Ueberreſten der Königin und des Königs beladen, den Kirchhof Ducluzeau verließ, fühlte ich mich ganz ergriffen; von einem traurigen Vorgefühl erfaßt, folgte ich ihm mit den Augen. Endlich nahm Ludwig XVI ſeine Ruheſtätte in Saint-Denis ein; Ludwig XVIII dagegen ſchlief im Louvre; die beiden Brüder begannen mit einander eine andere Aera von Königen und legitimen Geſpenſtern. Eitle Reſtauration des Thrones und des Grabes, von welchen die Zeit ſchon den doppelten Staub weggefegt hat!

Da ich von dieſen Leichenceremonien geſprochen habe, welche ſich ſo oft wiederholten, ſo muß ich auch von dem Alp reden, der mich bedrückte, als ich nach beendigter Ceremonie Abends in der ſchon zur Hälfte von ihrer Behängung befreiten Baſilika umherging. Daß ich unter dieſen verheerten Gräbern an die Eitelkeit der menſchlichen Größen dachte, verſteht ſich von ſelbſt; es iſt die gewöhnliche Moral, die aus dem Schauſpiel ſelbſt zu ſchöpfen war. Mein Geiſt blieb jedoch nicht hier ſtehen, ich drang bis in die Natur des Menſchen. Iſt in der Region der Gräber Alles leer

und Alles entwichen? Liegt Nichts in dieſem Nichts? Gibt es kein Daſein im Nichts, keine Gedanken im Staube? Haben dieſe Gebeine nicht Lebensweiſen, die uns unbekannt ſind? Wer kennt die Leidenſchaften, die Vergnügen, die Umarmungen dieſer Todten? Sind die Dinge, die ſie geträumt, geglaubt, erwartet haben, wie ſie Idealitäten, die in buntem Durcheinander mit ihnen verſenkt wurden? Träume, Zukunft, Freuden, Schmerzen, Freiheiten und Sklavereien, Macht und Schwächen, Laſter und Tugenden, Ehre und Schmach, Reichthümer und Elend, Talente, Genie, Geſchicklichkeit, Ruhm, Täuſchungen, Liebe, ſeid ihr Begriffe eines Augenblicks, Begriffe, die mit den zerſtörten Schädeln, in denen ſie ſich erzeugten, mit dem vernichteten Buſen, in welchem einſt ein Herz ſchlug, vergangen ſind? Hört man in eurem ewigen Schweigen, o Gräber, wenn ihr Gräber ſeid, nur höhniſches und ewiges Lachen? Iſt dieſes Lachen der Gott, die einzige ſpöttiſche Wirklichkeit, welche den Betrug dieſes Weltalls überleben wird? Schließen wir die Augen; füllen wir den für das Leben verzweiflungsvollen Schlund mit den großen und geheimnißvollen Worten des Märtyrers aus: „Ich bin Chriſt.“

Die Inſel Elba.

Bonaparte hatte ſich geweigert, ſich auf einem franzöſiſchen Schiffe einzuſchiffen, indem er damals nur auf die engliſche Marine Etwas hielt, weil ſie ſiegreich war; er hatte ſeinen Haß, die Verleumdungen, die Schmähungen, mit denen er das perfide Albion überhäuft hatte, vergeſſen; er fand nur noch die triumphirende Partei ſeiner Bewunderung würdig und ſo trug ihn denn der Undaunted in den Hafen ſeines erſten Exils. Er war nicht ohne Beſorgniß über die Art, wie er aufgenommen werden würde und ob die franzöſiſche Garniſon ihm das Gebiet, das ſie bewachte, übergeben werde. Als italieniſche Inſelbewohner wollten die Einen

die Engländer herbeirufen, die Andern frei von jedem Herrn bleiben. Auf zwei einander nahe liegenden Vorgebirgen flatterten die dreifarbige und die weiße Fahne. Demungeachtet gab sich Alles. Als man erfuhr, daß Napoleon mit Millionen anlange, entschieden sich die Meinungen großmüthig für Aufnahme des erhabenen Opfers. Die bürgerlichen und kirchlichen Autoritäten wurden zu der nämlichen Ueberzeugung gebracht. Der Generalvicar, Joseph Philipp Arrighi, veröffentlichte ein Mandat. „Die göttliche Vorsehung," sagte der fromme Befehl, „wollte, daß wir in Zukunft die Unterthanen Napoleon's des Großen sein sollten. Die einer so hohen Ehre gewürdigte Insel Elba empfängt in ihrem Schooße den Gesalbten des Herrn. Wir befehlen, daß ein feierliches Tedeum als Dankopfer gesungen werde u. s. w."

Der Kaiser hatte an den General Dalesme, Commandanten der französischen Garnison, geschrieben, er möge den Bewohnern Elba's zu wissen thun, daß er sich in Berücksichtigung ihrer ansprechenden Sitten und ihres milden Klima's ihre Insel zum Aufenthalt erkoren habe. Unter der doppelten Begrüßung der englischen Fregatte, die ihn trug, und der Küstenbatterien setzte er in Porto-Ferrajo den Fuß an's Land. Von hier aus wurde er unter dem Traghimmel zur Kirche begleitet, wo man das Tedeum sang: Der Famulus des Küsters und zugleich Ceremonienmeister war ein kurzer, dicker Mann, der seine Hände nicht über seiner eigenen Person kreuzen konnte. Nachher wurde Napoleon in die Mairie geführt, wo ihm eine Wohnung bereitet war. Man entfaltete die neue kaiserliche Flagge, deren Grund weiß mit rothen Streifen und mit drei goldenen Bienen besät war. Drei Violinen und zwei Baßgeigen begleiteten ihn unter lustigem Gekratze. Der in der Eile im öffentlichen Ballsaal aufgeschlagene Thron war mit vergoldetem Papier und Scharlachfetzen ausgeschmückt. Die Komödiantenseite der Natur des Gefangenen fand sich mit diesem Aufzuge ganz gut ab; Napoleon spielte in der Kapelle, wie er seinen

Hof im Tuilerienpalaſte mit alten kleinen Spielen beluſtigte und nachher zum Zeitvertreib Menſchen tödtete.

Er bildete ſeinen Hausſtaat; dieſer beſtand aus vier Kammerherren, drei Ordonnanzoffizieren und zwei Palaſtfourieren. Er erklärte, daß er zweimal wöchentlich um acht Uhr Abends Damen empfangen werde. Er gab einen Ball. Er bemächtigte ſich des für die Genieoffiziere beſtimmten Sommerhauſes und machte es zu ſeiner Reſidenz. Unabläſſig traf Bonaparte in ſeinem Leben die beiden Quellen an, aus denen er hervorgegangen war, die Demokratie und die königliche Gewalt; ſeine Macht verdankte er den bürgerlichen Maſſen, ſeinen Rang ſeinem Genie; man ſieht ihn daher auch ohne welche Anſtrengung vom öffentlichen Platze auf den Thron, von den Königen und Königinnen, die ſich in Erfurt um ihn drängten, zu den Bäckern und Oelhändlern gehen, die in ſeiner Scheune in Porto-Ferrajo tanzten. Unter den Fürſten hatte er einen Anhauch vom Volke, unter dem Volke einen Anhauch vom Fürſten. Um fünf Uhr Morgens präſidirte er in ſeidenen Strümpfen und Schnallenſchuhen ſeinen Maurern auf der Inſel Elba.

In ſeinem Reiche eingerichtet, welches ſeit Virgil's Tagen unerſchöpflich an Stahl iſt:

Insula inexhaustis chalybum generosa metallis —

hatte Bonaparte die kürzlich erlittene Schmach nicht vergeſſen; er hatte nicht darauf verzichtet, ſein Grabtuch zu zerreißen, doch hielt er für rathſam, begraben zu ſcheinen und ſich nur als geſpenſterartige Erſcheinung in der Gegend ſeines Monumentes zu zeigen. Deßhalb ſtieg er eifrig, als hätte er an nichts Anderes gedacht, in ſeine Gruben von kryſtalliſirtem Eiſen und Magnet hinab; man hätte ihn für einen alten Bergwerkinſpector ſeiner ehemaligen Staaten halten können. Er bereute, einſt die Einkünfte der Eiſenhämmer von Illua für die Ehrenlegion beſtimmt zu haben;

500,000 Franken ſchienen ihm jetzt von höherem Werthe, als ein in Blut gebadetes Kreuz auf der Bruſt ſeiner Grenadiere.

„Wo hatte ich nur den Kopf?“ äußerte er ſich hierüber; „doch habe ich mehrere dumme Decrete dieſer Art erlaſſen.“

Er ſchloß einen Handelsvertrag mit Livorno und nahm ſich vor, einen ſolchen auch mit Genua zu ſchließen. Auf's Gerathewohl unternahm er den Bau der fünf bis ſechs Klafter langen Strecke einer Hauptſtraße und entwarf den Umriß der Bauſtelle von vier großen Städten, wie Dido die Grenzen von Karthago zeichnete. Als ein von den menſchlichen Größen enttäuſchter Philoſoph erklärte er, künftig als Friedensrichter in einer Grafſchaft von England leben zu wollen, und doch entfielen ihm bei Erklimmung eines Hügels, der Porto-Ferrajo beherrſcht, beim Anblick des am Fuß der ſteilen Geſtade von allen Seiten ſich ausdehnenden Meeres die Worte: „Zum Teufel! Man muß geſtehen, meine Inſel iſt ſehr klein.“ In einigen Stunden konnte er ſein Gebiet durchwandern; er wollte demſelben noch einen Felſen, Pianoſa genannt, beifügen. „Europa,“ ſagte er lachend, „wird mich anklagen, ſchon eine Eroberung gemacht zu haben.“ Die verbündeten Mächte freuten ſich, ihm zum Hohn vierhundert Soldaten gelaſſen zu haben; er brauchte nicht mehr, um die Uebrigen alle unter die Fahne zu rufen.

Napoleon's Anweſenheit an den Küſten Italiens, das den Beginn ſeines Ruhmes geſehen hatte und ſein Andenken bewahrt, brachte Alles in Aufregung. Murat befand ſich in der Nachbarſchaft; ſeine Freunde und Fremde fanden ſich heimlich oder öffentlich in ſeiner Zurückgezogenheit ein; ſeine Mutter und ſeine Schweſter, die Prinzeſſin Pauline, beſuchten ihn; man machte ſich gefaßt, Marie Louiſe und ſeinen Sohn ebenfalls bald ankommen zu ſehen. Und wirklich erſchien auch eine Frau und ein Kind, die im größten Geheimniß empfangen wurden; ſie nahm ihre Wohnung in einer abgelegenen Villa im entfernteſten Winkel der Inſel. An dem Ufer von Ogygia ſprach Kalypſo dem Ulyſſes von ihrer

Liebe; dieſer aber dachte, ſtatt ihr zuzuhören, wie er ſich gegen die Freier vertheidigen wolle. Nach zwei Ruhetagen tauchte der Schwan des Nordens, ſein Junges in ſeiner weißen Flügelbeugung mitnehmend, wieder in's Meer, um zu den Myrten von Bajä zu ſegeln.

Wäre unſer Vertrauen geringer geweſen, ſo hätten wir die Annäherung einer Kataſtrophe leicht entdecken können. Bonaparte war ſeiner Wiege und ſeinen Eroberungen zu nahe; ſein Inſelgrab mußte ferner und von mehr Wellen umringt ſein. Man kann ſich nicht erklären, wie die Verbündeten auf den Einfall kamen, Napoleon auf dieſe Felſen zu verweiſen, um die Lehrzeit des Exils hier durchzumachen. Wie, mußte man nicht annehmen, daß beim Anblick der Apenninen, beim Pulvergeruch der Felder von Motenotte, Arcole und Marengo, bei der Nähe von Venedig, Rom und Neapel, ſeiner drei ſchönſten Sklavinnen, die unwiderſtehlichſten Verſuchungen ſich ſeines Herzens bemächtigen würden? Hatte man vergeſſen, daß er die Erde umgekehrt, daß er überall Bewunderer und Verpflichtete hatte, welche, die Einen wie die Andern, ſeine Mitſchuldigen waren? Sein Ehrgeiz ſchlummerte im Hintergrunde, er war nicht erloſchen; das Unglück und die Rache fachten ſeine Flamme von Neuem an. Als der Fürſt der Finſterniß vom Ufer des erſchaffenen Weltalls aus den Menſchen und die Welt erblickte, beſchloß er, ſie zu verderben.

Vor dem Ausbruche nahm ſich der furchtbare Gefangene einige Wochen lang zuſammen. Neben dem ungeheuren öffentlichen Pharao, das er ſpielte, handelte ſein Genie ein Vermögen oder ein Königreich ein. Die Fouché, die Gusman d'Alfarache vermehrten ſich. Der große Schauſpieler hatte ſeit langer Zeit in ſeiner Polizei das Melodrama eingeführt und ſich das höhere Drama ſelber vorbehalten; er ergötzte ſich an den gemeinen Opfern, die in den Verſenkungen ſeines Theaters verſchwanden.

Im erſten Jahre der Reſtauration ging der Bonapartismus, je nachdem ſeine Hoffnungen wuchſen und er den ſchwachen Charakter

der Bourbonen beſſer kennen lernte, vom bloßen Verlangen zur Handlung über. Als die Intrigue von Außen geknüpft war, knüpfte ſie ſich auch im Innern und die Verſchwörung gedieh luſtig. Unter der geſchickten Verwaltung des Herrn Ferrand führte Herr von Lavalette die Correſpondenz und die Curiere der Monarchie beförderten die Depeſchen des Kaiſerreichs. Man verbarg ſich nicht mehr, die Carricaturen verkündeten eine erwünſchte Rückkehr; man ſah zu den Fenſtern des Tuilerienſchloſſes wieder Adler ein- und einen Trupp Truthähne durch die Thüren hinausziehen.

Es kamen Winke von allen Seiten; man wollte nicht daran glauben. Die ſchweizeriſche Regierung hatte ſich vergebens bemüht, die königliche Regierung von den Schlichen Joſeph Bonaparte's zu benachrichtigen, der ſich in's Wadtland zurückgezogen hatte. Eine von der Inſel Elba gekommene Frau erzählte mit den genaueſten Nebenumſtänden, was in Porto-Ferrajo vorging, und die Polizei ließ ſie in's Gefängniß werfen. Man nahm als Gewißheit an, daß Napoleon vor dem Schluß des Congreſſes Nichts wagen und ſeine Abſichten in jedem Falle auf Italien gerichtet ſein würden. Andere, noch klügere Leute wünſchten, der kleine Korporal, der Wehrwolf, der Gefangene möchte an der franzöſiſchen Küſte landen; das wäre ein zu glückliches Ereigniß; man würde ihm mit Einem Streiche den Garaus machen. Herr Pozzo di Borgo erklärte in Wien, daß der Delinquent am erſten beſten Baume aufgehängt würde. Wenn man gewiſſe Papiere erhalten könnte, ſo würde man den Beweis darin finden, daß ſeit dem Jahre 1814 eine militäriſche Verſchwörung angezettelt war und mit der politiſchen Verſchwörung, welche der Fürſt Talleyrand auf Anſtiften Fouché's in Wien leitete, parallel lief. Napoleon's Freunde ſchrieben ihm, daß, wenn er ſeine Rückkehr nicht beſchleunige, er ſeinen Platz in den Tuilerien durch den Herzog von Orleans beſetzt finden werde. Sie meinen, dieſe Kunde habe die Rückkehr des Kaiſers beſchleunigt. Ich bin vom Beſtehen ſolcher Intriguen überzeugt, glaube aber ebenfalls, daß der

Grund, welcher Bonaparte bestimmte, ganz einfach in der Natur seines Genies lag.

Die Verschwörung Drouet's von Erlon und Lefebvre-Denouettes' brach aus. Einige Tage vor der Schilderhebung dieser Generäle speiste ich bei dem Marschall Soult, der am 3. December 1814 zum Kriegsminister ernannt worden war. Ein Einfaltspinsel schilderte das Exil Ludwig's XVIII in Hartwell; der Marschall hörte zu und antwortete bei jedem Umstande mit den Worten: „Das ist historisch." — „Man brachte Seiner Majestät die Pantoffeln." — „Das ist historisch!" — „Der König genoß an Festtagen drei rohe Eier vor dem Mittagessen." — „Das ist historisch!"

Diese Antwort fiel mir auf. Wenn der Bestand einer Regierung nicht dauerhaft ist, so wird jeder Mensch, der Nichts nach dem Gewissen fragt, je nach der größern oder geringern Energie seines Charakters zum vierten Theile, zur Hälfte, zu drei Viertheilen zum Verschwörer; er wartet die Entscheidung des Schicksals ab. Die Ereignisse machen mehr Verräther, als die Meinungen.

Durchgesehen im December 1846.

Beginn der hundert Tage. — Rückkehr von der Insel Elba.

Plötzlich kündete der Telepraph allen Tapferen und Ungläubigen die Landung des verwegenen Mannes an. Monsieur eilt mit dem Herzog von Orleans und dem Marschall Macdonald nach Lyon und kehrt alsobald wieder zurück. Der in der Deputirtenkammer verdächtigte Marschall Soult tritt am 11. März seinen Platz an den Herzog von Feltre ab. Bonaparte trifft als Kriegsminister Ludwig's XVIII im Jahr 1815 den General an, welcher sein letzter Kriegsminister im Jahr 1814 war.

Die Kühnheit des Unternehmens war eine unerhörte. Vom politiſchen Standpunkt aus konnte man dieſes Unternehmen als das unverzeihlichſte Verbrechen und den Hauptfehler Napoleon's anſehen. Er wußte, daß die noch beim Congreſſe verſammelten Fürſten, daß das noch unter Waffen ſtehende Europa ſeine Wiedereinſetzung nicht dulden würden. Sein geſunder Verſtand mußte ihm ſagen, daß ein allfälliger Erfolg nur von kurzer Dauer ſein könnte. Er opferte ſeiner Leidenſchaft, wieder auf der Bühne zu erſcheinen, die Ruhe eines Volkes, das ſein Blut und ſeine Schätze an ihn verſchwendet hatte; er ſetzte das Vaterland, von dem er Alles hatte, was er in der Vergangenheit geweſen und in der Zukunft ſein wird, der Zerſtückelung aus. In dieſem phantaſtiſchen Einfalle lag ein wilder Egoismus, ein furchtbarer Mangel an Erkenntlichkeit und Großmuth gegen Frankreich.

Der praktiſchen Vernunft zufolge iſt das Alles in Bezug auf einen Mann, bei dem das Herz die Oberhand über den Kopf gewinnt, richtig; allein bei Männern von Napoleon's Natur beſteht ein Grund anderer Art; dieſe Geſchöpfe von großem Rufe haben einen eigenen Gang; die Kometen beſchreiben Kreiſe, die der Berechnung ſpotten; ſie ſind an Nichts gebunden, ſcheinen zu Nichts nütze; treffen ſie einen Erdball auf ihrer Bahn, ſo zertrümmern ſie ihn und kehren in die Abgründe des Himmels zurück; ihre Geſetze ſind nur Gott bekannt. Die außerordentlichen Individuen ſind die Monumente des menſchlichen Verſtandes, nicht aber eine Regel deſſelben.

Bonaparte wurde daher weniger durch die falſchen Berichte ſeiner Freunde als durch den Drang ſeines Genies zu ſeinem Unternehmen verleitet; er ſchickte ſich kraft des Glaubens, den er in ſich trug, zum Kreuzzuge an. Es iſt nicht genug, zum großen Manne geboren zu werden; man muß als ſolcher ſterben. War die Inſel Elba ein Endziel für Napoleon? Konnte er ſich mit der Souveränität über einige Gemüſegärten begnügen, wie Diocletian in Salona. Hätte er mehr Chancen auf Erfolg gehabt, wenn

er länger gewartet hätte, ſein Andenken dann nicht mehr ſo lebendig geweſen wäre, ſeine alten Soldaten die Armee verlaſſen hätten und die neuen ſocialen Stellungen eingenommen geweſen wären?

Wohl, er unternahm einen Hauptſtreich gegen die Welt. Bei ſeinem Auftreten mußte er glauben, ſich in dem Zauber, den ſeine Macht ausübte, nicht getäuſcht zu haben.

In der Nacht vom 25. auf den 26. Februar geht er nach einem Balle, den die Fürſtin Borgheſe gab, in Begleitung des Sieges, lange Zeit ſein Mitſchuldiger und Kamerad, durch. Er durchſchifft ein von unſeren Flotten bedecktes Meer, trifft zwei Fregatten an, ein Linienſchiff von 74 Kanonen und die Kriegsbrigg Zephyr, die beilegt und ihn anſpricht. Er beantwortete in eigener Perſon die Fragen des Capitäns; das Meer und die Wellen grüßen ihn und er ſetzt ſeine Fahrt fort. Das Verdeck des Unbeſtändigen, ſeines kleinen Schiffes, dient ihm als Spazierplatz und Cabinet; er dictirt mitten im Winde und läßt auf dem ruheloſen Tiſche drei Proclamationen an die Armee und an Frankreich copiren. Einige Felucken mit ſeinen Genoſſen des Abenteuers beladen, umgeben ſein Admiralſchiff und tragen die weiße mit Sternen beſäete Flagge.

Am 1. März landet er um drei Uhr Morgens an der franzöſiſchen Küſte im Golfe Juan zwiſchen Cannes und Antibes. Er ſteigt aus, wandelt am Ufer hin, pflückt Veilchen und bivouakirt in einer Olivenpflanzung. Die beſtürzte Bevölkerung verkriecht ſich. Er umgeht Antibes und wirft ſich in die Gebirge von Graſſe, zieht durch Serauon, Barrême, Digne und Gap. In Siſteron hätten zwanzig Mann ihn verhaften können und er findet Niemand. Er rückt ohne Hinderniſſe zwiſchen dieſen Bewohnern vor, welche ihn einige Monate vorher hatten erwürgen wollen. Wenn in die Leere, die ſich rings um ſeinen Rieſenſchatten bildet, einige Soldaten treten, ſo werden ſie durch die unüberwindliche Anziehungskraft ſeiner Adler hingeriſſen. Seine mit Blindheit geſchlagenen Feinde ſuchen ihn und ſehen ihn nicht; er verbirgt ſich in

ſeinem Ruhme, wie der Löwe der Sahara ſich in den Strahlen der Sonne verbirgt, um ſich den Blicken der geblendeten Jäger zu entziehen. In einen glühenden Wirbel gehüllt, bilden die blutigen Geſpenſter von Arcole, Marengo, Auſterlitz, Jena, Friedland, Eylau, von der Moskowa, von Lützen, Bautzen mit einer Million von Todten ſein Gefolge. Aus dem Schooße dieſer Feuer- und Wolkenſäule erſchallen am Eingang der Städte einige Trompetenſtöße als Signale der einherflatternden dreifarbigen Fahne . . . und die Stadtthore fallen. Jenes Unternehmen, wo Napoleon den Niemen an der Spitze von viermalhunderttauſend Infanteriſten und hunderttauſend Pferden überſchritt, um den Palaſt der Czaren in Moskau in die Luft zu ſprengen, war nicht ſo ſtaunenswürdig wie das, wo er ſeinen Bann brach, ſeine Feſſeln den Königen in's Geſicht warf und allein von Cannes nach Paris kam, um friedlich in den Tuilerien zu ſchlafen.

Entſetzen der Legitimität. — Artikel von Benjamin Conſtant. — Tagsbefehl des Marſchall Soult. — Königliche Sitzung. — Petition der Rechtsſchule an die Deputirtenkammer.

Neben das Wunder des Einfalls eines einzigen Mannes müſſen wir noch ein anderes ſtellen, welches den Gegenſatz zu dem erſten bildete; die Legitimität fiel in Erſtarrung. Die Ohnmacht des Staatsherzens dehnte ſich auch über die Glieder aus und machte Frankreich regungslos. Zwanzig Tage lang marſchirt Bonaparte von Station zu Station; ſeine Adler fliegen von Thurm zu Thurm und auf einem Wege von zweihundert Stunden findet die Regierung, die über Alles Herr iſt und über Geld und Armee zu verfügen hat, weder Zeit noch Mittel, auch nur eine Brücke abzuwerfen, um den Marſch eines Mannes, welchem ſich die Bevölkerung nicht widerſetzte, dem ſie aber auch nicht folgte, um eine Stunde aufzuhalten.

Dieſe Erſtarrung der Regierung ſchien um ſo beklagenswerther, als die öffentliche Stimmung in Paris ſehr aufgeregt war; trotz der Abtrünnigkeit des Marſchalls Ney hätte ſie ſich zu Allem hergegeben. Benjamin Conſtant ſchrieb in die Zeitungen:

„Nachdem er alle Geißeln über unſer Vaterland ausgegoſſen, hat er den Boden Frankreichs verlaſſen. Wer hätte nicht gedacht, daß er ihn auf immer verlaſſen würde? Plötzlich ſteht er wieder da und verſpricht den Franzoſen neuerdings Freiheit, Sieg und Friede. Als Gründer der tyranniſchſten Regierungsweiſe, welche je Frankreich beherrſcht hat, ſpricht er heute von Freiheit! Er aber iſt es, der ſeit vierzehn Jahren die Freiheit unterminirt und zerſtört hat. Als Entſchuldigung konnte er ſich nicht auf Erinnerungen berufen, er beſaß die Gewohnheit der Macht; er war nicht in Purpur geboren. Seine Mitbürger ſind es, die er unterjocht hat, ſeines Gleichen hat er gefeſſelt. Er hatte die Macht ererbt; er hat die Tyrannei gewollt und ſyſtematiſch durchgeführt. Welche Freiheit kann er verſprechen? Sind wir nicht tauſendmal freier als unter ſeinem Reiche? Er verſpricht den Sieg und dreimal hat er ſeine Truppen im Stich gelaſſen, in Egypten, in Spanien und in Rußland, und ſeine Waffengefährten der dreifachen Todesqual der Kälte, des Elendes und der Verzweiflung preisgegeben. Er hat Frankreich die Schmach eines Einfalls zugezogen, er hat die Eroberungen verloren, die wir vor ihm gemacht hatten. Er verſpricht Friede und ſein bloßer Name ſchon iſt ein Signal zum Kriege. Das Volk, das ſchon durch ſeine Herrſchaft unglücklich genug wäre, würde wieder der Gegenſtand des europäiſchen Haſſes; ſein Triumph wäre der Anfang eines Kampfes auf Tod und Leben gegen die civiliſirte Welt . . . Er hat daher weder Etwas zu fordern, noch Etwas zu bieten. Wen vermöchte er zu überzeugen oder wen zu verführen? Der innerliche Krieg der äußerliche Krieg, das ſind die Geſchenke, die er uns bringt."

Der Tagsbefehl des Marſchall Soult vom 8. März 1815

wiederholt ungefähr die Gedanken Benjamin Conſtant's in einem Erguſſe von Loyalität:

„Soldaten!

„Der Mann, welcher unlängſt vor den Augen Europa's eine uſurpirte Macht niederlegte, von der er einen ſo unſeligen Gebrauch gemacht hatte, hat den franzöſiſchen Boden, den er nicht wieder ſehen ſollte, nochmals betreten.

„Was will er? Den Bürgerkrieg. Was ſucht er? Verräther. Wo wird er ſie finden? Etwa unter dieſen Soldaten, die er ſo oft getäuſcht und geopfert, indem er ihre Tapferkeit mißbraucht hat? Etwa im Schooße der Familien, die ſein bloßer Name noch mit Schrecken erfüllt?"

„Bonaparte verachtet uns genug, um zu glauben, daß wir einen rechtmäßigen und geliebten Monarchen verlaſſen können, um das Loos eines Mannes zu theilen, der nur noch ein Abenteurer iſt. Er glaubt es, der Unſinnige! und durch dieſe letzte Handlung des Wahnſinns lernen wir ihn noch vollends kennen.

„Soldaten, die franzöſiſche Armee iſt die tapferſte Armee Europa's; ſie wird auch die treueſte ſein.

„Vereinigen wir uns unter dem Banner der Lilien, auf den Ruf dieſes Vaters des Volkes, dieſes würdigen Erben der Tugenden des großen Heinrich. Er hat Euch ſelbſt die Pflichten vorgezeichnet, die Ihr zu erfüllen habt. Er ſtellt an Eure Spitze jenen Prinzen, das Muſter der franzöſiſchen Ritter, deſſen glückliche Wiederkehr in unſer Vaterland ſchon den Uſurpator verjagt hat und der jetzt durch ſeine Gegenwart deſſen einzige und letzte Hoffnung zerſtören wird."

Ludwig XVIII fand ſich am 16. März in der Deputirtenkammer ein; es handelte ſich um das Geſchick Frankreichs und der Welt. Als Se. Majeſtät eintrat, entblößten und erhoben ſich die Deputirten und die Zuhörer auf den Tribünen; ein Freudengeſchrei erſchütterte die Wände des Saales. Ludwig XVIII beſteigt langſam die Stufen ſeines Thrones; die Prinzen, die Marſchälle

und die Gardecapitäne ſtellen ſich zu beiden Seiten des Königs auf. Die Zurufe hören auf, Alles ſchweigt; in dieſem Zwiſchenraum des Schweigens glaubt man die fernen Schritte Napoleon's zu hören. Als ſich Se. Majeſtät geſetzt hatte, überſchaut er einen Augenblick die Verſammlung und hält dann mit kräftiger Stimme folgende Rede:

„Meine Herren!

„In dieſem Augenblick der Kriſis, wo der öffentliche Feind in einen Theil meines Königreichs eingedrungen iſt und die Freiheit des ganzen übrigen Reiches bedroht, komme ich in Eure Mitte, um die Bande, die Euch mit mir vereinigen und die Kraft des Staates ausmachen, noch feſter zu knüpfen; ich komme, um, indem ich mich an Euch wende, ganz Frankreich meine Geſinnungen und Wünſche darzulegen.

„Ich habe mein Vaterland wieder geſehen; ich habe die verbündeten Mächte, die, bezweifeln Sie nicht, den Verträgen treu ſein werden, welche uns den Frieden zurückgegeben haben, mit ihm ausgeſöhnt; ich habe am Glück meines Volkes gearbeitet; täglich habe ich die rührendſten Beweiſe ſeiner Liebe empfangen und empfange ſie noch; könnte ich im ſechzigſten Jahre meine Laufbahn beſſer beſchließen, als indem ich für ſeine Vertheidigung ſterbe?

„Ich fürchte daher Nichts für mich, aber für Frankreich fürchte ich; der, welcher unter uns die Fackel des Bürgerkrieges anzuzünden kommt, bringt uns auch die Geißel des Kriegs mit den Fremden; er kommt, um unſer Vaterland wieder unter ſein eiſernes Joch zu beugen; er kommt endlich, um die conſtitutionelle Charte zu zerſtören, die ich Euch verliehen habe, dieſe Charte, mein ſchönſter Titel in den Augen der Nachwelt, dieſe Charte, die allen Franzoſen theuer iſt und deren Aufrechterhaltung ich hier gelobe; ſchaaren wir uns daher mit vereinten Kräften um ſie.“

Der König ſprach noch, als eine Wolke Dunkelheit im Saale verbreitete; die Augen aller Anweſenden richteten ſich in die Höhe,

um die Urſache dieſer plötzlichen Nacht zu erforſchen. Als der geſetzgebende Monarch zu ſprechen aufhörte, begannen unter Thränen von Neuem die Rufe: Es lebe der König! — „Die Verſammlung," ſagt der Wahrheit getreu der Moniteur, „hatte ſich, von den erhabenen Worten des Königs elektriſirt, erhoben und ſtreckte die Hände gegen den Thron aus. Man hörte nur die Worte: Es lebe der König! Sterben für den König! Im Leben und Tode dem König! Und ſie wurden mit einer Begeiſterung wiederholt, die alle franzöſiſchen Herzen theilen werden."

Das Schauſpiel war in der That pathetiſch; ein alter gebrechlicher König, der zum Lohne für die Ermordung ſeiner Familie und einer dreiundzwanzigjährigen Verbannung Frankreich den Frieden, die Freiheit, ein Vergeſſen aller Beleidigungen und alles Unglücks gebracht hatte; dieſer Patriarch der Monarchen erklärte den Deputirten der Nation, daß er in ſeinem Alter, nachdem er ſein Vaterland wieder geſehen habe, ſeine Laufbahn nicht beſſer beſchließen könne, als indem er für die Vertheidigung ſeines Volkes ſterbe! Die Prinzen ſchwuren der Charte Treue; als die Letzten traten dieſer ſpäten Eidesleiſtung der Prinz von Condé und der Vater des Herzogs von Enghien bei. Dieſer heldenmüthige, dem Erlöſchen nahe Stamm, dieſer Stamm von patriziſchem Degen, der in der Freiheit einen Schild gegen einen jüngeren, längeren und grauſameren plebejiſchen Degen ſuchte, bot etwas äußerſt Trauriges dar.

Die Rede Ludwig's XVIII, die im Volke bekannt wurde, erregte unausſprechliche Begeiſterung. Paris war ganz royaliſtiſch und blieb es auch während der hundert Tage. Beſonders die Frauen waren Bourboniſtinnen.

Die Jugend betet heutzutage Bonaparte's Andenken an, weil ſie ſich durch die Rolle, welche die jetzige Regierung Frankreich in Europa ſpielen läßt, gedemüthigt fühlt. Im Jahr 1814 begrüßte die Jugend die Reſtauration, weil ſie den Deſpotismus zu Boden

warf und der Freiheit wieder Bahn brach. In den Reihen der königlichen Freiwilligen zählte man Herrn Odilon Barrot, eine große Zahl von Zöglingen der Medicinschule und die ganze Rechtsschule; diese richtete am 13. März folgende Petition an die Deputirtenkammer:

„Meine Herren!

„Wir bieten uns dem König und dem Vaterlande an; die ganze Rechtsschule verlangt zu marschiren. Wir werden weder unsern Monarchen, noch unsere Constitution verlassen. Der französischen Ehre getreu, bitten wir Sie um Waffen. Die Liebe, die wir zu Ludwig XVIII hegen, bürgt Ihnen für die Beständigkeit unserer Hingebung. Wir wollen keine Ketten mehr, wir wollen Freiheit. Wir haben sie und man will sie uns wieder entreißen; wir werden sie bis zum Tode vertheidigen. Es lebe der König! Es lebe die Constitution!"

In dieser energischen, natürlichen und aufrichtigen Sprache macht sich der Edelmuth der Jugend und die Liebe zur Freiheit fühlbar, die welche uns heutzutage sagen, die Restauration sei von Frankreich mit Widerwillen und Schmerz aufgenommen worden, sind entweder Ehrgeizige, die eine Partie spielen, oder junge Leute, die den Druck Bonaparte's nicht gekannt haben, oder alte revolutionäre, kaiserlich gesinnte Lügner, welche, nachdem sie, wie die Andern, die Rückkehr der Bourbonen beklatscht haben, jetzt nach ihrer Gewohnheit schmähen, was gefallen ist, und wieder ihren Neigungen zum Morde, zur Polizei und zur Knechtschaft fröhnen möchten.

Vertheidigungsplan von Paris.

Die Rede des Königs hatte mich mit Hoffnung erfüllt. Bei dem Präsidenten der Abgeordnetenkammer, Herrn Lainé, wurden Conferenzen abgehalten. Ich traf Herrn von Lafayette daselbst

an; dieſen hatte ich ſtets nur von ferne und zwar zu einem andern Zeitpunkte, unter der conſtituirenden Verſammlung geſehen. Die Vorſchläge waren verſchieden, die Mehrzahl ſchwach, wie es in der Gefahr meiſtens der Fall iſt. Die Einen wollten, der König ſolle Paris verlaſſen und ſich nach Havre zurückziehen; die Andern ſprachen davon, ihn in die Vendée zu ſchaffen; dieſe ſtammelten endloſe Phraſen, jene ſagten, man müſſe zuwarten und ſehen, was kommen wolle; und doch war das, was kam, ſehr ſichtbar. Ich ſprach eine ganz andere Anſicht aus. Sonderbar! Herr von Lafayette unterſtützte ſie und zwar mit Wärme.*) Auch Herr Lainé und der Marſchall Marmont waren meiner Meinung. Ich ſagte daher:

„Der König ſoll Wort halten und in ſeiner Hauptſtadt bleiben. Die Nationalgarde iſt für uns. Verſichern wir uns Vincennes. Wir beſitzen Waffen und Geld; mit dem Gelde gewinnen wir die Schwäche und Habſucht für uns. Wenn der König Paris verläßt, ſo wird Paris Bonaparte einlaſſen; als Herr von Paris iſt Bonaparte Herr von Frankreich. Nicht die ganze Armee iſt zu dem Feinde übergegangen, mehrere Regimenter, viele Generäle und Offiziere haben ihren Eid noch nicht gebrochen; bleiben wir feſt, ſie werden treu bleiben. Wir wollen die königliche Familie zerſtreuen und nur den König bei uns behalten. Monſieur ſoll nach Havre, der Herzog von Berry nach Lille, der Herzog von Bourbon in die Vendée, der Herzog von Orleans nach Metz gehen; die Frau Herzogin und der Herr Herzog von Angoulême befinden ſich ſchon im Süden. Unſere verſchiedenen Widerſtandspunkte werden Bonaparte verhindern, ſeine Kräfte zu concentriren. Ver-

*) In Memoiren, die in Bezug auf die mitgetheilten Thatſachen koſtbar ſind und ſeit Herrn Lafayette's Tode veröffentlicht wurden, beſtätigt dieſer die ſonderbare Uebereinſtimmung ſeiner und meiner Meinung bei Bonaparte's Rückkehr. Herr von Lafayette liebte die Ehre und die Freiheit aufrichtig. (Note von Paris, 1840.)

barricadiren wir uns in Paris. Schon kommen die Nationalgarden der benachbarten Departemente uns zu Hülfe. Mitten in dieser Bewegung wird unser alter Monarch unter dem Schutze des Teſtamentes Ludwig's XVI mit der Charte in der Hand ruhig auf ſeinem Throne in den Tuilerien ſitzen bleiben; das diplomatiſche Corps wird ſich um ihn reihen; die beiden Kammern ſollen ſich in den beiden Pavillons des Schloſſes verſammeln, das Haus des Königs ſoll auf dem Carrouſſelplatze und im Garten der Tuilerien campiren. Wir werden die Quai's und die Waſſerterraſſe mit Kanonen bekränzen; Bonaparte ſoll uns in dieſer Stellung angreifen, er ſoll eine unſerer Barricaden nach der andern wegnehmen, er ſoll Paris bombardiren, wenn er will und Mörſer hat; er ſoll ſich bei der ganzen Bevölkerung verhaßt machen und wir wollen ſehen, welche Reſultate ſein Unternehmen haben wird! Leiſten wir nur drei Tage Widerſtand und der Sieg iſt unſer. Vertheidigt ſich der König in ſeinem Schloſſe, ſo wird er eine allgemeine Begeiſterung verurſachen. Und ſoll er zuletzt ſterben, ſo ſterbe er ſeines Ranges würdig; Napoleon's letzte Heldenthat ſei die Erwürgung eines Greiſes. Indem Ludwig XVIII ſein Leben opfert, wird er die einzige Schlacht gewinnen, die er geliefert hat; er wird ſie zum Nutzen der Freiheit des menſchlichen Geſchlechtes gewinnen."

So ſprach ich. Man iſt nie berechtigt, Alles verloren zu geben, wenn man Nichts gewagt hat. Was hätte es Schöneres gegeben, als wenn ein alter Sohn des heiligen Ludwig mit den Franzoſen in einigen Augenblicken einen Mann geſtürzt hätte, zu deſſen Bekämpfung alle gegen ihn verſchworenen Könige Europa's ſo manche Jahre gebraucht hatten.

Dieſer ſcheinbar verzweifelte Entſchluß war im Grunde ſehr vernünftig und bot nicht die geringſte Gefahr. Ich werde immer überzeugt bleiben, daß Bonaparte, wenn er Paris feindlich und den König anweſend gefunden, nicht verſucht hätte, ſie anzugreifen. Ohne Artillerie, ohne Lebensmittel, ohne Geld, hatte er nur Truppen

bei ſich, die ſich auf's Gerathewohl unter ſeiner Fahne geſammelt hatten und noch ſchwankend und zerſtreut über ihren raſchen Kokardenwechſel und ihre auf dem Wege ſo unbedachtſam geleiſteten Eide waren. Einige Stunden Widerſtand hätten Napoleon zu Grunde gerichtet; es bedurfte nur einigen Muthes. Man konnte ſogar ſchon auf einen Theil der Armee zählen, die beiden Schweizerregimenter blieben ihrem Eide treu; ließ nicht der Marſchall Gouvion Saint-Cyr die Garniſon von Orleans zwei Tage nach dem Einzuge Bonaparte's in Paris wieder die weiße Kokarde aufſtecken? Den ganzen März hindurch anerkannte von Marſeille bis Bordeaux Alles die Autorität des Königs; in Bordeaux zögerten die Truppen; ſie wären der Frau Herzogin von Angoulême geblieben, wenn man vernommen hätte, daß der König ſich in den Tuillerien befinde und Paris ſich vertheidige. Die Städte der Provinzen hätten Paris nachgeahmt. Das zehnte Linienregiment ſchlug ſich ſehr gut unter dem Herzog von Angoulême; Maſſena zeigte ſich hinterliſtig und unſchlüſſig; in Lille folgte die Garniſon der feurigen Proclamation des Marſchall Mortier. Wenn trotz einer Flucht alle dieſe Beweiſe einer möglichen Treue ſtattfanden, wie groß wären ſie nicht im Falle eines Widerſtandes geweſen?

Wäre mein Plan angenommen worden, ſo hätten die Fremden nicht neuerdings Frankreich verheert; unſere Prinzen wären nicht mit den feindlichen Armeen zurückgekehrt; die Legitimität wäre durch ſich ſelbſt gerettet worden. Nach dem Erfolge wäre nur Etwas zu befürchten geweſen, das allzu große Vertrauen des Königthums in ſeine Kräfte und demzufolge Unternehmungen auf die Rechte der Nation.

Warum bin ich in eine Epoche gefallen, wo ich ſo ſchlecht am Platze war? Warum war ich Royaliſt gegen meinen Inſtinct, in einer Zeit, wo eine elende Hofrace mich weder hören noch verſtehen konnte? Warum wurde ich in dieſen Trupp von Mittelmäßigkeiten geworfen, die mich für einen Verrückten hielten, wenn ich von Muth, für einen Revolutionär, wenn ich von Freiheit ſprach?

Es handelte ſich wohl um Vertheidigung! Der König hatte keine Furcht und mein Plan gefiel ihm einer gewiſſen Größe à la Ludwig XIV wegen ſehr gut; aber es gab andere lange Geſichter. Man packte die Krondiamanten (einſt aus den Privatgeldern der Monarchen angeſchafft) ein und ließ dreißig Millionen Thaler im Schatze und vierzig Millionen an Staatspapieren zurück. Dieſe fünfundſiebenzig Millionen waren der Ertrag der Auflage; warum gab man ſie nicht lieber dem Volke zurück, als ſie der Tyrannei zu laſſen?

Eine doppelte Proceſſion ſtieg die Treppen des Floropavillons hinauf und hinab; man erkundigte ſich, was man zu thun habe . . . Keine Antwort. Man wandte ſich an den Gardecapitän; man fragte die Kaplane, die Sänger, die Almoſenier . . . Nichts. Leeres Geſchwätz, eitle Neuigkeitskrämereien! Ich ſah junge Leute vor Wuth weinen, indem ſie vergeblich um Befehle und Waffen baten; ich ſah Frauen, denen vor Zorn und Verachtung übel wurde. Zum König zu gelangen, war unmöglich; die Etikette hielt den Zugang verſchloſſen.

Die große gegen Bonaparte erlaſſene Maßregel war, auf ihn loszugehen. Ludwig XVIII, ohne Beine, wollte auf den Eroberer losgehen, der über die Erde wegſchritt. Die Erneuerung dieſer alten Geſetzformel bei dieſer Gelegenheit reicht hin, den Geiſt der Staatsmänner dieſer Epoche zu zeigen. Im Jahr 1815 auf Einen loszugehen! Auf Einen losgehen! Und auf wen? Auf einen Wolf? Auf einen Räuberhauptmann? Auf einen grauſamen Herrn? Nein . . . auf Napoleon, der auf die Könige losgegangen war, ſie ergriffen und ihren Nacken auf immer mit ſeinem unauslöſchlichen N geſtempelt hatte!

Näher betrachtet, ging aus dieſer Verordnung eine politiſche Wahrheit hervor, die Niemand ſah. Der legitime Stamm, der Nation ſeit dreiundzwanzig Jahren fremd, war bei dem Tage und auf dem Platze ſtehen geblieben, wo die Revolution ihn überraſcht hatte, während die Nation in der Zeit und im Raum fortgeſchritten

war. Daher die Unmöglichkeit, ſich zu verſtehen und zu vereinigen; Religion, Ideen, Intereſſen, Sprache, Erde und Himmel, Alles war beim Volke und dem König verſchieden, weil ſie ſich auf ihrem Wege nicht mehr auf dem nämlichen Punkte befanden, weil ſie durch ein Vierteljahrhundert, was Jahrhunderten gleichkommt, getrennt waren.

Wenn aber auch der Befehl, auf Einen loszugehen, durch die Erhaltung des alten Ausdrucks des Geſetzes ſeltſam erſcheint, hatte Bonaparte Anfangs die Abſicht, beſſer zu handeln, indem er eine neue Sprache gebrauchte? Die durch Herrn Artaud inventirten Papiere des Herrn Hauterive beweiſen, daß man trotz des officiellen Artikels des Moniteurs, eines Prunkartikels, der uns geblieben iſt, viel Mühe hatte, Napoleon zu verhindern, den Herzog von Angoulême erſchießen zu laſſen; er fand es unrecht, daß dieſer Prinz ſich vertheidigt hatte. Und doch hatte der Flüchtling von der Inſel Elba, als er Fontainebleau verließ, den Soldaten anbefohlen, dem Monarchen treu zu ſein, den Frankreich ſich erwählt habe. Bonaparte's Familie war geſchont worden; die Königin Hortenſia hatte von Ludwig XVIII den Titel einer Herzogin von Saint-Leu angenommen; Murat, welcher noch in Neapel regierte, ſah ſein Königreich erſt während des Wiener Congreſſes durch Herrn von Talleyrand verkauft. Dieſe Epoche, wo es Allen an Redlichkeit gebrach, ſchnürt das Herz zuſammen. Jeder warf gleichſam als einen Paſſirſchein, um die Schwierigkeit des Tages zu überſchreiten, und nach überſchrittener Schwierigkeit im Stande zu ſein, wieder eine andere Richtung einzuſchlagen, ſein Glaubensbekenntniß vor ſich her. Die Jugend allein war aufrichtig, weil ſie ihrer Wiege noch nahe ſtand. Bonaparte erklärt feierlich, daß er auf die Krone verzichtet; er reist ab und kommt nach Verfluß von neun Monaten wieder. Benjamin Conſtant läßt ſeine energiſche Proteſtation gegen den Tyrannen drucken und ſattelt binnen vierundzwanzig Stunden um. Man wird ſpäter, in einem andern Buche dieſer Memoiren ſehen, wer ihm dieſe edle Regung einflößte,

welcher treu zu bleiben die Beweglichkeit ſeiner Natur ihm nicht geſtattete. Der Marſchall Soult reizt die Truppen gegen ihren alten Feldherrn auf; einige Tage ſpäter lacht er in Napoleon's Cabinet in den Tuilerieen hellauf über ſeine Proclamation und wird Generalmajor der Armee bei Waterloo. Der Marſchall Ney küßt dem König die Hände und ſchwört, ihm Bonaparte in einem eiſernen Käfig zu bringen, und er liefert dieſem alle Truppencorps aus, die er verlangt. Ach, und der König von Frankreich? ... Er erklärt, er könne im ſechzigſten Jahre ſeine Laufbahn nicht beſſer beſchließen, als wenn er für die Vertheidigung ſeines Volkes ſterbe ... und er flieht nach Gent! Bei einer ſolchen Unmöglichkeit von Wahrheit der Geſinnungen, bei einem ſolchen Mangel an Uebereinſtimmung zwiſchen den Worten und Handlungen fühlt man ſich vom Eckel gegen das Menſchengeſchlecht erfaßt.

Am 20. März erklärte Ludwig XVIII, in Frankreich ſterben zu wollen. Hätte er Wort gehalten, ſo konnte die Legitimität noch ein Jahrhundert dauern; die Natur ſelbſt ſchien dem alten König die Fähigkeit benommen zu haben, ſich wegzubegeben, indem ſie ihn durch erſprießliche Gebrechlichkeiten feſſelte; allein die künftigen Geſchicke des Menſchengeſchlechts wären durch die Ausführung des Beſchluſſes des Gründers der Charte gehemmt worden. Bonaparte eilte der Zukunft zu Hülfe; dieſer Chriſtus des Böſen nahm den neuen Gichtbrüchigen bei der Hand und ſagte zu ihm: Stehe auf, nimm Dein Bett und wandle! Surge, tolle lectum tuum."

Flucht des Königs. — Ich reiſe mit Frau von Chateaubriand ab. — Verlegenheit auf dem Wege. — Der Herzog von Orleans und der Prinz von Condé. — Tournai, Brüſſel. — Erinnerungen. — Der Herzog von Richelieu. — Der König ruft mich zu ſich nach Gent.

Augenſcheinlich dachte man an's Durchbrennen. In der Befürchtung, zurückgehalten zu werden, benachrichtigte man nicht einmal Die davon, welche, wie ich, eine Stunde nach Napoleon's Einzug in Paris erſchoſſen worden wären. Ich begegnete dem Herzog von Richelieu in den Elyſäiſchen Feldern. „Man hintergeht uns," ſagt er zu mir, „ich ziehe hier auf die Wache, denn ich habe nicht im Sinn, ganz allein den Kaiſer in den Tuilerieen zu erwarten."

Frau von Chateaubriand hatte am Abend des 19. einen Bedienten auf den Carrouſſelplatz geſchickt, mit dem Befehl, erſt nachdem er die Gewißheit von der Flucht des Königs haben würde, zurückzukehren. Um Mitternacht war der Bediente noch nicht heimgekommen und ich legte mich zu Bette. Kaum befand ich mich darin, ſo trat Herr Clauſel von Couſſergues ein. Er theilte uns mit, daß Se. Majeſtät abgereist ſei und ſich nach Lille wende. Er brachte mir dieſe Nachricht von Seiten des Kanzlers, welcher, da er mich in Gefahr wußte, um meinetwillen das Geheimniß verletzte und mir zwölftauſend Franken als rückſtändigen Gehalt meines ſchwediſchen Geſandtſchaftspoſtens ſandte. Ich wollte beharrlich bleiben und Paris erſt verlaſſen, wenn ich mich perſönlich von der königlichen Räumung des Platzes überzeugt haben würde. Der zur Entdeckung ausgeſandte Bediente kam zurück; er hatte die Wagen aus dem Hofe fahren ſehen. Am 20. März um vier Uhr Morgens ſtieß mich Frau von Chateaubriand in ihren Wagen. Ich befand mich in einem ſolchen Anfall von Wuth, daß ich weder wußte, wohin ich ging, noch was ich that.

Wir fuhren zur Barrière Saint-Martin hinaus. Bei der Morgendämmerung ſtiegen die Raben friedlich von den kleinen, längs der Hauptſtraße befindlichen Buchen herab, auf welchen ſie die Nacht zugebracht hatten, um, unbekümmert um Ludwig XVIII und Napoleon, ihr Morgenbrot einzunehmen. Sie waren nicht genöthigt, ihr Vaterland zu verlaſſen, und machten ſich, Dank ihren Schwingen, Nichts aus dem ſchlechten Wege, auf welchem ich ſo derb zuſammengerüttelt wurde. Alte Freunde von Comburg, wir hatten mehr mit einander gemein, als wir vormals bei Tagesanbruch in unſern Gebüſchen der Bretagne Brombeeren mit einander frühſtückten!

Die Landſtraße war bodenlos, das Wetter regneriſch, Frau von Chateaubriand leidend; alle Augenblicke ſchaute ſie durch das im Hintergrunde des Wagens befindliche Fenſterchen, ob wir nicht verfolgt würden. Wir übernachteten in Amiens, dem Geburtsorte Du Cange's; dann in Arras, der Vaterſtadt Robespierre's. Hier wurde ich erkannt. als ich am Morgen des 22. nach Pferden ſchickte, gab der Poſtmeiſter vor, ſie ſeien für einen General beſtimmt, der die Nachricht von dem triumphirenden Einzuge des Kaiſers und Königs in Paris nach Lille bringe. Frau von Chateaubriand ſtarb faſt vor Angſt, nicht um ihret-, ſondern um meinetwillen. Ich eilte auf die Poſt, und mit Geld vermochte ich die Schwierigkeit zu heben.

Als wir am 23. um zwei Uhr Morgens bei den Wällen von Lille ankamen, fanden wir die Thore verſchloſſen, es war Befehl ertheilt worden, ſie Niemanden, wer es auch ſei, zu öffnen. Man konnte oder wollte uns nicht ſagen, ob der König in der Stadt ſei. Mittelſt einiger Louisd'or vermochte ich den Poſtillon, außerhalb des Glacis die andere Seite des Platzes zu gewinnen und uns nach Tournay zu führen. Im Jahr 1792 hatte ich mit meinem Bruder dieſen nämlichen Weg zu Fuß und bei Nachtzeit gemacht.

In Tournay angekommen, vernahm ich mit Gewißheit, daß Ludwig XVIII ſich mit dem Marſchall Mortier in Lille befinde

und ſich dort zu vertheidigen gedenke. Ich ſandte einen Curier an Herrn von Blacas ab und bat ihn, mir einen Einlaßſchein zu ſchicken. Mein Curier kam zwar mit einem Erlaubnißſchein zurück, aber ohne ein Wort von Herrn von Blacas. Ich ließ Frau von Chateaubriand in Tournay und beſtieg wieder den Wagen, um mich nach Lille zu begeben, als der Prinz von Condé ankam. Durch dieſen erfuhren wir, daß der König abgereist ſei und der Marſchall Mortier ihn bis zur Gränze habe begleiten laſſen. Dieſen Erklärungen zufolge war es bewieſen, daß Ludwig XVIII nicht mehr in Lille war, als mein Brief daſelbſt ankam.

Der Herzog von Orleans folgte dem Prinzen von Condé auf dem Fuße, dem Anſcheine nach unzufrieden, war er im Grunde froh, ſich außerhalb des Tumultes zu befinden; die Zweideutigkeit ſeiner Erklärung und ſeines Benehmens trugen das Gepräge ſeines Charakters. Was den alten Prinzen von Condé betrifft, ſo war die Emigration ſein Hausgott. Er fürchtete ſich nicht vor Herrn von Bonaparte; er ſchlug ſich, wenn man wollte, er ging fort, wenn man wollte; die Dinge waren in ſeinem Kopfe ein Bischen verworren: er wußte nicht recht, ob er in Rocroi anhalten ſollte, um dort eine Schlacht zu liefern, oder ob er im Grand-Cerf zu Mittag ſpeiſen ſollte. Er brach einige Stunden vor uns ſeine Zelte ab und beauftragte mich, den Kaffee des Gaſthofes Denjenigen ſeines Hauſes zu empfehlen, die hinter ihm herkamen. Er wußte nicht, daß ich beim Tode ſeines Enkels meine Entlaſſung eingereicht hatte; er war nicht ganz gewiß, ob er einen Enkel gehabt habe; er fühlte in ſeinem Namen nur einen Zuwachs von Ruhm, der wohl von irgend einem Condé herrühren mochte, den er ſich nicht mehr in's Gedächtniß zurückrufen konnte.

Erinnert man ſich meiner erſten Reiſe durch Tournay mit meinem Bruder, zur Zeit meiner erſten Emigration? Erinnert man ſich bei dieſer Gelegenheit des in einen Eſel verwandelten Menſchen, der Tochter der Pflugohren, aus welcher Getreideähren herausfielen, des Regens von Raben, die überall Feuer anlegten?

Im Jahr 1815 waren wohl wir ſelbſt ein Regen von Raben, legten aber nirgends Feuer an. Ach, mein unglücklicher Bruder war nicht mehr bei mir! Zwiſchen den Jahren 1792 und 1815 waren die Republik und das Kaiſerreich vorübergezogen, und welche Revolutionen hatten ſich auch in meinem Leben ereignet! Die Zeit hatte mich verheert, wie alles Uebrige. Und ihr, ihr jungen Generationen des Augenblicks, laßt noch dreiundzwanzig Jahre vorbeigehen und ſagt dann meinem Grabe, wie es mit eurer Liebe und euren Täuſchungen von heutzutage ſtehe.

Auch die beiden Brüder Bertin waren nach Tournay gekommen. Herr Bertin de Veaux kehrte nach Paris zurück; der andere Bertin, der ältere, war mein Freund. Man weiß aus dieſen Memoiren, was mich an ihn feſſelte.

Von Tournay gingen wir nach Brüſſel; hier traf ich weder den Baron von Breteuil, noch Rivarol, noch alle die jungen Adjutanten, welche entweder geſtorben oder alt geworden ſind, was eines und daſſelbe iſt. Von dem Barbier, der mir Aſyl gegeben hatte, konnte ich Nichts erfahren. Ich ergriff nicht die Muskete, ſondern die Feder; aus einem Soldaten war ich ein Papierverſchmierer geworden. Ich ſuchte Ludwig XVIII; er war in Gent, wohin ihn die Herren von Blacas und von Duras geführt hatten; ihre Abſicht war Anfangs geweſen, den König nach England einzuſchiffen. Wenn der König in dieſen Plan gewilligt hätte, ſo würde er den Thron nie wieder beſtiegen haben.

Als ich mich zur Beſichtigung einer Wohnung in ein Hôtel garni begab, traf ich den Herzog von Richelieu daſelbſt, welcher halb liegend auf einem Sopha im Hintergrund eines dunkeln Zimmers rauchte. Er äußerte ſich auf die roheſte Weiſe über die Prinzen und erklärte, daß er nach Rußland gehe und von dieſen Leuten Nichts mehr wiſſen wolle. Die Frau Herzogin von Duras, welche nach Brüſſel gekommen war, hatte den Schmerz, dort ihre Nichte zu verlieren.

Vor der Hauptſtadt von Brabant habe ich einen Abſcheu;

ſie hat mir in meinen Verbannungen ſtets nur zum Durchpaß gedient und mir oder meinen Freunden immer Unglück gebracht.

Ein Befehl des Königs rief mich nach Gent. Die königlichen Freiwilligen und die kleine Armee des Herzogs von Berry waren in Bethune mitten im Kothe und den Unfällen einer militäriſchen Räumung abgedankt worden; man hat ſich ein rührendes Lebewohl geſagt. Zweihundert männliche Angehörige des königlichen Hauſes blieben und wurden in Aloſt cantonnirt; meine beiden Neffen, Ludwig und Chriſtian von Chateaubriand, gehörten zu dieſem Corps.

Die hundert Tage in Gent. — Der König und ſein Rath. — Ich werde Interimsminiſter des Innern. — Herr von Lally-Tollendal. — Die Frau Herzogin von Duras. — Der Marſchall Victor. — Der Abbé Louis und der Graf Beugnot. — Der Abbé von Montesquiou. — Fiſcheſſen; Tiſchgenoſſen.

Man hatte mir ein Logisbillet gegeben, doch machte ich keinen Gebrauch davon. Eine Baroneſſe, deren Namen ich vergeſſen habe, beſuchte Frau von Chateaubriand im Gaſthofe und bot uns eine Wohnung bei ihr an. Sie bat uns gar anmuthig! „Sie müſſen nicht beachten," ſagte ſie zu uns, „was mein Mann Ihnen erzählen wird; ſein Kopf iſt . . . . Sie verſtehen? Auch meine Tochter iſt ein Bischen wunderlich; ſie hat fürchterliche Augenblicke, das arme Kind! Doch iſt ſie übrigens ſanft wie ein Lamm. Ach, aber nicht die verurſacht mir den meiſten Kummer, ſondern mein Sohn Ludwig, das jüngſte meiner Kinder. Wenn Gott hier ſeine Hand nicht zeigt, ſo wird er ſchlimmer als ſein Vater." Frau von Chateaubriand lehnte es höflich ab, bei ſo vernünftigen Leuten zu wohnen.

Als der König gehörig logirt war und ſeinen Dienſt und

ſeine Wachen wieder um ſich hatte, bildete er ſeinen Rath. Das Reich dieſes großen Monarchen beſtand aus einem Hauſe im Königreich der Niederlande, welches Haus in einer Stadt lag, die, obwohl Karl's des Fünften Geburtsſtadt, der Hauptort einer Präfectur Bonaparte's geweſen war. Dieſe Namen machen eine ziemlich große Zahl von Ereigniſſen und Jahrhunderten aus.

Da ſich der Abbé von Monteſquiou in London befand, ſo ernannte mich Ludwig XVIII zum Interimsminiſter des Innern. Mein Verkehr mit den Departements machte mir nicht viel Arbeit: ich erhielt meine Correſpondenz mit den Präfecten, Unterpräfecten, Maires und Adjuncten unſerer guten Städte innerhalb unſerer Gränzen leicht auf dem Laufenden; ich unternahm keine großen Straßenausbeſſerungen und ließ die Thürme einfallen. Mein Budget bereicherte mich nicht, ich hatte keine geheimen Fonds; in Folge eines ſchreienden Mißbrauchs häufte ich mehrere Aemter auf mich; ich war immer noch bevollmächtigter Geſandter Sr. Majeſtät bei dem König von Schweden, der wie ſein Landsmann Heinrich IV, wenn nicht kraft des Rechtes der Geburt, doch kraft des Eroberungsrechtes regierte. Unſere Verhandlungen wurden an einem mit einem grünen Teppich bedeckten Tiſche im Cabinet des Königs gepflogen. Herr von Lally-Tollendal, der, glaub' ich, Miniſter des öffentlichen Unterrichts war, hielt Reden, die noch breiter und ſtrotzender als ſeine Perſon waren; er citirte ſeine erlauchten Vorfahren, die Könige von Irland, und warf den Prozeß ſeines Vaters mit dem Karl's I und Ludwig's XVI unter einander. Abends ruhte er von den Thränen, dem Schweiß und dem Wortſchwall, die er im Rathe vergoſſen, bei einer Dame aus, welche vor Begeiſterung für ſein Genie aus Paris herbeigeeilt war; er ſuchte, tugendhaft, ſie zu heilen, allein ſeine Beredtſamkeit täuſchte ſeine Tugend und trieb den Pfeil nur noch tiefer ein.

Die Frau Herzogin von Duras hatte ſich zu dem Herrn Herzog von Duras begeben, der ſich unter den Verbannten befand. Ich will nicht mehr mit dem Unglück grollen, da es mir einen

dreimonatlichen Umgang mit dieſer trefflichen Frau ſchenkte, in welchem wir Alles beſprachen, was redliche Geiſter und Herzen in einer Uebereinſtimmung des Geſchmacks, der Ideen, Grundſätze und Gefühle finden können. Frau von Duras war zu meinen Gunſten ehrgeizig; ſie allein gewahrte gleich Anfangs, was ich in der Politik werth ſein möchte; ſie war immer untröſtlich über den Neid und die Verblendung, die mich von dem Rathe des Königs fern hielten, allein noch untröſtlicher war ſie über die Hinderniſſe, die mein Charakter meinem Glück in den Weg legte. Sie ſchalt mich, ſie wollte mich von meiner Sorgloſigkeit, von meinem Freimuth, meinem ungekünſtelten Weſen heilen und mir Gewohnheiten beibringen, die ſie ſelbſt nicht ausſtehen konnte. Nichts veranlaßt wohl mehr zur Anhänglichkeit und Erkenntlichkeit, als ſich unter dem Schutze einer höhern Freundſchaft zu fühlen, die kraft ihrer Gewalt über die Geſellſchaft unſere Fehler als gute Eigenſchaften, unſere Unvollkommenheiten als Reize hinzuſtellen weiß. Ein Mann beſchützt uns vermöge ſeines Werthes, eine Frau vermöge unſers Werthes; deßhalb iſt von dieſen zwei Herrſchaften die eine ſo unangenehm, die andere ſo ſüß.

Seit ich dieſe ſo hochherzige Perſon mit der edeln Seele und dem Geiſte, der Etwas von der Gedankenkraft der Frau von Staël mit dem anmuthigen Talente der Frau von Lafayette in ſich vereinigte, verloren habe, muß ich mir, während ich ſie beweine, unaufhörlich die Launen zum Vorwurf machen, durch welche ich zuweilen die mir ergebenen Herzen betrüben konnte. Wir ſollten ſehr über unſern Charakter wachen und bedenken, daß wir bei einer innigen Anhänglichkeit nichtsdeſtoweniger ein Leben vergiften können, das wir mit dem Preiſe all unſers Blutes wieder erkaufen möchten! Womit können wir unſer Unrecht gut machen, wenn unſere Freunde im Grabe ruhen? Helfen unſere nutzloſen Klagen, unſere vergebliche Reue dem ihnen verurſachten Schmerze ab? Ein Lächeln von uns bei ihren Lebzeiten wäre ihnen lieber geweſen, als alle unſere Thränen nach ihrem Tode.

Die reizende Clara (die Frau Herzogin von Rauzan) befand ſich mit ihrer Mutter in Gent. Wir Zwei machten unter uns ſchlechte Verſe nach der Melodie der Tyrolienne. Ich habe manche ſchöne Enkelin auf meinen Knieen geſchaukelt, die jetzt junge Großmütter ſind. Hat man eine Frau, deren Hochzeit im ſechszehnten Jahre man beigewohnt, ſeither nicht mehr geſehen und kommt man nach ſechszehn Jahren wieder, ſo wird man ſie im gleichen Alter finden. Sagt man: „Ach, Madame, Sie ſind um keinen Tag älter geworden!“ ſo erhält man zur Antwort: „Unſtreitig, aber das ſoll wohl der Tochter gelten, der Tochter, die Sie auch wieder zum Altar führen werden.“ — Wir aber, die traurigen Zeugen der beiden Hymen, wir ſtecken die ſechszehn Jahre, die wir bei jeder Verbindung erhalten haben, als ein Hochzeitgeſchenk ein, das unſere eigene Heirath mit einer bleichen und ziemlich magern Dame beſchleunigen wird.

Der Marſchall Victor hatte ſich mit einer bewunderungswürdigen Einfachheit neben uns in Gent niedergelaſſen; er verlangte Nichts; beläſtigte den König nie mit ſeinem Dienſteifer; man ſah ihn ſelten; ich weiß nicht, ob man ihm nur je die Ehre und die Gnade erwies, ihn zu Sr. Majeſtät Tafel zu laden. Ich traf den Marſchall Victor ſpäter wieder, war ſein College im Miniſterium, und immer ſchien er mir die gleiche treffliche Natur. Im Jahr 1823 benahm ſich der Dauphin mit großer Härte gegen dieſen ehrenwerthen Militär; der Herzog von Belluna war doch ſehr gut, daß er eine ſo bequeme Undankbarkeit mit einer ſo beſcheidenen Hingebung bezahlte! Die Redlichkeit reißt mich hin und rührt mich ſelbſt dann, wenn ſie bei gewiſſen Gelegenheiten in Ausdrücke von höchſter Naivetät verfällt. So hat mir der Marſchall den Tod ſeiner Frau in wahrer Soldatenſprache erzählt und mich zum Weinen gebracht; er ſprach anſtößige Worte ſo ſchnell aus und veränderte ſie mit ſolcher Keuſchheit, daß man ſie ſogar hätte ſchreiben können.

Herr von Vaublanc und Herr Capelle fanden ſich auch wieder

bei uns ein. Erſterer behauptete, von Allem Etwas in ſeinem Portefeuille zu haben. Wollt Ihr etwas Montesquiou? Hier; ... etwas Boſſuet? Da. Je nachdem die Partie dieſe oder jene Geſtalt annehmen zu wollen ſchien, langten auch verſchiedene Reiſende bei uns an.

Der Abbé Louis und der Herr Graf Beugnot ſtiegen in dem Gaſthof ab, wo ich wohnte. Frau von Chateaubriand hatte ſchreckliche Beklemmungen, ich wachte daher bei ihr. Die beiden Neuangekommenen nahmen ein Zimmer in Beſchlag, das nur durch eine dünne Breiterwand von dem meiner Frau getrennt war. Um Nichts zu verſtehen, hätte man ſich durchaus die Ohren verſtopfen müſſen. Zwiſchen elf und zwölf Uhr Nachts erhoben nun die Abgeſetzten ihre Stimme. Der Abbé Louis, der wie ein Wolf und ſtoßweiſe brüllte, ſagte zu Herrn Beugnot:

„Du, Miniſter? Du wirſt es nie mehr! Du haſt nur Dummheiten gemacht!"

Ich verſtand die Antwort des Herrn Grafen Beugnot nicht deutlich, doch ſprach er von 33 im königlichen Schatze zurückgelaſſenen Millionen. Der Abbé ſtieß, vermuthlich im Zorn, ſo heftig an einen Stuhl, daß dieſer umfiel. Bei dem Gepolter vernahm ich die Worte:

„Der Herzog von Angoulême? Er muß Nationalgut an der Barrière von Paris kaufen. Ich werde den Reſt der Staatswaldungen verkaufen. Ich werde Alles abſchneiden, die Ulmen an der Heerſtraße, das Wäldchen von Boulogne, das Gehölze der elyſäiſchen Felder. Zu was nützt das? he!"

Die Rohheit war das Hauptverdienſt des Herrn Louis, ſein Talent war eine dünne Liebe für materielle Intereſſen. Wenn der Finanzminiſter die Wälder nach ſich ſchleppte, beſaß er ohne Zweifel ein anderes Geheimniß, als Orpheus, der mittelſt ſeiner ſchönen Leier die Wälder hinter ſich herzog. Im Rothwälſch der Zeit nannte man Herrn Louis einen Hauptkerl; ſein finanzielles Hauptſtück war, das Geld der Steuerpflichtigen

in der Schatzkammer aufzuhäufen, um ſich daſſelbe durch Bonaparte nehmen zu laſſen. Höchſtens für das Directorium tauglich, hatte Napoleon Nichts von dieſem Hauptkerl wiſſen wollen, der keineswegs ein einziger Mann war.

Der Abbé Louis war nach Gent gekommen, um ſein Miniſterium wieder zu fordern; er ſtand ſehr gut mit Herrn von Talleyrand, mit dem er bei der erſten Föderation auf dem Marsfelde feierlichen Gottesdienſt gehalten hatte. Der Biſchof machte den Prieſter, der Abbé Louis den Diaconus und der Abbé d'Ernaud den Unterdiaconus. Als Herr von Talleyrand ſich einſt dieſer bewunderungswürdigen Entweihung erinnerte, ſagte er zu dem Baron Louis: „Abbé, Du warſt doch ſehr ſchön als Diaconus auf dem Marsfelde!"

Wir haben dieſe Schmach unter Bonaparte's großer Tyrannei erduldet; mußten wir ſie auch ſpäter noch erdulden?

Der allerchriſtlichſte König hatte ſich vor jedem Vorwurfe der Scheinheiligkeit ſicher geſtellt; er beſaß in ſeinem Rathe einen verheirateten Biſchof, Herrn von Talleyrand, einen im Concubinat lebenden Prieſter, Herrn Louis, einen wenig functionirenden Abbé, Herrn von Motesquiou.

Dieſer Letztere, hitzig, wie ein mit der Bruſtkrankheit behafteter Menſch, beſaß bei einer gewiſſen Leichtigkeit im Reden ein engherziges und verleumderiſches Weſen, ein feindſeliges Gemüth, einen bittern Charakter. Als ich eines Tages in Luxemburg für die Preßfreiheit geredet hatte, ging der Abkömmling von Chlodwig, der nur von dem Bretagner Mormoran herſtammte, an mir vorbei und verſetzte mir mit dem Kniee einen derben Stoß in den Schenkel, was gar nicht von gutem Geſchmacke zeugte; ich gab ihm denſelben zurück, was auch nicht höflich war, kurz, wir ſpielten Coadjutor und Herzog von La Rochefoucauld. Der Abbé von Montesquiou nannte lächerlicherweiſe den Herrn von Lally-Tolendal „ein Thier à l'anglaiſe."

Man fängt in dem Fluß von Gent einen äußerſt delicaten

Weißfiſch. In Erwartung der Schlachten und des Endes des Kaiſerreichs gingen wir tutti quanti oft in eine Schenke, um uns an dieſem trefflichen Fiſche zu laben. Auch Herr von Laborie fehlte nicht dabei; ich hatte ihn zum erſten Mal in Savigny angetroffen, als er, vor Bonaparte fliehend, durch ein Fenſter zu Frau von Beaumont hineinſtieg und ſich durch ein anderes flüchtete. Unermüdlich bei der Arbeit, vervielfältigte er ſeine Gänge wie ſeine Billete und erwies ſo gerne Dienſte, als Andere ſie empfangen. Er iſt verleumdet worden; die Verleumdung iſt aber keine Anklage des Verleumdeten, ſondern eine Entſchuldigung des Verleumders. Ich ſah, daß man Verſprechungen, an denen Herr Laborie reich war, müde ward; aber warum? Die Chimären ſind wie die Tortur; ſie vertreiben uns immer eine oder zwei Stunden die Zeit. Ich habe oft mit einem goldenen Zügel alte Mähren von Erinnerungen, die ſich nicht aufrecht halten konnten, und welche ich für junge luſtige Hoffnungen hielt, an der Hand geführt.

Bei den Fiſcheſſen ſah ich auch Herrn Mounier, einen vernünftigen und biedern Mann. Herr Guizot geruhte ebenfalls, uns mit ſeiner Gegenwart zu beehren.

Fortſetzung der hundert Tage in Gent. — Moniteur von Gent. — Mein Bericht an den König. — Der Eindruck, den dieſer Bericht in Paris machte. — Fälſchung.

Man hatte in Gent einen Moniteur errichtet. Mein Bericht an den König, der in dieſes Journal eingerückt wurde, beweist, daß meine Geſinnungen über die Preßfreiheit und die fremde Oberherrſchaft zu allen Zeiten die nämlichen waren. Ich darf dieſe Stellen heutzutage wohl anführen; ſie ſtrafen mein Leben nicht Lügen:

„Sire, Sie schickten sich an, die Institutionen zu krönen, deren Grundstein Sie gelegt haben . . . Sie hatten einen Zeitpunkt für den Beginn der erblichen Pairswürde festgesetzt; das Ministerium hätte mehr Einigkeit erlangt; die Minister wären, nach dem Geist der Charte selbst, Mitglieder der beiden Kammern geworden; es wäre ein Gesetz erlassen worden, wornach man vor dem vierzigsten Jahre zum Mitglied der Deputirtenkammer hätte gewählt werden können und wodurch den Bürgern eine wirkliche politische Laufbahn eröffnet worden wäre. Man wollte sich mit einem Strafcodex für die Preßvergehen beschäftigen und es wäre die Presse nach der Annahme seiner Gesetze gänzlich frei gewesen; diese Freiheit aber ist von jeder Repräsentativregierung unzertrennlich . . . . . .

„Sire, hier bietet sich die Gelegenheit, es feierlichst zu bekräftigen; alle Minister, alle Glieder ihres Rathes sind an die unverletzlichen Grundsätze einer weisen Freiheit gebunden; sie schöpfen aus ihnen jene Liebe zu den Gesetzen, zur Ordnung und Gerechtigkeit, ohne die es für ein Volk kein Glück gibt. Sire, es sei uns erlaubt, Ihnen zu sagen, daß wir bereit sind, den letzten Tropfen unseres Blutes für Sie zu vergießen. Ihnen an's Ende der Erde zu folgen, die Trübsal mit Ihnen zu theilen, die Ihnen zu schicken dem Allmächtigen gefallen wird, weil wir vor Gott glauben, daß Sie die Constitution, die Sie Ihrem Volke gegeben, aufrecht erhalten werden und daß der aufrichtigste Wunsch Ihrer königlichen Seele die Freiheit der Franzosen ist. Wäre dem anders gewesen, Sire, so wären wir zwar immerhin zu Ihren Füßen für die Vertheidigung Ihrer gehelligten Person gestorben; allein wir wären nur noch Ihre Soldaten gewesen, wir hätten aufgehört, Ihre Räthe und Minister zu sein.

. . . . . .

„Sire, wir theilen in diesem Augenblicke Ihre königliche Traurigkeit; jeder Ihrer Räthe und Ihrer Minister würde sein Leben geben, um einer Invasion in Frankreich zuvorzukommen! Sire,

Sie ſind Franzoſe, wir ſind Franzoſen. Die Ehre unſeres Vaterlandes hochhaltend, ſtolz auf den Ruhm unſerer Waffen, Bewunderer des Muthes unſerer Soldaten, möchten wir mitten in ihren Bataillonen den letzten Tropfen unſeres Blutes vergießen, um ſie zu ihrer Pflicht zurückzuführen oder rechtmäßige Triumphe mit Ihnen zu theilen. Nur mit dem tiefſten Schmerze ſehen wir, welche Uebel über unſer Land hereinzubrechen drohen."

Ich machte alſo in Gent den Vorſchlag, der Charte das ihr noch Mangelnde zu verleihen, und zeigte meinen Schmerz über den neuen Einfall, der Frankreich bedrohte. Und doch war ich nur ein Verbannter, deſſen Wünſche mit den Thaten, die mir die Thüren meines Vaterlandes wieder öffnen konnten, im Widerſpruch ſtanden. Dieſe Seiten wurden in den Staaten der verbündeten Monarchen unter Königen und Emigranten geſchrieben, denen die Preßfreiheit ein Gräuel war, mitten unter Armeen, die auf Eroberungen marſchirten und deren Gefangene wir ſo zu ſagen waren. Dieſe Umſtände leihen vielleicht den Geſinnungen, die ich auszudrücken wagte, noch etwas mehr Kraft.

Mein nach Paris gelangter Bericht fand großen Anklang daſelbſt; er wurde durch Herrn Le Normant, Sohn, nachgedruckt, der bei dieſer Gelegenheit ſein Leben auf's Spiel ſetzte und für den das armſelige Patent eines königlichen Hofbuchdruckers zu erhalten ich mir alle erdenkliche Mühe geben mußte. Bonaparte handelte oder ließ in Bezug auf meinen Bericht auf eine ſeiner nicht ſehr würdige Weiſe handeln; man that, was das Directorium beim Erſcheinen der Memoiren von Cléry gethan hatte: man verfälſchte Bruchſtücke deſſelben. Man unterſchob mir die Dummheiten, ich hätte Ludwig XVIII den Vorſchlag zur Wiederherſtellung der Feudalrechte, der Zehnten für die Geiſtlichkeit, zur Wiedereinziehung der Nationalgüter gemacht, als würde der Druck des Originalartikels im Moniteur von Gent mit dem beſtimmten und bekannten Datum nicht den Betrug an's Licht bringen; doch man bedurfte für eine Stunde einer Lüge. Der mit der Abfaſſung

dieſes aller Wahrheit entbehrenden Pamphletes beauftragte Pſeudonym war eine Militärperſon von ziemlich hohem Range; er wurde nach den hundert Tagen abgeſetzt; man begründete ſeine Abſetzung durch das Benehmen, das er ſich gegen mich zu Schulden kommen ließ. Er ſchickte ſeine Freunde zu mir, dieſe erſuchten mich um meine Vermittlung, damit ein Mann von Verdienſt nicht ſeine einzigen Exiſtenzmittel verliere. Ich ſchrieb an den Kriegsminiſter und erhielt einen Ruhegehalt für dieſen Offizier. Er iſt jetzt todt; die Frau dieſes Offiziers aber iſt der Frau von Chateaubriand mit einer Erkenntlichkeit anhänglich geblieben, auf die ich im Entfernteſten keine Rechte hatte. Gewiſſe Verfahrungsweiſen werden viel zu hoch geſchätzt und die gewöhnlichſten Perſonen ſind für den Edelmuth empfänglich. Man verſchafft ſich mit geringer Mühe einen Ruf von Tugend; die edelſte Seele iſt nicht die, welche verzeiht, ſondern die, welche keiner Verzeihung bedarf.

Ich weiß nicht, wie Bonaparte auf St. Helena finden konnte, daß ich in Gent weſentliche Dienſte geleiſtet hätte. Wenn er meine Rolle allzu günſtig beurtheilte, ſo lag in dieſem Urtheil doch wenigſtens eine Würdigung meines politiſchen Werthes.

Fortſetzung der hundert Tage in Gent. — Das Beguinenkloſter. — Wie ich empfangen wurde. — Großes Mittageſſen. — Reiſe der Frau von Chateaubriand nach Oſtende. — Antwerpen. — Ein Stotterer. — Tod einer jungen Engländerin.

Ich hielt mich in Gent, ſo viel ich konnte, von den Intriguen fern, die meinem Charakter zuwider und meinen Augen verächtlich waren, denn im Grund erblickte ich in unſerer kleinlichen Kataſtrophe eine Kataſtrophe der Geſellſchaft. Mein Zufluchtsort gegen die Müßiggänger und Laſſen war der Hof des Beguinen-

kloſters. Ich durchwanderte dieſe kleine Welt von Frauen im Nonnenſchleier, welche ſich verſchiedenen chriſtlichen Werken geweiht hatten; es war eine friedliche Region mitten in den Stürmen, gleich den beweglichen afrikaniſchen Sandbänken. Keine Ungereimtheit verletzte hier meine Ideen, denn das religiöſe Gefühl iſt ſo ſtark, daß es den ernſteſten Revolutionen nie fremd bleibt. Die Einſiedler von Thebais und die Barbaren, die Zerſtörer der römiſchen Welt, ſind keine unharmoniſchen Thatſachen und Exiſtenzen, die ſich ausſchließen.

Als Verfaſſer des Geiſtes des Chriſtenthums wurde ich im Kloſter ſehr zuvorkommend empfangen. Ueberall unter den Chriſten, wo ich hinkomme, kommen mir die Geiſtlichen entgegen, dann bringen mir die Mütter ihre Kinder und Andere ſagen mir mein Kapitel über die erſte Communion her. Auch Unglückliche finden ſich ein und ſagen mir, welche Wohlthat ihnen zu erweiſen ich das Glück hatte. Meine Durchreiſe durch eine katholiſche Stadt wird angekündigt als die eines Miſſionärs und Arztes. Dieſer doppelte Ruf rührt mich; er iſt die einzige angenehme Erinnerung, die ich von meiner Perſon beibehalten habe; meine ganze übrige Perſönlichkeit und mein Ruf mißfallen mir.

Ich wurde ziemlich oft von Herrn und Frau von Ops zu Familienfeſten eingeladen. Dieſes ehrwürdige Elternpaar ſah ſich von ungefähr dreißig Nachkommen an Kindern, Enkeln und Urenkeln umringt. Eine Gala, die ich bei Herrn Coppens anzunehmen genöthigt war, dauerte von ein Uhr Mittags bis Abends acht Uhr. Ich zählte neun Service, man begann mit eingemachten Früchten und endigte mit Coteletten. Nur die Franzoſen verſtehen mit Methode zu ſpeiſen, wie auch ſie allein ein Buch zu ſchreiben verſtehen.

Mein Miniſterium hielt mich in Gent zurück; Frau von Chateaubriand, die weniger beſchäftigt war, beſuchte Oſtende, wo ich mich im Jahr 1792 nach Jerſey einſchiffte. Verbannt und dem Tode nahe war ich dieſe nämlichen Kanäle hinabgefahren,

an deren Ufer ich jetzt wieder verbannt, aber in vollkommener Gesundheit spazierte. Immer Fabeln in meiner Laufbahn! Das Elend und die Freuden meiner ersten Emigration lebten wieder in meinem Gedächtniß auf; ich sah England, meine Unglücksgefährten und jene Charlotte wieder, die ich noch einmal erblicken sollte. Niemand schafft sich, wie ich, durch Aufrufung von Schatten eine wirkliche Gesellschaft und zwar in dem Grade, daß das Gefühl meines wirklichen Lebens ganz in dem Leben meiner Erinnerungen verschwindet. Selbst Personen, mit denen ich mich nie beschäftigt habe, bemächtigen sich meines Gedächtnisses, wenn sie sterben; es ist, als könnte Niemand mein Gefährte werden, wenn er nicht in's Grab gestiegen ist, was mich fast auf den Glauben bringt, ich sei ein Todter. Wo die Anderen eine ewige Trennung finden, finde ich eine ewige Vereinigung; einer meiner Freunde braucht nur die Erde zu verlassen, so ist es, als ob er seine Wohnung an meinem Herde nehme; er verläßt mich nicht mehr. Je mehr die gegenwärtige Welt entschwindet, desto näher tritt mir die vergangene Welt. Wenn die jetzigen Generationen die gealterten Generationen geringschätzen, so ist der Aufwand ihrer Verachtung, so weit er mich angeht, verloren; ich bemerke nicht einmal ihr Dasein.

Mein goldenes Vließ war noch nicht in Brügge, Frau von Chateaubriand brachte mir dasselbe nicht. Im Jahr 1426 lebte in Brügge ein Mann, Namens Johann, der die Oelmalerei erfand oder vervollkommnete. Zollen wir diesem Johann von Brügge Dank; ohne die Verbreitung seiner Methode wären Raphel's Meisterstücke jetzt erloschen. Wo haben die flämischen Maler das Licht hergenommen, das sie über ihre Gemälde ergießen? Welcher Strahl Griechenlands hat sich an das Ufer von Batavia verirrt?

Nach ihrer Reise nach Ostende machte Frau von Chateaubriand einen Ausflug nach Antwerpen. Dort sah sie auf einem Kirchhofe die Darstellung von Seelen im Fegefeuer, die aus Gyps

gebildet und ganz ſchwarz und feuerroth überſchmiert waren. In Louvain gewann ſie mir einen ſtotternden Gaſt, einen gelehrten Profeſſor, der eigens nach Gent kam, um ſich einen ſo außerordentlichen Mann, wie den Gatten meiner Frau, anzuſehen. Er redete mich an: „Bebebebe . . . rrüüü . . . mtttt . . .“; das Wort verſagte ſeiner Bewunderung, und ich lud ihn zu Tiſche. Als der Heleniſt Curaçao getrunken hatte, löste ſich ſeine Zunge. Wir kamen auf die Verdienſte des Thucydides zu ſprechen und fanden ſie beim Wein klar wie Waſſer. Da ich meinem Gaſte weidlich zutrank, redete ich, glaub ich, zuletzt Holländiſch; wenigſtens verſtand ich mich nicht mehr.

Frau von Chateaubriand brachte in Antwerpen eine traurige Nacht zu; eine junge Engländerin kam nieder und ſtarb. Zwei Stunden lang ſtöhnte ſie heftig, dann ward ihre Stimme ſchwächer und ihr letztes Seufzen, einem fremden Ohre kaum vernehmlich, verlor ſich in ewigem Schweigen. Das Wehgeſchrei dieſer einſam ſtehenden und verlaſſenen Reiſenden ſchien zu den tauſend Stimmen des Todes, welche ſich bald nachher in Waterloo erheben ſollten, das Präludium zu bilden.

Fortſetzung der hundert Tage in Gent. — Ungewöhnliche Bewegung in Gent. — Der Herzog von Wellington. — Monſieur. — Ludwig XVIII.

Die gewöhnliche Einſamkeit von Gent wurde noch weit fühlbarer, als die Fremdenmaſſe, welche für einige Zeit dieſe Stadt belebte, ſich verlief. Belgiſche und engliſche Rekruten wurden auf den Plätzen und unter den Bäumen der Promenaden einexercirt; Kanoniere, Lieferanten, Dragoner landeten mit Artillerietrains, Ochſenheerden, Pferden, die in der Luft von ſich ſchlugen, während man ſie, in Tragriemen hängend, auf den Boden hinabließ.

Marketenderinnen landeten mit Säcken, Kindern und den Flinten ihrer Männer; Alles das begab ſich, ohne zu wiſſen warum und ohne das geringſte Intereſſe dabei zu haben, zu dem großen Zerſtörungs-Rendez-vous, das ihnen Bonaparte gegeben hatte. Man ſah Politiker an einem Kanal neben einem unbeweglichen Fiſcher geſticuliren, Emigranten von dem Könige zu Monſieur und von Monſieur zu dem König traben. Der Kanzler von Frankreich, Herr d'Ambray, begab ſich in grünem Kleide, rundem Hute, mit einem alten Roman unter dem Arme in den Rath, um die Charte zu verbeſſern. Der Herzog von Levis ging in alten, abgetretenen Schuhen, die er von den Füßen verlor, auf's Courmachen; als ein ſehr tapferer Mann war er nämlich, ein neuer Achilles, in die Ferſe verwundet worden. Er war voller Geiſt, was man aus ſeiner Gedankenſammlung beurtheilen kann.

Von Zeit zu Zeit kam der Herzog von Wellington, um Muſterung zu halten. Ludwig XVIII fuhr alle Nachmittage in einem ſechsſpännigen Wagen mit ſeinen erſten Kammerherren und ſeinen Wachen durch Gent, ganz als wäre er in Paris geweſen. Traf er auf ſeinem Wege den Herzog von Wellington, ſo bedachte er dieſen im Vorbeifahren mit einem leichten, huldreichen Kopfnicken.

Ludwig XVIII verlor die Erinnerung an den Rang ſeiner Wiege nie; er war überall König, wie Gott überall Gott iſt, in einer Krippe oder im Tempel, auf einem goldenen oder thönernen Altare. Nie vermochte ihn das Unglück nur zu der geringſten Conceſſion zu bringen; ſein Hochmuth wuchs nach dem Maße ſeiner Erniedrigung; ſein Diadem war ſein Name; er ſchien zu ſagen: „Tödtet mich, aber die auf meiner Stirne geſchriebenen Jahrhunderte werdet Ihr nicht tödten.“ Es kümmerte ihn wenig, ob man ſeine Wappen im Louvre abgekratzt habe; waren ſie nicht auf der Weltkugel eingegraben? Hatte man in alle Winkel der Welt Commiſſäre geſandt, um ſie abzukratzen. Hatte man ſie in Indien, in Pondichery, in Amerika, in Lima und in Meriko, im Orient, in Antiochia, in Jeruſalem, in Saint-Jean-d'Acre, in Kairo, in

Conſtantinopel, in Rhodus, auf Morea, im Abendlande, auf den Mauern Roms, auf den Zimmerdecken in Caſerta und im Escurial, an der Wölbung der Säle in Regensburg und Weſtminſter, im Wappenſchilde aller Könige ausgelöſcht? Hatte man ſie aus der Magnetnadel geriſſen, wo ſie den verſchiedenen Regionen der Erde die Herrſchaft der Lilien zu verkünden ſcheinen?

Die fixe Idee von der Größe, dem Alter, der Würde und der Majeſtät ſeines Stammes ſchuf Ludwig XVIII ein wirkliches Reich. Man fühlte die Herrſchaft derſelben, ſelbſt Bonaparte's Generäle geſtanden ſie zu. Sie wurden durch dieſen gebrechlichen Greis mehr eingeſchüchtert, als durch den ſchrecklichen Gebieter, der ſie in hundert Schlachten befehligt hatte. Als Ludwig XVIII den ſiegreichen Monarchen in Paris die Ehre erwies, ſie an ſeiner Tafel ſpeiſen zu laſſen, ging er ohne Umſtände dieſen Prinzen voraus, deren Soldaten im Hof des Louvre campirten; er behandelte ſie wie Vaſallen, die bloß ihre Pflicht gethan, indem ſie ihrem Oberlehnsherrn Streiter zugeführt hatten. In Europa gibt es nur eine Monarchie, Frankreich; das Schickſal der anderen Monarchien iſt mit dem Looſe dieſer Monarchie verknüpft. Alle Königsſtämme ſind neben dem Stamme von Hugo Capet von geſtern her und faſt alle Abkömmlinge davon. Unſere alte königliche Macht war das alte Königreich der Welt; von der Verbannung der Capet's her wird ſich die Aera von der Vertreibung der Könige datiren. Das war die Idee Ludwig's XVIII.

Je unpolitiſcher dieſer Hochmuth des Abkömmlings des heiligen Ludwig war (ſeinen Erben brachte er Unheil), deſto mehr gefiel er dem Nationalſtolze; es war den Franzoſen ein Genuß, Monarchen zu ſehen, welche, beſiegt, die Feſſeln eines Mannes getragen hatten und nun als Sieger das Joch eines Stammes trugen.

Der unerſchütterliche Glaube Ludwig's XVIII an ſein Blut iſt die wirkliche Macht, die ihm den Scepter zurückgab; dieſer Glaube iſt es, der zu zwei wiederholten Malen eine Krone auf

ſein Haupt fallen ließ, für welche Europa ſeine Völker und ſeine Schätze nicht erſchöpfen wollte, noch zu erſchöpfen glaubte. Der Verbannte ohne Soldaten fand ſich immer wieder am Ende aller Schlachten, die er nicht geliefert hatte. Ludwig XVIII ward die eingefleiſchte Legitimität; als er verſchwand, hörte ſie auf, ſichtbar zu ſein.

Fortſetzung der hundert Tage in Gent. — Erinnerungen aus der Geſchichte Gents. — Die Frau Herzogin von Angoulême kommt in Gent an. — Frau von Tèze. — Die Frau Herzogin von Levis.

In Gent, wie überall, unternahm ich kleine Streifzüge. Die über die ſchmalen Kanäle hingleitenden Barken, welche zehn bis zwölf Stunden lang zwiſchen Wieſen hindurch fahren müſſen, um in's Meer zu gelangen, ſchienen auf dem Graſe zu verſchwimmen und gemahnten mich an die Kähne der Wilden in den mit taubem Hafer bewachſenen Moräſten des Miſſouri. Am Ufer ſtehend, ſchweiften meine Augen über die Thürme der Stadt und in den Wolken des Himmels erſchien mir ihre Geſchichte.

Die Genter lehnen ſich gegen Heinrich von Chatillon, den franzöſiſchen Gouverneur, auf; die Gemahlin Eduard's III bringt John von Gaunt, den Stammvater des Hauſes Lancaſter, zur Welt. Das Volksregiment Jakob's von Artevelde. „Ihr guten Leute, wer belügt Euch? Warum ſeid Ihr ſo aufgebracht über mich? Womit kann ich Euch erzürnt haben?“ — „Ihr müßt ſterben!“ rief das Volk. — Das ruft die Zeit uns Allen zu. Später ſah ich die Herzoge von Burgund; die Spanier kamen. Dann die Herſtellung des Friedens, die Belagerungen und die Einnahmen von Gent.

Als ich mich ſo in die Jahrhunderte hineingeträumt hatte, weckte mich der Schall eines kleinen Klarins oder einer ſchottiſchen

Sackpfeife. Ich erblickte lebendige Soldaten, welche herbeieilten, um ſich zu den in Batavia begrabenen Bataillonen zu geſellen. Immer Zerſtörungen, darniedergeſchmetterte Gewalten und, das Ende vom Liede, einige hingeſchwundene Schatten und vergangene Namen!

Das ſeeumſpülte Flandern war eines der erſten Cantonnements der Gefährten von Clodion und Chlodwig. Gent, Brügge und ihre Bezirke lieferten beinahe ein Zehntel der Grenadiere der alten Garde. Dieſe ſchreckliche Miliz wurde theilweiſe aus der Wiege unſerer Väter gezogen und kam dann, um ſich bei dieſer Wiege vertilgen zu laſſen. Hat die Lilie ihre Blume den Wappen unſerer Könige geſchenkt?

Die ſpaniſchen Sitten hinterlaſſen ihre Spuren; die Gebäude von Gent ermahnten mich an die von Granada, der Himmel aber minder an den der Vega. Eine große Stadt faſt ohne Bewohner, verödete Straßen, ebenſo verödete Kanäle . . .; ſechsundzwanzig durch dieſe Kanäle gebildete Inſeln, die aber keine Kanäle von Venedig waren, ein ungeheurer Artilleriepark des Mittelalters, das erſetzte in Gent die Stadt der Zegris, den Duero und den Xenil, den Generaliph und das Alhambra. Meine alten Träume, werde ich euch je wiederſehen?

Die Frau Herzogin von Angoulême hatte ſich auf der Gironde eingeſchifft und kam über England zu uns in Begleitung des Generals Donnadieu und des Herrn von Sèze, welcher mit ſeinem blauen Ordensband über der Weſte den Ocean durchſchifft hatte. Nach der Prinzeſſin kamen der Herzog und die Herzogin von Levis, die den Eilwagen beſtiegen und ſich auf der Straße von Bordeaux aus Paris geflüchtet hatten. Ihre Mitreiſenden politiſirten. „Dieſer Schurke von Chateaubriand," ſagte der Eine, „iſt nicht ſo dumm! Seit drei Tagen ſtand ſein Wagen bepackt in ſeinem Hofe; der Vogel iſt ausgeflogen. Ha, wenn Napoleon ihn erwiſcht hätte.

Die Frau Herzogin von Levis war eine ſehr ſchöne und ſehr gute Perſon und ſo ruhig, als die Frau Herzogin von Duras

unruhig war. Sie verließ Frau von Chateaubriand nicht und war in Gent unſere beſtändige Gefährtin. Niemand hat mehr Ruhe über mein Leben verbreitet, was ich ſehr nöthig habe. Die ungetrübteſten Augenblicke meines Daſeins ſind die, welche ich in Noiſiel bei dieſer Frau zugebracht habe, deren Worte und Geſinnungen ſich der Seele bemächtigten, um einen reinen Frieden über ſie auszugießen. Mit Sehnſucht rufe ich mir jene unter den großen Kaſtanienbäumen von Noiſiel verlebten Augenblicke zurück! Mit beſchwichtigtem Gemüthe, geneſendem Herzen betrachtete ich die Ruinen der Abtei von Chelles und die Lichtchen in den unter den Weiden der Marne anhaltenden Barken.

Die Erinnerung an die Frau von Levis iſt für mich die eines ſtillen Herbſtabends. Sie war in wenig Stunden dahin, ſie hat ſich mit dem Tode als mit der Quelle aller Ruhe vermiſcht. Ich ſah ſie geräuſchlos in ihr Grab auf dem Kirchhof des Père-Lachaiſe hinabſteigen; ſie liegt oberhalb Herrn von Fontanes und dieſer ſchläft neben ſeinem im Zweikampf getödteten Sohn Saint-Marcellin. Indem ich mich ſomit über das Grabmal der Frau von Levis beugte, ſtieß ich an zwei andere Gräber. Der Menſch kann keinen Schmerz wach rufen, ohne noch einen andern zu wecken; die verſchiedenen Blumen, welche ſich nur im Schatten öffnen, brechen bei Nachtzeit auf.

Mit der wohlwollenden Güte der Frau von Levis gegen mich vereinigte ſich noch die Freundſchaft des Herrn Herzogs von Levis, des Vaters; ich darf nur noch nach Generationen rechnen. Herr von Levis ſchrieb gut; er hatte eine lebhafte und furchtbare Einbildungskraft, der man ſeine edle Abkunft anmerkte, wie man ſie auch in Quiberon in ſeinem am Ufer vergoſſenen Blute wahrnahm.

Doch hiebei ſollte es nicht ſeine Bewandtniß haben; dieſes Freundſchaftsgefühl ging auf die zweite Generation über. Der Herr Herzog von Levis, Sohn, jetzt Begleiter des Herrn Grafen von Chambord, hat ſich mir genähert; meine erbliche Zuneigung

wird ihm ſo wenig fehlen, als meine Treue ſeinem erhabenen Gebieter. Die neue und reizende Herzogin von Levis, ſeine Frau, vereinigt mit dem großen Namen einer d'Aubuſſon die glänzendſten Eigenſchaften des Geiſtes und Herzens. Man hat wohl Stoff, wenn die Grazien der Geſchichte ihre unermüdlichen Schwingen leihen!

Fortſetzung der hundert Tage in Gent. — Pavillon Marſan in Gent. — Herr Gaillard, Rath beim königlichen Hofe. — Geheimer Beſuch der Frau Baroneſſe von Vitrolles. — Handbillet Monſieurs. — Fouché.

Der Pavillon Marſan beſtand in Gent wie in Paris. Jeder Tag brachte Monſieur Nachrichten, die durch das Intereſſe oder die Einbildungskraft erzeugt wurden.

Herr Gaillard, ein alter Redner, Rath beim königlichen Hofe und vertrauter Freund Fouché's, kam ebenfalls in unſere Mitte; er ließ ſich melden und wurde mit Herrn Capelle in Verbindung geſetzt.

Wenn ich mich zu Monſieur begab, was ſelten war, ſo unterhielt mich ſeine Umgebung mit verdeckten Worten und manchen Seufzern von einem Manne, der (man mußte es zugeben) ſich trefflich benahm; er hemmte alle Operationen des Kaiſers, er vertheidigte die Vorſtadt Saint-Germain u. ſ. f. u. ſ. f. Auch der treue Marſchall Soult war ein Gegenſtand der Vorliebe Monſieurs und nach Fouché der loyalſte Mann Frankreichs.

Eines Tages hält ein Wagen vor der Thüre meines Gaſthofes; ich ſehe die Frau Baroneſſe von Vitrolles ausſteigen; ſie kam mit Vollmachten von dem Herzog von Otranto. Sie kehrte mit einem Handbillet Monſieurs zurück, in welchem der Prinz erklärte,

demjenigen, welcher den Herrn von Vitrolles retten würde, ewig erkenntlich zu ſein.

Fouché verlangte nicht mehr; mit dieſem Billet bewaffnet, war im Fall einer Reſtauration ſeine Zukunft geſichert. Von dieſem Augenblicke an war in Gent nur noch die Rede von den ungeheuren Verpflichtungen, die man gegen den trefflichen Herrn Fouché von Nantes habe, von der Unmöglichkeit, ohne den Willen dieſes Gerechten wieder nach Frankreich zurückkehren zu können; man war nur in Verlegenheit, wie man dem König Geſchmack an dieſem neuen Erlöſer der Monarchie beibringen ſolle.

Nach den hundert Tagen zwang mich Frau von Cuſtine, mit Fouché bei ihr zu ſpeiſen. Ich hatte ihn fünf Jahre früher bei Gelegenheit der Verurtheilung meines armen Vetters Armand einmal geſehen. Der ehemalige Miniſter wußte, daß ich mich ſeiner Ernennung in Roye, in Goneſſe, in Arnouville widerſetzt hatte und da er mich für mächtig hielt, ſo wollte er Frieden mit mir ſchließen. Das Beſte an ihm war, der Tod Ludwig's XVI; der Königsmord war ſeine Unſchuld. Ein Schwätzer, wie alle Revolutionäre, und mit leeren Phraſen im Blauen herumfechtend, brachte er eine Menge Gemeinplätze vor, geſpickt mit Schickſal, Nothwendigkeit, Recht der Thatſachen, und vermiſchte mit dieſem philoſophiſchen Unſinn Unſinn über den Fortſchritt und den Gang der Geſellſchaft, ſchamloſe Grundſätze zum Vortheil des Starken gegen den Schwachen, ließ es nicht an frechen Geſtändniſſen über die Gerechtigkeit der Erfolge, den geringen Werth eines fallenden Kopfes, die Billigkeit deſſen, was glückt, die Unbill deſſen, was leidet, fehlen, ſtellte ſich, als könne er von dem fürchterlichſten Unglück mit Leichtſinn und Gleichgültigkeit als ein über ſolche Albernheiten erhabenes Genie reden. Es entfiel ihm, über was man auch ſprechen mochte, nicht eine gewählte Idee, nicht eine merkwürdige Darſtellung. Ich entfernte mich mit Achſelzucken von dem Verbrechen.

Herr Fouché hat mir meine Trockenheit und den geringen

Eindruck, den er auf mich machte, nie verziehen. Er hatte mich zu bestricken geglaubt, indem er vor meinen Augen wie eine Glorie vom Sinai das kurze, breite Messer des unseligen Instrumentes auf- und absteigen ließ; er hatte sich eingebildet, ich werde den Besessenen für einen Koloß halten, der von Lyons Boden redend, gesagt hatte: „Dieser Boden wird umgewühlt werden; auf den Trümmern dieser stolzen und aufrührerischen Stadt werden sich zerstreute Strohhütten erheben, die zu bewohnen die Freunde der Gleichheit sich beeifern werden. . . . . .
. . . . . Wir werden den energischen Muth haben, die weiten Grabhöhlen der Verschwörer zu durchwandern . . . . Ihre blutigen, in die Rhone geworfenen Leichen sollen an den beiden Ufern und an ihrer Mündung einen Eindruck des Entsetzens hervorbringen und ein Bild von der Allmacht des Volkes geben . . . . . .
. . . . . Wir werden den Sieg von Toulon feiern; diesen Abend werden wir zweihundertundfünfzig Rebellen unter das blitzende Eisen schicken."

Diese fürchterlichen Pläne imponirten mir nicht, weil der Herr von Nantes republikanische Missethaten im kaiserlichen Kothe abgewaschen hatte. Daß der in einen Herzog umgewandelte Sansculotte den Laternenstrick in das Ordensband der Ehrenlegion gewickelt hatte, schien mir weder von besonderer Geschicklichkeit, noch von besonderer Größe zu zeugen. Die Jakobiner hassen die, welche Nichts auf ihre Grausamkeiten halten und ihre Morde verachten; ihr Stolz ist verletzt, wie der der Autoren, deren Talent bestritten wird.

Die Angelegenheiten in Wien. — Unterhandlungen des Herrn von Saint-Leon, des Abgesandten Fouché's. — Vorschlag in Bezug auf den Herrn Herzog von Orleans. — Herr von Talleyrand. — Unzufriedenheit Alexander's mit Ludwig XVIII. — Verschiedene Prätendenten. — Bericht Besnardière's. — Unerwarteter Vorschlag Alexander's beim Congresse. — Lord Clancarthy macht ihn scheitern. — Herr von Talleyrand kehrt um. — Seine Depesche an Ludwig XVIII. — Erklärung der Allianz, in dem officiellen Frankfurter Journal verstümmelt. — Herr von Talleyrand will, der König solle in den südöstlichen Provinzen Frankreich wieder betreten. — Verschiedene Mäkeleien des Fürsten von Benevent in Wien. — Er schreibt mir nach Gent. — Sein Brief.

Zu gleicher Zeit, als Fouché Herrn Gaillard nach Gent sandte, um mit dem Bruder Ludwig's XVI zu unterhandeln, nahmen seine Agenten in Basel Rücksprache mit denen des Fürsten Metternich in Bezug auf Napoleon II, und von eben diesem Fouché abgesandt, kam Herr von Saint-Leon in Wien an, um über die Möglichkeit einer Throngelangung des Herzogs von Orleans zu unterhandeln. Die Freunde des Herzogs von Otranto konnten so wenig auf ihn zählen, als seine Feinde. Bei der Rückkehr der legitimen Prinzen ließ er seinen ehemaligen Collegen, Herrn Thibaudeau, auf der Liste der Verbannten stehen, während Herr von Talleyrand diesen oder jenen Geächteten je nach seiner Laune aus der Liste strich oder auf dieselbe setzte. Hatte die Vorstadt Saint-Germain nicht vollkommen Recht, an Herrn Fouché zu glauben?

Herr von Saint-Leon brachte drei Billete nach Wien, deren eines an Herrn von Talleyrand adressirt war. Der Herzog von Otranto machte dem Gesandten Ludwig's XVIII den Vorschlag, den Sohn Egalité's auf den Thron zu schieben, wenn er einen Vortheil darin erblicken sollte. Welche Redlichkeit in diesen Unter-

handlungen! Wie glücklich war man, mit so rechtschaffenen Leuten zu thun zu haben! Und doch haben wir diese Cartouche bewundert, gesegnet, ihnen Weihrauch gestreut; wir haben ihnen den Hof gemacht, wir haben sie Monsieur genannt! Das erklärt die jetzige Welt. Als Zuwachs kommt nach Herrn von Saint-Leon noch Herr von Montrond.

Der Herr Herzog von Orleans conspirirte nicht activ, wohl aber passiv. Er ließ die revolutionären Verwandtschaften intriguiren; eine herzige Gesellschaft! Der Bevollmächtigte des Königs von Frankreich lieh also unter der Decke den Zumuthungen Fouché's das Ohr.

Bei Anlaß der Verhaftnehmung des Herrn von Talleyrand an der Barrière d'Enfer sagte ich, was bis damals die fixe Idee des Herrn von Talleyrand hinsichtlich der Regentschaft Marie Louisens war. Er war genöthigt, zufolge der Ereignisse der Eventualität der Bourbonen beizutreten, aber es war ihm immer unbehaglich, denn es schien ihm, ein verheiratheter Bischof sei unter den Leibeserben des heiligen Ludwig seines Platzes nie sicher. Die Idee, die jüngere Linie an die Stelle der älteren zu schieben, leuchtete ihm daher ein, um so mehr, als er ehemals in Beziehungen zu dem Palais-Royal gestanden war.

Nachdem sein Entschluß gefaßt war, wagte er, ohne sich jedoch ganz zu entdecken, einige Worte von Fouché's Plan gegen Alexander. Der Czar interessirte sich nicht mehr für Ludwig XVIII, da dieser ihn in Paris durch seine Sucht, mit seinem hohen Stamme zu prunken, verletzt hatte und wieder verletzte, als er die Heirath des Herzogs von Berry mit einer Schwester des Kaisers von sich wies. Man wollte die Prinzessin aus drei Gründen nicht. Sie gehörte einer abtrünnigen Kirche an; ihr Stamm war nicht alt genug, sie war aus einer Narrenfamilie. Alle diese Gründe wurden zwar nicht offen, aber deutlich genug dargelegt und beleidigten Alexander dreifach. Als letzten Beschwerdegrund gegen den alten Monarchen des Exils brachte der Czar die im Plan liegende

Allianz zwiſchen England, Frankreich und Oeſtreich vor. Uebrigens ſchien die Erbfolge offen; Jedermann glaubte, die Söhne Ludwig's XIV erben zu können. Benjamin Conſtant vertheidigte im Namen der Madame Murat die Rechte, welche Napoleon's Schweſter an das Königreich Neapel zu haben glaubte; Bernadotte warf von ferne ſeinen Blick auf Verſailles, vermuthlich weil der König von Schweden von Pau gebürtig war.

La Besnardière, Diviſionschef im auswärtigen Miniſterium, ging zu Herrn von Caulaincourt über; er entwarf einen Bericht über die Beſchwerden und Widerſprüche Frankreichs in Sachen der Legitimität. Herr von Talleyrand fand das Mittel, Alexander den Bericht mitzutheilen. Das Pamphlet de la Besnardière's verfehlte ſeine Wirkung bei dem mißvergnügten und erregbaren Selbſtherrſcher nicht. Plötzlich wirft der Czar zu Jedermanns Erſtaunen im Congreſſe die Frage auf, ob die Idee, in wiefern der Herzog von Orleans Frankreich und Europa als König zuſagen könnte, nicht der Berathung werth wäre. Es iſt dieß vielleicht einer der überraſchendſten Umſtände dieſer außerordentlichen Zeiten und vielleicht iſt es noch auffallender, daß man ſo wenig davon geſprochen hat. *) Lord Clancarthy machte den ruſſiſchen Vorſchlag ſcheitern; Se. Herrlichkeit erklärte, keine Vollmachten zur Verhandlung einer ſo ernſten Frage zu haben.

„Was mich betrifft," äußerte er ſich als bloße Privatperſon „ſo halte ich dafür, daß, wenn man den Herrn Herzog von Orleans auf den franzöſiſchen Thron ſetzte, man eine militäriſche Uſurpation mit einer Familienuſurpation vertauſchen würde, die den Monarchen weit gefährlicher wäre, als alle andern Uſurpationen."

Die Mitglieder des Congreſſes begaben ſich zu Tiſche und

*) Eine ſo eben erſchienene Brochüre, betitelt: Briefe aus der Fremde, die von einem gewandten und wohlunterrichteten Diplomaten geſchrieben ſcheint, weist ebenfalls auf dieſe ſeltſame ruſſiſche Verhandlung in Wien hin. (Paris, Note von 1840.)

bezeichneten mit dem Scepter des heiligen Ludwig wie mit einem Strohhälmchen das Blatt, bei welchem ſie in ihren Protocollen geblieben waren.

Als der Czar ſolche Hinderniſſe traf, machte Herr von Talleyrand eine ganze Schwenkung und da er vorausſah, daß die Sache Lärm machen werde, ſo erſtattete er Ludwig XVIII in einer Depeſche, die ich geſehen habe und welche die Nummer 25 oder 27 trug, Bericht über dieſe außerordentliche Sitzung des Congreſſes;*) er glaubte ſich verpflichtet, Se. Majeſtät von einem ſo exorbitanten Schritte zu unterrichten, da dieſe Nachricht, wie er ſagte, ungeſäumt zu den Ohren des Königs gelangen werde. Eine ſeltſame Offenherzigkeit von dem Herrn Fürſten von Talleyrand!

Es war von einer Erklärung der heiligen Allianz die Rede geweſen, um der Welt zu wiſſen zu thun, daß man nur gegen Napoleon auftreten wolle, daß man Frankreich weder eine Regierungsform noch einen Monarchen, der nicht ſeine eigene Wahl ſei, aufzuzwingen gedenke. Dieſer letztere Theil der Erklärung wurde unterdrückt, aber in dem officiellen Frankfurter Journal poſitiv angekündigt. In ſeinen Unterhandlungen mit den Cabinetten bedient ſich England immer dieſer freiſinnigen Sprache, die nur eine Vorſichtsmaßregel gegen die parlamentariſche Tribüne iſt.

Man ſieht, daß die Verbündeten ſich bei der zweiten Reſtauration ſo wenig als bei der erſten um die Wiederherſtellung der Legitimität kümmerten; die Ereigniſſe allein haben Alles gemacht. Was lag den ſo kurzſichtigen Monarchen daran, ob die Mutter der europäiſchen Monarchien hingewürgt werde? Könnte das ſie hindern, Feſte zu geben und Wachen zu haben? Heutzutage ſitzen

*) Man behauptet, Herr von Talleyrand habe im Jahr 1830 ſeine Correſpondenz mit Ludwig XVIII aus den Privatarchiven der Krone entfernen laſſen, ſo wie er aus den Reichsarchiven Alles, was er, Herr von Talleyrand, in Bezug auf den Tod des Herzogs von Enghien und die ſpaniſchen Angelegenheiten ſchrieb, wegſchaffen ließ. (Paris, Note von 1840.)

die Monarchen so fest, mit der Weltkugel in der einen, dem Schwert in der andern Hand!

Herr von Talleyrand, dessen Interessen damals in Wien waren, fürchtete, die Engländer, die keine so günstige Meinung mehr von ihm hatten, möchten die militärische Partie ergreifen, bevor alle Armeen aufgestellt wären, und so das Cabinet von Saint-James das Uebergewicht erhalten. Deßhalb suchte er den König zu bewegen, in den südöstlichen Provinzen Frankreichs einzuziehen, um sich unter der Vormundschaft der Reichstruppen und des östreichischen Cabinettes zu befinden. Der Herzog von Wellington hatte den bestimmten Befehl ertheilt, keine Feindseligkeiten zu beginnen; Napoleon selbst hat die Schlacht von Waterloo gewollt. Man hält die Geschicke einer solchen Natur nicht auf.

Diese historischen Thatsachen, die merkwürdigsten der Welt, waren im Allgemeinen nicht bekannt; ebenso hat man sich eine irrige Meinung von den auf Frankreich bezüglichen Verträgen von Wien gebildet; man hielt sie für ein unbilliges Machwerk eines Trupps siegreicher und auf unsern Untergang erpichter Monarchen. Wenn sie hart sind, so wurden sie unglücklicherweise durch eine französische Hand vergiftet. Macht Herr von Talleyrand keine Verschwörungen, so treibt er Handel.

Preußen wollte Sachsen haben, das früher oder später seine Beute sein wird. Frankreich mußte diesen Wunsch begünstigen, denn wenn Sachsen in dem Rheingebiete eine Entschädigung erhielt, so blieb uns Landau mit seinen Bezirken; Koblenz und andere Festungen fielen auf einen kleinen uns befreundeten Staat, der, zwischen uns und Preußen liegend, alle Berührungspunkte abschnitt, und die Schlüssel Frankreichs wurden dem Schatten Friedrich's nicht ausgeliefert. Für drei Millionen, die es Sachsen kostete, trat Herr von Talleyrand den Berechnungen des Berliner Cabinets entgegen; um aber die Zustimmung Alexander's zum Fortbestand des alten Sachsen zu erhalten, war unser Gesandter genöthigt, Polen dem Czaren zu überlassen, obwohl die anderen Mächte

wünſchten, es möchte irgend ein Polen den Bewegungen des Moscowiten im Norden einigermaßen einen Damm entgegenſetzen. Die Bourbonen von Neapel erkauften ſich, wie der Monarch in Dresden, ihre Reiche mit Geld. Herr von Talleyrand behauptete, für ſein Herzogthum von Benevent Anſpruch auf eine Geldentſchädigung zu haben; indem er ſeinen Gebieter verließ, verkaufte er ſeine Livrée. Da Frankreich ſo viel verlor, hätte Herr von Talleyrand nicht auch Etwas verlieren können? Ueberdieß gehörte Benevent nicht dem Großkämmerer; vermöge der Wiederherſtellung der alten Verträge wurde dieſes Fürſtenthum wieder Eigenthum des Kirchenſtaats.

Das waren die diplomatiſchen Vergleiche, die, während wir in Gent waren, in Wien zur Sprache kamen. In der erſteren Reſidenz erhielt ich von Herrn von Talleyrand folgenden Brief:

„Wien, den 4. Mai.

„Ich habe mit großem Vergnügen vernommen, mein Herr, daß Sie ſich in Gent befinden, denn die Umſtände fordern, daß der König von ſtarken und unabhängigen Männern umgeben ſei.

„Sie werden gewiß auch gedacht haben, daß es nützlich wäre, durch wohlbegründete Veröffentlichungen die ganze neue Doctrin zu widerlegen, die man in den officiellen Artikeln, welche in Frankreich erſcheinen, aufſtellen will.

„Es wäre vonnöthen, daß Etwas erſchiene, was ſich zur Aufgabe machen würde, zu zeigen, daß die am 24. März in Paris von den Verbündeten abgegebene Erklärung, daß die Abſetzung, daß die Abdankung, daß der Vertrag vom 11. April, der die Folge davon war, vorläufige, unerläßliche und abſolute Bedingungen zu dem Vertrage vom 30. Mai ſind; das heißt, daß ohne dieſe vorgängigen Bedingungen der Vertrag nicht gemacht worden wäre. Dieß feſtgeſetzt, bricht der, welcher die beſagten Bedingungen verletzt oder zu deren Verletzung hilft, den Frieden, den dieſer Vertrag hergeſtellt

hat. Er und ſeine Mitſchuldigen ſind es daher, welche Europa den Krieg erklären.

„Eine in dieſem Sinne abgefaßte Erörterung müßte im Auslande wie im Inlande Nutzen ſtiften; nur muß ſie gut geſchrieben ſein, daher nehmen Sie es über ſich.

„Genehmigen Sie, mein Herr, die Huldigung meiner aufrichtigen Anhänglichkeit und meiner hohen Achtung.

„Talleyrand.

„Ich hoffe, die Ehre zu haben, Sie Ende des Monats zu ſehen."

Unſer Miniſter in Wien war ſeinem Haſſe gegen die große, den Schatten entwiſchte Chimäre getreu; er fürchtete einen Schlag von ihrem Flügel. Dieſer Brief zeigt übrigens, was Herr von Talleyrand Alles zu thun fähig war, wenn er allein ſchrieb. Er hatte die Güte, mir das Thema anzugeben, und verließ ſich dann auf meine Ausſchmückungen. Es handelte ſich wohl um einige diplomatiſche Phraſen über Abſetzung, Abdankung, über den Vertrag vom 11. April und 30. Mai, um Napoleon aufzuhalten. Ich war wegen des mir ertheilten Patentes als ſtarker Mann ſehr erkenntlich für dieſe Inſtructionen, befolgte ſie aber nicht. Als Geſandter in petto miſchte ich mich in dieſem Augenblick nicht in die auswärtigen Angelegenheiten, ſondern beſchäftigte mich nur mit meinem Interimsminiſterium des Innern.

Aber was ging in Paris vor?

Die hundert Tage in Paris. — Wirkung der Legitimität in Frankreich. — Bonaparte's Verwunderung. — Er ist genöthigt, mit den Ideen, die er unterdrückt glaubte, zu capitulirn. — Sein neues System. — Drei ungeheure Spieler zurückgeblieben. — Hirngespinnste der Liberalen. — Clubs und Föderirte. — Taschenspielerei der Republik. — Zusatz zur Verfassung. — Die Repräsentantenkammer einberufen. — Unnützes Maifeld.

Ich lasse die Rückseite der Ereignisse sehen, welche die Geschichte nicht zeigt; die Geschichte stellt nur die Vorderseite zur Schau. Die Memoiren haben den Vortheil, die eine und die andere Seite des Gewebes darzustellen; in dieser Beziehung schildern sie die sämmtliche Menschheit besser, wenn sie wie Shakspeare's Tragödien die niederen und hohen Scenen vor Augen führen. Neben einem Palast ist überall eine Strohhütte, neben einem Weinenden ein Lachender, ein Lumpensammler mit seiner Butte neben einem König, der seinen Thron verliert; was machte sich der in der Schlacht von Arbela anwesende Sklave aus dem Fall des Darius?

Gent war somit nur eine Kleiderkammer hinter den Coulissen des in Paris eröffneten Schauspiels. Es blieben noch mehr berühmte Personen in Europa. Im Jahr 1800 hatte ich meine Laufbahn mit Alexander und Napoleon begonnen, warum war ich diesen ersten Schauspielern, meinen Zeitgenossen, nicht auf das große Theater gefolgt? Warum allein in Gent? Weil der Himmel uns hinwirft, wo er will. Gehen wir von den kleinen hundert Tagen in Gent zu den großen hundert Tagen in Paris über.

Ich habe die Gründe schon auseinandergesetzt, welche Napoleon auf der Insel Elba hätten festhalten sollen, und die überwiegenden Gründe oder vielmehr die aus seiner Natur entsprungene Nothwendigkeit, welche ihn zwangen, das Exil zu verlassen. Allein der Marsch von Cannes nach Paris erschöpfte, was vom

alten Menſchen an ihm geblieben war. In Paris wurde der Talisman gebrochen.

Die wenigen Augenblicke, in welchen die Geſetzlichkeit wieder erſchienen war, waren hinreichend, um die Wiedereinſetzung des unumſchränkten Herrn unmöglich zu machen. Der Deſpotismus legt den Maſſen einen Maulkorb an und befreit die Individuen innerhalb einer gewiſſen Grenze. Die Anarchie entfeſſelt die Maſſen und unterjocht die individuelle Unabhängigkeit. Daher gleicht der Deſpotismus der Freiheit, wenn er auf die Anarchie folgt; er bleibt, was er wirklich iſt, wenn er die Freiheit erſetzt. Nach der Directorial-Conſtitution war Bonaparte ein Befreier, nach der Charte ein Bedrücker. Er fühlte das ſo gut, daß er ſich genöthigt glaubte, weiter zu gehen, als Ludwig XVIII, und zu den Quellen der Nationalſouveränität zurückzukehren. Er, der das Volk als Gebieter unter die Füße getreten hatte, mußte ſich jetzt zum Volkstribun aufwerfen, um die Gunſt der Vorſtädte buhlen, die revolutionäre Kindheit parodiren, eine alte Sprache von Freiheit ſtammeln, bei der ſeine Lippen Grimaſſen ſchnitten und bei deren jeder Sylbe ſein Degen vor Wuth zuckte.

Sein Schickſal, wie ſeine Macht, ging in der That ſo ganz zu Ende, daß man während der hundert Tage das Genie Napoleon's nicht mehr erkannte. Dieſes Genie war das des Gelingens und der Ordnung, nicht das der Niederlage und der Freiheit; ſomit vermochte er Nichts durch den Sieg, der ihn verrathen hatte, Nichts durch die Ordnung, weil ſie ohne ihn beſtand. In ſeiner Verwunderung darüber, äußerte er ſich: „Wie haben mir die Bourbonen Frankreich in einigen Monaten zugerichtet! Ich werde Jahre brauchen, um es wieder herzuſtellen.

Was der Eroberer ſah, war nicht das Werk der Legitimität, ſondern das Werk der Charte; er hatte Frankreich ſtumm und am Boden liegend verlaſſen, nun fand er es aufrecht und redend. In der Naivetät ſeines unumſchränkten Geiſtes hielt er die Freiheit für die Unordnung.

Und doch iſt Bonaparte genöthigt, mit den Ideen zu capituliren, die er auf den erſten Anlauf nicht beſiegen kann. Aus Mangel an wirklicher Popularität finden ſich nach dem Feierabend Arbeiter, die per Kopf mit vierzig Sous bezahlt werden, auf dem Carrouſſelplatz ein, um Es lebe der Kaiſer! zu ſchreien. Man hieß das auf's Schreien gehen. Proclamationen verkünden Anfangs ein Wunder von Vergeſſen und Verzeihen; alle Individuen, die Nation, die Preſſe werden frei erklärt; man will nur den Frieden, die Unabhängigkeit und das Glück des Volkes; das ganze kaiſerliche Syſtem iſt verändert, das goldene Zeitalter wird anbrechen. Um das Praktiſche mit der Theorie in Uebereinſtimmung zu bringen, theilt man Frankreich in ſieben große Polizeidiſtrikte, die ſieben Lieutenants werden mit der gleichen Macht bekleidet, welche die Generaldirectoren unter dem Conſulat und dem Kaiſerreich hatten. Man weiß, was dieſe Beſchützer der individuellen Freiheit in Lyon, in Bordeaux, in Mailand, Florenz, Liſſabon, Hamburg und Amſterdam waren. Ueber dieſe Lieutenants ſtellt Bonaparte in einer der Freiheit immer günſtigeren Hierarchie außerordentliche Commiſſäre auf nach Art der Volksrepräſentanten unter dem Convent.

Die Polizei, welche Fouché leitet, verkündet der Welt in feierlichen Proclamationen, daß ſie nur noch zur Verbreitung der Philoſophie dienen und nach Grundſätzen der Tugend handeln werde.

Bonaparte ſtellt durch ein Decret die Nationalgarde des Königreichs wieder her, deren bloßer Name ihm früher Schwindel machte. Er ſieht ſich genöthigt, die unter dem Kaiſerreiche ausgeſprochene Trennung des Deſpotismus und der Demagogie zu annulliren und ihren neuen Bund zu begünſtigen. Aus dieſem Hymen ſoll auf dem Maifelde eine Freiheit entſtehen mit rother Mütze und dem Turban auf dem Kopfe, mit dem Mameluckenſäbel im Gürtel und dem Revolutionsbeil in der Hand, eine Freiheit, umſchwebt von den Schatten jener tauſend und tauſend auf den Schaffoten oder

in den glühenden Steppen Spaniens oder den eisigen Wüsten Rußlands gefallenen Opfern. Vor dem Gelingen sind die Mamelucken Jakobiner, nach dem Gelingen werden die Jakobiner Mamelucken. Sparta ist für den Augenblick der Gefahr, Constantinopel für den des Triumphes.

Bonaparte hätte sich der Autorität gern wieder für sich allein bemächtigt, doch das war ihm nicht möglich; er fand Leute, die geneigt waren, sie ihm streitig zu machen. Da waren die aufrichtigen Republikaner, welche, von den Fesseln des Despotismus und den Gesetzen der Monarchie befreit, eine Unabhängigkeit zu bewahren wünschten, die vielleicht nur ein edler Irrthum ist; dann kamen die Wüthenden der ehemaligen Faction des Berges; gedemüthigt, unter dem Kaiserreiche nur die Polizeispione eines Despoten gewesen zu sein, schienen diese Letzteren entschlossen, sich auf eigene Rechnung jene Freiheit, Alles zu thun, deren Privilegium sie fünfzehn Jahre lang einem Gebieter überlassen hatten, wieder anzueignen.

Aber weder die Republikaner, noch die Revolutionäre, noch die Satelliten Bonaparte's waren stark genug, um ihrer getrennten Macht Geltung zu verschaffen oder sich gegenseitig zu unterjochen. Von Außen mit einem Einfall bedroht, im Inlande von der öffentlichen Meinung verfolgt, sahen sie ein, daß sie verloren wären, wenn sie sich trennten. Um der Gefahr zu entgehen, ließen sie ihren Streit fallen, die Einen brachten zu der gemeinsamen Vertheidigung ihre Systeme und ihre Chimäre, die Andern ihren Schrecken und ihre Verkehrtheit mit. Keiner war aufrichtig bei dem Vertrage. Jeder nahm sich vor, denselben, wenn die Krisis vorüber wäre, zu seinem Vortheil zu drehen; Alle suchten sich zum Voraus der Resultate des Sieges zu versichern. In diesem schrecklichen Trente-et-un waren drei ungeheure Spieler abwechselnd die Bankhalter: die Freiheit, die Anarchie, der Despotismus, welche alle drei betrogen und sich bemühten, eine für Alle verlorene Partie zu gewinnen.

Voll von diesem Gedanken, verfuhren sie nicht strenge gegen einige

verlorene Kinder, welche die revolutionären Maßregeln beschleunigten. In den Vorstädten hatten sich Föderirte gebildet und Bünde organisirten sich unter strengen Eiden in der Bretagne, dem Anjou, dem Lyonnais und Burgund; man hörte die Marseillaise und die Carmagnole singen; ein in Paris bestehender Club correspondirte mit anderen Clubs in den Provinzen; man kündigte die Wiedererstehung des Journals der Patrioten an. Aber welches Vertrauen konnten von dieser Seite die Auferstandenen vom Jahr 1793 einflößen? Wußte man nicht, wie sie die Freiheit, die Gleichheit, die Menschenrechte erklärten? Waren sie moralischer, weiser, aufrichtiger nach als vor ihren Abscheulichkeiten? Waren sie aller Tugenden fähig geworden, weil sie sich mit allen Lastern befleckt hatten? Man legt das Laster nicht so leicht ab, wie eine Krone; die Stirne, um welche sich das schreckliche Band schlingt, behält einen unvertilgbaren Abdruck davon.

Die Idee, ein ehrgeiziges Genie vom Range des Kaisers in den Stand eines Generalissimus oder Präsidenten der Republik hinabsteigen zu lassen, war eine Chimäre; die rothe Mütze, welche man während der hundert Tage seinen Büsten aufsetzte, hätte Bonaparte nur die Wiedererlangung des Diadems verkündigt, wenn es diesen Athleten, welche die Welt durchziehen, gestattet wäre, zweimal die nämliche Laufbahn zurückzulegen.

Immerhin versprachen sich Liberale von Bedeutung den Sieg. Irregeführte Männer, wie Benjamin Constant, Einfaltspinsel, wie Herr Sismonde-Sismondi, sprachen davon, das Ministerium des Innern mit dem Fürsten von Canino, das Kriegsministerium mit dem General-Lieutenant Graf Carnot, das Justizministerium mit dem Grafen Merlin zu besetzen. Scheinbar kraftlos, setzte Bonaparte demokratischen Bewegungen, welche als letztes Ergebniß seiner Armee Conscribirte lieferten, keinen Widerstand entgegen. Er ließ sich in Pamphleten angreifen, Carricaturen wiederholten ihm: Insel Elba, wie die Papageien Ludwig XI zuriefen: Peronne. Man predigte dem Ausreißer, indem man ihn dutzte, Freiheit und

Gleichheit; er hörte dieſe Ermahnungen mit einer Miene der Zerknirſchung an. Plötzlich zerreißt er die Bande, womit man ihn zu umſchlingen gedacht, und verkündet ſeine eigene Obergewalt, und zwar nicht mit einer plebejiſchen, ſondern mit einer ariſtokratiſchen Conſtitution, mit einem der Conſtitution des Kaiſerreiches angehängten Zuſatz.

Die geträumte Republik verwandelt ſich durch dieſe geſchickte Taſchenſpielerei in die alte kaiſerliche Regierung, verjüngt durch das Feudalſyſtem. Der angehängte Zuſatz entführt Bonaparte die republikaniſche Partei und macht faſt in allen anderen Parteien Mißvergnügte. In Paris herrſcht Zügelloſigkeit, in den Provinzen Anarchie, die Civil- und Militärbehörden bekämpfen ſich; hier droht man die Schlöſſer zu verbrennen und die Prieſter zu erwürgen, dort ſteckt man die weiße Fahne auf und ruft: Es lebe der König! Angegriffen, weicht Bonaparte zurück; er entzieht ſeinen außerordentlichen Commiſſären die Ernennung der Maires in den Gemeinden und überläßt dieſe Ernennung wieder dem Volke. Erſchrocken über die vielfachen verneinenden Voten gegen den angehängten Zuſatz, gibt er ſeine thatſächliche Dictatur auf und ruft kraft dieſes noch nicht angenommenen Zuſatzes die Repräſentantenkammer zuſammen. Von Klippe zu Klippe irrend, ſtößt er, kaum von einer Gefahr befreit, auf eine andere. Wie kann der Monarch eines Tages eine erbliche Pairswürde einſetzen, die der Geiſt der Gleichheit von ſich weist? Wie ſoll er die beiden Kammern regieren? Werden ſie einen paſſiven Gehorſam zeigen? Welches ſind die Beziehungen dieſer Kammern zu der auf dem Maifelde projectirten Verſammlung, die keinen wirklichen Zweck mehr hat, weil der angehängte Zuſatz in Ausführung geſetzt wurde, bevor die Stimmen gezählt waren. Wird ſich dieſe aus dreißigtauſend Wählern beſtehende Verſammlung nicht für die Nationalverſammlung halten?

Dieſes ſo prunkvoll angekündigte und am 1. Juni gefeierte Maifeld löst ſich in ein einfaches Defiliren der Truppen und in

eine Austheilung von Fahnen vor einem verachteten Altar auf. Von seinen Brüdern, den Würdenträgern des Staates, den Marschällen, den Civil- und Justizbehörden umgeben, verkündet Napoleon die Volkssouveränität, an die er nicht glaubte. Die Bürger hatten sich eingebildet, an diesem feierlichen Tage selbst eine Constitution zu fabriciren; der friedlichere Theil derselben erwartete, man werde die Abdankung Napoleons zu Gunsten seines Sohnes erklären, eine Abdankung, welche in Basel zwischen den Agenten Fouché's und des Fürsten von Metternich listig betrieben wurde. Das Ganze war Nichts als eine lächerliche politische Farce. Uebrigens war der angehängte Zusatz gleichsam eine Huldigung der Legitimität; einige Verschiedenheiten, besonders die Abschaffung der Confiscation abgerechnet, war er die Charte.

Fortsetzung der hundert Tage in Paris. — Sorgen und Verdrießlichkeiten Bonaparte's.

Diese plötzliche Veränderung, dieser Wirrwarr in allen Dingen kündeten an, daß der Despotismus in den letzten Zügen lag. Dennoch kann der Kaiser im Innern den tödtlichen Streich nicht empfangen, denn die Macht, die ihn bekämpft, ist so entkräftet als er. Der revolutionäre Titan, den Napoleon einst zu Boden warf, hatte seine angeborne Energie nicht wieder erlangt; die beiden Riesen versetzten sich jetzt unnütze Streiche; es ist nur noch ein Kampf von zwei Schatten.

Zu diesen allgemeinen Unmöglichkeiten gesellen sich für Bonaparte häusliche Trübsal und Palastsorgen. Er verkündete Frankreich die Rückkehr der Kaiserin und des Königs von Rom, und weder die Eine noch der Andere kamen. In Bezug auf die Königin von Holland, welche von Ludwig XVIII zur Herzogin von Saint-Leu ernannt worden war, äußerte er sich:

„Wenn man das Glück einer Familie genoß, so muß man auch das Unglück mit ihr theilen.

Joseph, welcher aus der Schweiz herbeigeeilt war, wollte nur Geld von ihm; Lucian beunruhigte ihn durch seine liberalen Verbindungen. Murat, der sich Anfangs gegen seinen Schwager verschworen, hatte sich, zu diesem zurückkehrend, nur zu sehr beeilt, die Oesterreicher anzugreifen. Des Königreichs Neapel beraubt und ein Unglücksprophet von einem Flüchtling, erwartete er in der Nähe von Marseille im Arrest die Katastrophe, die ich Euch später erzählen werde.

Und zudem, konnte der Kaiser seinen ehemaligen Parteigängern und seinen angeblichen Freunden trauen? Hatten sie ihn im Augenblicke seines Falles nicht schmachvoll im Stich gelassen? Hatte jener Senat, der zu seinen Füßen kroch und jetzt in der Pairskammer hockte, nicht die Absetzung seines Wohlthäters decretirt? Konnte er diesen Menschen glauben, wenn sie ihm sagten: „Frankreichs Vortheil ist von dem Ihrigen unzertrennlich? Wenn das Glück Ihren Bemühungen untreu werden sollte, Sire, so werden auch Mißgeschicke unsere Ausdauer nicht schwächen und unsere Anhänglichkeit zu Ihnen nur verdoppeln."

Eure Ausdauer! Eure Anhänglichkeit verdoppelt durch das Unglück! Ihr sagtet das am 11. Juni 1815; was hattet ihr am 9. April 1814 gesagt? Was werdet ihr einige Wochen später, am 19. Juli 1815, sagen?

Der kaiserliche Polizeiminister correspondirte, wie man gesehen hat, mit Gent, Wien und Basel. Die Marschälle, denen Bonaparte den Oberbefehl über seine Soldaten ertheilen mußte, hatten noch vor Kurzem Ludwig XVIII den Eid geleistet; sie hatten gegen ihn, Bonaparte, die heftigsten Proclamationen erlassen;*) allerdings hatten sie sich jetzt wieder mit ihrem Sultan vermählt; wenn er aber in Grenoble verhaftet worden wäre, was hätten sie mit ihm

*) Man sehe weiter oben die des Marschall Soult.

angefangen? Genügt es, einen Eid zu brechen, um einen andern verletzten Eid wieder in volle Kraft treten zu laſſen? Wiegen zwei Meineide die Treue auf?

Noch einige Tage, und die, welche auf dem Maifelde den Schwur leiſteten, werden Ludwig XVIII in den Sälen der Tuilerien ihrer Ergebenheit verſichern; ſie werden ſich der heiligen Tafel des Friedensgottes nähern, um ſich bei den Banketten des Krieges zu Miniſtern ernennen zu laſſen. Wappenherolde und Träger der königlichen Inſignien bei Bonaparte's Krönung, werden ſie bei der Krönung Karls X die gleichen Functionen verrichten. Als Commiſſäre einer andern Macht werden ſie ſpäter dieſen König als Gefangenen nach Cherbourg führen, indem ſie in ihrem Gewiſſen mit Noth ein freies Winkelchen finden, um den Schild ihres neuen Eides darin anzubringen. Es iſt hart, in Epochen der Unredlichkeit geboren zu werden und in Tagen zu leben, wo zwei mit einander redende Menſchen, aus Furcht ſich zu beleidigen und gegenſeitig zu erröthen, darauf bedacht ſein müſſen, Worte aus der Sprache wegzulaſſen.

Werden die, welche Napoleon um ſeines bloßen Ruhmes willen nicht anhänglich ſein konnten, die nicht aus Erkenntlichkeit dem Wohlthäter zugethan zu ſein vermochten, von dem ſie ihre Reichthümer, ihre Ehrentitel und ſogar ihre Namen empfangen hatten, ſich jetzt für ſeine armen Hoffnungen aufopfern? Werden die Undankbaren, die ein durch unerhörte Erfolge und den ſechszehnjährigen Beſitz von Siegen dauerhaft gewordenes Glück nicht zu feſſeln vermochte, ſich jetzt an ein prekäres und wiederbeginnendes Glück ketten? So viel Chryſaliden, welche zwiſchen zwei Frühlingen die Haut des Legitimiſten und des Revolutionärs, des Napoleoniſten und des Bourboniſten abgeſtreift und angezogen, abgelegt und wieder angenommen hatten; ſo viel gegebene und gebrochene Worte, ſo viele Kreuze, die von der Bruſt des Ritters an den Schweif des Pferdes und von dem Schweif des Pferdes an die Bruſt des Ritters gewandert waren, ſo viele Tapfere, welche

die Flagge änderten und den Kampfplatz mit ihren Pfändern erlogener Treue beſäeten; ſo viele edle Damen, wechſelweiſe im Gefolge Maria Luiſens und Maria Karolinens, mußten in Napoleon's Seele nur Mißtrauen, Abſcheu und Verachtung pflanzen. Dieſer große, gealterte Mann befand ſich mitten unter allen dieſen Verräthern, dieſen Menſchen und bei dieſem Looſe allein auf einer ſchwankenden Erde, unter einem feindlichen Himmel, ſeinem erfüllten Geſchicke und dem Gerichte Gottes gegenüber.

Welchen Entſchluß man in Wien faßt. — Bewegung in Paris.

Napoleon hatte auf ſeinem Marſche weniger Getreue gefunden, als Geſpenſter ſeines früheren Ruhmes. Sie geleiteten ihn, wie ich erzählt habe, von dem Ort ſeiner Landung an bis in die Hauptſtadt Frankreichs.

Allein die Adler, welche von Cannes bis Paris von Kirchthurm zu Kirchthurm geflogen, ließen ſich ermüdet auf den Rauchfängen der Tuilerien nieder und vermochten nicht weiterzufliegen.

Napoleon warf ſich nicht ſofort mit den aufgeregten Völkerſchaaren auf Belgien, er ließ einer engliſch-preußiſchen Armee Zeit, ſich dort zu ſammeln. Er zögert, er verſucht mit Europa zu unterhandeln und ſucht demüthig die Verträge der Legitimität aufrecht zu erhalten. Der Wiener Congreß hält dem Herzog von Vicenza die Abdankungsurkunde vom 11. April 1814 entgegen. In dieſer Abdankungsurkunde hatte Bonaparte anerkannt, daß er das einzige Hinderniß der Wiederherſtellung des europäiſchen Friedens ſei, und in Folge deſſen hatte er für ſich und ſeine Erben auf die Throne von Frankreich und Italien Verzicht geleiſtet. Indem er ſich nun abermals der Gewalt bemächtigt, verletzt er offenkundig den Vertrag

von Paris und verſetzt ſich wieder in die politiſche Lage, wie ſie vor dem 31. März 1814 geweſen. Demnach iſt es Bonaparte, welcher Europa den Krieg erklärt, und nicht Europa, welches ihn Bonaparte erklärt. Dieſe Logik der diplomatiſchen Procuratoren, wie ich ſie ſchon bei Erwähnung des Briefes des Herrn von Talleyrand angedeutet, hatten vor dem Kampf einen oder keinen Werth.

Die Nachricht von Bonaparte's Landung zu Cannes war am 3. März nach Wien gelangt. Man vernahm ſie mitten in einem Feſt, wo man ſich mit der Vorſtellung der Götterverſammlung des Olymps und des Parnaſſos beluſtigte.

Alexander war kurz zuvor dem Project einer Allianz zwiſchen Frankreich, Oeſterreich und England auf die Spur gekommen. Er ſchwankte einen Augenblick zwiſchen den Eindrücken dieſer beiden Neuigkeiten. Dann ſagte er: „Es handelt ſich nicht um mich, ſondern um das Heil der Welt.“ Und eine Eſtafette ging nach Petersburg ab, um den Befehl zum Ausmarſch der Garden zu überbringen.

Die auf ihrem Rückzug begriffenen Armeen der Verbündeten ſtellen ihren Marſch ein, ihre lange Linie macht plötzlich Kehrt und achtmalhunderttauſend Feinde kehren ihr Geſicht wieder Frankreich zu.

Napoleon rüſtet ſich zum Krieg. Neue catalauniſche Felder *) erwarten ihn. Gott beruft ihn zu einer Schlacht, welche dem Regiment der Schlachten ein Ende machen ſoll.

Die Wärme der Fittige des Ruhmes von Marengo und Auſterlitz hatte hingereicht, Heere auszubrüten in dieſem Frankreich, welches nur ein großes Neſt von Soldaten iſt. Bonaparte

*) Auf den catalauniſchen Feldern, da, wo jetzt Chalons ſur Marne ſteht, wurde bekanntlich Attila, die „Geißel Gottes“, im Jahre 451 von den verbündeten Römern und Weſtgothen geſchlagen. Anm. d. Ueberſ.

hatte ſeinen Legionen ihre alten Ehrennamen wieder gegeben: die Unbeſiegliche, die Schreckliche, die Unvergleichliche. Fünf Armeen erhielten wieder die Namen: Pyrenäen-Armee, Alpen-Armee, Jura-Armee, Moſel-Armee, Rhein-Armee, große Erinnerungen, welche nicht vorhandenen Truppen gleichſam zu Cadres, Siegeshoffnungen dienten. Eine wirkliche Armee war um Paris und Laon concentrirt. Hundertundfünfzig beſpannte Batterien, zehntauſend in die Garde getretene Elite-Krieger, achtzehntauſend bei Lützen und Bautzen berühmt gewordene Seeſoldaten, dreißigtauſend Veteranen, Offiziere und Unteroffiziere, welche in den feſten Plätzen garniſonirten, ſieben Departements des Oſten und Weſten, bereit, in Maſſe ſich zu erheben, hundertundachtzigtauſend Mann mobil gemachter Nationalgarden, Freicorps in Lothringen, im Elſaß und in der Freigrafſchaft, Föderirte, welche ihre Piken und ihre Arme anboten, Paris, welches Tag für Tag dreitauſend Gewehre fertigte: das waren die Hülfsmittel des Kaiſers. Vielleicht wäre es ihm noch einmal gelungen, die Welt umzukehren, wenn er ſich hätte entſchließen können, dem Vaterland die Freiheit zu geben und zugleich auch die fremden Nationen zur Freiheit aufzurufen. Der Augenblick hiezu war ſehr günſtig; denn die Könige, welche ihren Unterthanen conſtitutionelle Regierungen verſprochen hatten, brachen ſchmachvoll ihr Wort. Aber die Freiheit war Napoleon's Antipathie, ſeit er aus dem Becher der Gewalt getrunken. Er wollte lieber mit den Soldaten beſiegt werden, als mit den Völkern ſiegen. Die Truppencorps, welche er nach und nach gegen die Niederlande vorſchob, waren zuſammen ſiebzigtauſend Mann ſtark.

Was wir in Gent thaten. — Herr von Blacas.

Was uns Emigranten angeht, ſo machten wir's in der Stadt Karl's V wie die Frauen dieſer Stadt. Hinter ihren Fenſtern

ſitzend, ſahen ſie in einen kleinen Spiegel reflectirt Soldaten durch die Straßen ziehen.

Ludwig XVIII ſaß gänzlich vergeſſen hinter dem Ofen. Kaum daß er von Zeit zu Zeit von dem aus Wien zurückkehrenden Fürſten von Talleyrand ein Billet erhielt oder ein paar Zeilen von Mitgliedern des diplomatiſchen Corps, welche ſich in der Eigenſchaft von Commiſſären bei dem Herzog von Wellington befanden, wie die Herren Pozzo di Borgo, von Vincent u. A. Ei, man hatte ganz andere Dinge zu thun, als an uns zu denken! Ein der Politik fremder Menſch würde nie geglaubt haben, daß der an dem Geſtade der Lys machtloſe Verborgene auf den Thron zurückgeſchleudert werden würde durch den Zuſammenſtoß von Tauſenden von Soldaten, die bereit waren, ſich zu würgen, von Soldaten, denen er weder König noch General war, die nicht an ihn dachten, die weder ſeinen Namen noch ſeine Exiſtenz kannten. Von zwei benachbarten Orten, wie Gent und Waterloo, war der eine nie ſo dunkel, der andere nie ſo hell. Die Legitimität lag in der Remiſe wie ein alter zerbrochener Fourgon.

Wir wußten, daß Bonaparte's Truppen ſich näherten, und hatten zu unſerer Bedeckung nur zwei kleine Compagnien unter dem Commando des Herzogs von Berry, eines Prinzen, deſſen Geblüt uns wenig helfen konnte, denn es war ſchon anderwärts in Anſpruch genommen. Tauſend Pferde, welche die franzöſiſche Armee detachirte, hätten uns binnen wenigen Stunden aufgehoben. Die Feſtungswerke von Gent waren geſchleift; die noch übrig gebliebene Ringmauer aber wäre um ſo leichter zu forciren geweſen, als uns die Bevölkerung Belgiens keineswegs mit günſtigen Augen betrachtete. Die Scene, deren Augenzeuge ich in den Tuilerien geweſen war, wiederholte ſich jetzt. Man rüſtete insgeheim die Wagen Seiner Majeſtät und beſtellte die Pferde. Wir als getreue Miniſter des Königs, mußten ihm, Gott ſei Dank, hinterdrein patſchen. Monſieur ging nach Brüſſel, mit dem Auftrag, die Ereigniſſe in der Nähe zu überwachen.

Herr von Blacas war ſorgenvoll und traurig geworden; ich armer Menſch tröſtete ihn. Zu Wien war man ihm nicht hold, Herr von Talleyrand machte ſich über ihn luſtig, die Royaliſten gaben ihm die Rückkehr Napoleon's ſchuld. Im einen oder andern Falle alſo war kein ehrenvolles Exil mehr in England, war keine der erſten Stellen mehr in Frankreich für ihn möglich; ich blieb ſeine einzige Stütze. Ich traf ihn ziemlich oft auf dem Pferdemarkt, wo er allein einhertrabte; ich ſpannte mich ſodann an ſeine Seite und ging auf ſeine traurigen Gedanken ein. Dieſer Mann, den ich in Gent und in England vertheidigt habe, den ich nach den hundert Tagen und bis zu der Vorrede der Monarchie nach der Charte vertheidigte, dieſer Mann war mir immer entgegen, was Nichts zu bedeuten hätte, wenn es nicht von Unheil für die Monarchie geweſen wäre. Ich bereue meine frühere Einfältigkeit nicht, muß aber in dieſen Memoiren die auf meine Urtheilskraft oder mein gutes Herz unternommene Ueberrumpelung rächen.

Schlacht von Waterloo.

Am 18. Juni 1815 begab ich mich durch das Thor von Brüſſel außerhalb der Stadt Gent und machte allein einen Spaziergang auf der Landſtraße. Ich hatte Cäſar's Commentare bei mir und wandelte, in meine Lectüre vertieft, langſam einher. Schon war ich mehr als eine Wegſtunde von der Stadt entfernt, als ich ein dumpfes Rollen zu hören glaubte. Ich ſtand ſtille, betrachtete den ziemlich mit Wolken bedeckten Himmel und berathſchlagte bei mir ſelbſt, ob ich noch weiter gehen oder in der Befürchtung eines Gewitters mich wieder Gent nähern wolle. Ich horchte aufmerkſamer, hörte aber Nichts weiter, als das Geſchrei eines im Schilfe ſich bergenden Waſſerhuhns und den Schall einer Dorfuhr. Ich ſetzte meinen Weg fort, hatte aber noch nicht

dreißig Schritte zurückgelegt, als das Rollen bald in kurzen, bald in längeren und ungleichen Zwischenräumen von Neuem begann. Zuweilen, so sehr war es entfernt, war es nur durch ein Beben der Luft bemerkbar, das sich dem Boden dieser unermeßlichen Ebenen mittheilte. Dieses Getöse, welches weniger gedehnt, weniger schwellend, weniger ineinandergreifend als das des Donners war, brachte mich auf den Gedanken, es könnte ein Kampf stattfinden. Ich befand mich vor einer in die Ecke eines Hopfenfeldes gepflanzten Pappel. Ich schritt quer über die Straße und lehnte mich stehend an den Stamm eines Baumes, das Gesicht der Gegend von Brüssel zugewandt. Der Südwind, der sich erhoben, trug mir das Getöse der Artillerie deutlicher zu. Diese große, noch namenlose Schlacht, auf deren Wiederhall ich am Fuße einer Pappel horchte und deren verhängnißvolle Stunde die Dorfuhr so eben geschlagen, war die Schlacht von Waterloo!

Ich wäre weniger ergriffen gewesen, als ich es hier als stiller und einsamer Zuhörer des furchtbaren Schicksalsspruches war, wenn ich mich im Handgemenge selbst befunden hätte, die Gefahr, das Feuer, das Gewühl des Todes hätten mir nicht Zeit zum Nachsinnen gelassen; nun ich mich aber allein unter einem Baume in der Landschaft von Gent und nur von Hirten mit ihren weidenden Heerden umgeben befand, unterlag ich fast der Wucht von Betrachtungen. Was für ein Kampf mochte das sein? War er entscheidend? Befand sich Napoleon in Person dabei? Wurde über die Welt, wie über das Gewand Christi das Loos geworfen? Beim Glück oder Unglück der einen oder andern Armee, welche Folgen würde das Ereigniß für die Völker haben, die Freiheit oder die Sklaverei? Aber was für Blut floß? War nicht jeder Ton, der an mein Ohr gelangte, von dem letzten Seufzer eines Franzosen begleitet? Ward etwa den unversöhnlichsten Feinden Frankreichs die Freude zu Theil, ein neues Crécy, ein neues Poitiers, ein neues Azincourt zu sehen? Wenn sie siegten, war unser Ruhm nicht verloren? Trug Napoleon den Sieg davon,

was ward aus unſerer Freiheit? Obwohl ein Sieg Napoleon's mich zu ewigem Exil verdammte, gewann doch das Vaterland in dieſem Augenblick die Oberhand in meinem Herzen; meine Wünſche begleiteten den Bedrücker Frankreichs, damit er unſere Ehre rette und uns fremder Oberherrſchaft entreiße.

Triumphirte Wellington? Dann würde die Legitimität hinter jenen rothen Uniformen, die ihren Purpur von Neuem im Blute der Franzoſen färbten, wieder in Paris einziehen! Die mit unſeren verſtümmelten Grenadieren angefüllten Lazarethwagen würden dann den Krönungszug des Königthums bilden! Was wäre eine unter ſolchen Auſpicien zu Stande gekommene Reſtauration?....

Das war nur ein ganz kleiner Theil der Ideen, die mich quälten. Jeder Kanonenſchuß gab mir einen Stoß und verdoppelte mein Herzklopfen. Einige Stunden von mir weg fand eine ungeheure Kataſtrophe ſtatt und ich ſah ſie nicht, ich konnte das große, von Minute zu Minute anwachſende Trauermonument bei Waterloo nicht berühren, wie ich vom Strande des Bulak, am Ufer des Nils, vergeblich meine Arme nach den Pyramiden ausſtreckte.

Kein Reiſender erſchien; einige in den Feldern zerſtreute Frauen, die friedlich ihre Bohnenbeete jäteten, ſchienen das Getöſe, dem ich mein Ohr lieh, nicht zu hören. Doch jetzt ſah ich einen Courier kommen. Ich verlaſſe meinen Baum und ſtelle mich mitten auf der Straße auf, halte den Courier an und befrage ihn. Er gehörte dem Herzog von Berry an und kam von Aloſt. Er ſagte mir: „Bonaparte iſt geſtern, am 17. Juni, nach einem blutigen Kampfe in Brüſſel eingezogen. Die Schlacht ſollte heute, den 18., wieder beginnen. Man glaubt mit Beſtimmtheit an die Niederlage der Verbündeten und bereits iſt Befehl zum Rückzug gegeben.“ Der Courier ſetzte ſeinen Weg fort.

Ich folgte ihm eiligſt. Ein Kaufmann, der mit der Poſt mit ſeiner Familie floh, holte mich ein und beſtätigte mir die Erzählung des Couriers.

Beſtürzung in Gent. — Verlauf der Schlacht von Waterloo.

Als ich Gent wieder betrat, fand ich Alles in Beſtürzung; man ſchloß die Stadtthore und ließ nur die Pförtchen halb geöffnet. Schlechtbewaffnete Bürger und einige Soldaten des Depots ſtanden Schildwache. Ich begab mich zu dem König.

Monſieur war ſo eben auf einem Umwege angelangt; er hatte auf die falſche Nachricht hin, daß Bonaparte in Brüſſel einziehen werde und eine erſte verlorene Schlacht keine Hoffnung auf Gewinn einer zweiten laſſe, letztere Stadt verlaſſen. Man erzählte ſich, daß, da die Preußen ſich nicht in der Schlachtlinie befunden hätten, die Engländer aufgerieben worden ſeien.

In Folge dieſer Bülletins wurde das Rette ſich, wer kann allgemein; wer einige Hülfsquellen beſaß, reiſte ab. Ich, der ich gewöhnlich Nichts habe, ich ſtand immer bereit und zur Verfügung. Ich wollte Frau von Chateaubriand, eine eifrige Bonapartiſtin, aber keine Freundin vom Kanoniren, vorher fortſpediren, allein ſie wollte mich nicht verlaſſen.

Abends fand eine Berathung bei Sr. Majeſtät ſtatt; wir hörten die Berichte Monſieurs und die beim Platzcommandanten oder dem Baron von Eckſtein vernommenen man ſagt von Neuem. Der Wagen mit den Krondiamanten war beſpannt; ich brauchte keinen, um meinen Schatz fortzuſchaffen. Ich legte mein ſchwarzſeidenes Tuch, in das ich Nachts meinen Kopf einwickle, in mein inhaltloſes Porteſeuille des Miniſteriums der auswärtigen Angelegenheiten und ſtellte mich mit dieſem wichtigen Documente der Angelegenheiten der Legitimität dem König zur Verfügung. Ich war reicher bei meiner erſten Emigration, wo mein Haberſack mir ſtatt Kiſſen und Atala als Pfühl diente; im Jahr 1815 war jedoch Atala ein großes, ſchmächtiges verblühtes Mädchen von 13 bis 14 Jahren, das ganz allein die Welt durchwanderte und für die Ehre ſeines Vaters zu viel von ſich ſprechen gemacht hatte.

Am 19. Juni langte um ein Uhr Morgens eine Staffete mit einem Brief des Herrn Pozzo an den König an, welcher wahren Aufſchluß über den Stand der Dinge gab. Bonaparte war nicht in Brüſſel eingezogen; er hatte unbeſtreitbar die Schlacht von Waterloo verloren. Am 12. Juni von Paris abgereist, langte er am 14. bei ſeiner Armee an. Am 15. wirft er die feindlichen Linien an der Sambre. Am 16. ſchlägt er die Preußen in jenen Feldern von Fleurus, wo der Sieg den Franzoſen immer getreu zu ſein ſcheint. Die Dörfer von Ligny und von Saint-Amand werden genommen. Bei Quatre-Bras neues Glück; der Herzog von Braunſchweig bleibt unter den Todten. Der in vollem Rückzug begriffene Blücher zieht ſich auf eine Reſerve von 30,000 Mann unter den Befehlen des Generals von Bülow zurück; der Herzog von Wellington lehnt ſich mit den Engländern und Holländern an Brüſſel an.

Am Morgen des 18. erklärte der Herzog von Wellington, bevor noch die erſten Kanonenſchüſſe abgefeuert wurden, daß er ſich bis drei Uhr halten könne, daß er aber dann, Falls die Preußen nicht erſchienen, unvermeidlich vernichtet werden würde, da, auf Planchenois und Brüſſel zugedrängt, ihm jeder Rückzug abgeſchnitten wäre. Wurde er von Napoleon überrumpelt, ſo war ſeine militäriſche Poſition eine abſcheuliche; er hatte ſie angenommen, aber nicht ſelbſt gewählt.

Die Franzoſen nahmen Anfangs auf dem linken Flügel des Feindes die Höhen, welche das Schloß von Hougoumont bis zu den Pachthöfen von la Hai-Sainte und Papelotte beherrſchen; auf dem rechten Flügel griffen ſie das Dorf Mont-Saint-Jean an; die Meierei von la Hai-Sainte wird im Centrum durch den Prinzen Jerome genommen. Allein gegen ſechs Uhr Abends erſcheint die preußiſche Reſerve in der Gegend von Saint-Lambert, ein neuer und wüthender Angriff findet auf das Dorf la Hai-Sainte ſtatt; Blücher langt mit friſchen Truppen an und trennt die Carrées der kaiſerlichen Garde von dem Reſt unſerer ſchon

durchbrochenen Truppen. Rings um diese unsterbliche Phalanx reißt der Strom der Fliehenden mitten unter Staubwolken, glühendem Pulverdampf und Kartätschenhagel, in einem von congrevischen Raketen durchfurchten Dunkel, unter dem Gebrüll von dreihundert Artilleriegeschossen und dem rasenden Galopp von fünfundzwanzigtausend Pferden Alles mit sich fort; es war gleichsam der Hauptinhalt aller Schlachten des Kaiserreichs. Zweimal schrieen die Franzosen Sieg! und zweimal wird ihr Geschrei unter dem Drucke der feindlichen Colonnen erstickt. Das Feuer unserer Linien erlöscht, die Kartätschen sind erschöpft; mitten unter dreißigtausend Todten, hunderttausend blutigen, erkalteten und zu ihren Füßen aufgehäuften Kugeln, bleiben noch einige verwundete Grenadiere, auf ihre Muskete mit dem zerbrochenen Bajonnet und dem ungeladenen Laufe gestützt, stehen. Unweit von ihnen horcht der Mann der Schlachten mit stierem Blicke dem letzten Kanonenschuß, den er in seinem Leben hören sollte. Noch kämpfte auf diesen blutgetränkten Feldern sein Bruder Jerome mit seinen der Uebermacht unterliegenden Bataillonen, allein sein Muth vermochte den Sieg nicht zurückzubringen.

Die Zahl der Todten auf Seite der Verbündeten wurde auf achtzehntausend, auf Seite der Franzosen auf fünfundzwanzigtausend Mann geschätzt; zwölfhundert englische Offiziere waren umgekommen, fast alle Adjutanten des Herzogs von Wellington getödtet oder verwundet; es gab in England nicht eine Familie, die nicht in Trauer versetzt wurde. Der Prinz von Oranien war durch eine Kugel in die Achsel getroffen, dem Baron von Vincent, östreichischen Gesandten, die Hand durchbohrt worden. Die Engländer verdankten ihre Erfolge den Irländern und der Brigade der Bergschotten, welche die Angriffe unserer Cavallerie nicht zu durchbrechen vermochten. Da das Corps des Generals Grouchy nicht vorgerückt war, so hatte es sich nicht im Gefechte befunden. Die beiden Armeen ließen Eisen und Feuer mit einer Tapferkeit und einer Erbitterung unter sich kreuzen, die eine Jahrtausende

andauernde Nationalfeindſchaft erweckte. Als Lord Caſtlereagh der Kammer der Lords Bericht über die Schlacht von Waterloo erſtattete, ſagte er: „Nach der Schlacht wuſchen die engliſchen und die franzöſiſchen Soldaten ihre blutigen Hände in dem nämlichen Bache und gratulirten ſich von einem Ufer zum andern herüber gegenſeitig zu dem bewieſenen Muthe.“

Wellington war Bonaparte immer verderblich oder vielmehr das nebenbuhleriſche Genie Frankreichs, das engliſche Genie geweſen, das dem Siege den Weg verſperrte. Heutzutage machen die Preußen den Engländern die Ehre des entſcheidenden Kampfes ſtreitig; allein im Kriege macht nicht die vollbrachte Handlung, ſondern der Name den Sieger; die wirkliche Schlacht von Jena hat nicht Napoleon gewonnen.

Die Franzoſen hatten bedeutende Fehler gemacht; ſie täuſchten ſich in feindlichen oder befreundeten Corps, beſetzten die Poſition von Quatre-Bras zu ſpät; der Marſchall Grouchy, der beauftragt war, die Preußen mit ſeinen ſechsunddreißigtauſend Mann zurückzuhalten, ließ ſie paſſiren, ohne es zu bemerken. Daher die Vorwürfe, welche unſere Generäle gegenſeitig an einander richteten. Bonaparte griff nach ſeiner Gewohnheit in der Front an, ſtatt die Engländer zu umgehen, und gedachte mit dem Dünkel des Meiſters, einem Feinde, der nicht beſiegt war, den Rückzug abzuſchneiden.

Ueber dieſe Kataſtrophe ſind viele Lügen, aber auch einige ziemlich merkwürdige Wahrheiten verbreitet worden. Das Wort: Die Garde ſtirbt und ergibt ſich nicht, iſt eine Erfindung, die man nicht mehr vertheidigen darf. Gewiß ſcheint, daß bei Beginn des Kampfes Soult dem Kaiſer einige ſtrategiſche Bemerkungen machte. „Weil Wellington Sie geſchlagen hat,“ antwortete ihm trocken Napoleon, „ſo meinen Sie immer, er ſei ein großer General.“ Gegen Ende der Schlacht drang Herr von Türenne in Bonaparte, ſich zurückzuziehen, um nicht in die Hände

des Feindes zu fallen. Bonaparte, der aus ſeinen Gedanken wie aus einem Traum erwacht, wird Anfangs unwillig, ſchwingt ſich aber während ſeines Zornes plötzlich auf ſein Pferd und flieht.

Rückkehr des Kaiſers. — Wiedererſcheinen Lafayette's. — Neue Abdankung Bonaparte's. — Stürmiſche Sitzungen der Pairskammer. — Bedrohliche Vorzeichen für die zweite Reſtauration.

Am 19. Juni hatten hundert Kanonenſchüſſe vom Invalidenhauſe die glücklichen Erfolge bei Ligny, Charleroi und Quatre-Bras verkündigt; man feierte Siege, die Tags zuvor in Waterloo hingeſtorben waren. Der erſte Courier, welcher die Nachricht dieſer Niederlage, vermöge ihrer Reſultate eine der größten in der Geſchichte, nach Paris brachte, war Napoleon ſelbſt. Er fuhr in der Nacht des 21. durch die Barrièren ein; es war, als kehrten ſeine Manen zurück, um ſeine Freunde zu benachrichtigen, daß er nicht mehr ſei. Er ſtieg im Elyſée-Bourbon ab. Als er von der Inſel Elba kam, war er in den Tuilerien abgeſtiegen; dieſe inſtinktmäßig gewählten zwei Aſyle verkündeten die Veränderung ſeines Schickſals.

Im Ausland in einem edeln Kampfe unterlegen, hatte Napoleon in Paris die Angriffe der Advokaten zu ertragen, die ihn in ſeinem Unglück in die Enge treiben wollten. Er bereute, die Kammer vor ſeiner Abreiſe zur Armee nicht aufgelöst zu haben, wie er oft bereute, daß er Fouché und Talleyrand nicht hatte erſchießen laſſen. So viel iſt jedoch gewiß, daß Bonaparte ſich nach der Schlacht von Waterloo aller Heftigkeit enthielt, ſei es, daß er der gewohnten Ruhe ſeines Temperamentes gehorchte, ſei es, daß das Verhängniß ihn bändigte. Er ſagte nicht mehr, wie vor ſeiner erſten Abdankung: „Man wird ſehen, was der Tod eines großen Mannes heißt.“ Dieſe Narrheit war vorbei. Der Freiheit

abhold, ließ er ſich beikommen, jene Repräſentantenkammer, welcher Lanjuinais präſidirte, aufzulöſen; vom Bürger zum Senator, vom Senator zum Pairs und dann wieder zum Bürger geworden, ſollte er vom Bürger wieder Pair werden. General Lafayette las als Deputirter auf der Tribüne einen Antrag, welcher lautete:

„Die Kammer erklärt ſich permanent und jeder Verſuch zu ihrer Auflöſung als Verbrechen des Hochverraths, daher Jeder, der ſich deſſelben ſchuldig macht, als Verräther am Vaterlande zu verurtheilen iſt.“ (Am 21. Juni 1815.)

Die Rede des Generals begann folgendermaßen:

„Meine Herren, wenn ich ſeit vielen Jahren zum erſten Mal eine Stimme erhebe, welche die alten Freunde der Freiheit noch erkennen werden, ſo fühle ich mich berufen, Ihnen von der Gefahr des Vaterlandes zu ſprechen . . . . . Der Augenblick iſt da, uns wieder um die dreifarbige Fahne, die Fahne vom Jahr 89, die Fahne der Freiheit, der Gleichheit und der öffentlichen Ordnung, zu ſchaaren.“

Der Anachronismus dieſer Rede verurſachte eine augenblickliche Illuſion, man glaubte die in Lafayette perſonificirte Revolution dem Grabe entſteigen und bleich und runzelig ſich auf der Tribüne präſentiren zu ſehen. Allein dieſe Mirabeau nachgeahmten Ordnungsmotionen waren nur noch außer Gebrauch geſetzte, aus einem alten Arſenal hervorgeholte Waffen. Wenn Lafayette Ende und Anfang ſeines Lebens auf edle Weiſe mit einander vereinigte, ſo lag es doch nicht in ſeiner Macht, die beiden Enden der von der Zeit zerbrochenen Kette zu löthen.

Benjamin Conſtant begab ſich zum Kaiſer in's Elyſée-Bourbon; er fand ihn in ſeinem Garten. Die Menge belagerte die Allee von Marigny und rief: Es lebe der Kaiſer! Ein rührender Ruf aus dem Volksherzen, an den Beſiegten gerichtet! Bonaparte ſagte zu Benjamin Conſtant: „Was verdanken mir dieſe? Ich habe ſie arm gefunden und arm gelaſſen!“

Das iſt vielleicht das einzige Wort, das ihm vom Herzen gekommen iſt, wenn wenigſtens die Gemüthsbewegung des Deputirten deſſen Ohr nicht getäuſcht hat. Bonaparte, welcher das Ereigniß vorausſah, kam der Aufforderung, die man an ihn ergehen laſſen wollte, zuvor. Er dankte ab, um nicht zur Abdankung gezwungen zu werden.

„Mein politiſches Leben iſt beendigt," ſagte er; „ich erkläre meinen Sohn unter dem Namen Napoleon II zum Kaiſer der Franzoſen." Eine nutzloſe Verfügung, wie die Karl's X zu Gunſten Heinrich's V! Man verleiht nur Kronen, wenn man ſie beſitzt, die Menſchen erklären das Teſtament des Unglücks für nichtig. Zudem meinte es der Kaiſer bei dieſer zweiten Thronentſagung nicht aufrichtiger, als bei der erſten; als daher auch die franzöſiſchen Commiſſäre dem Herzog von Wellington die Nachricht von Napoleon's Abdankung überbrachten, antwortete er ihnen: „Ich wußte es ſchon vor einem Jahre."

Die Repräſentantenkammer nahm nach einigen Debatten, in welchen Manuel das Wort ergriff, die neue Abdankung ihres Monarchen an, zwar nur unbeſtimmt und ohne eine Regentſchaft zu ernennen.

Es wird eine Vollziehungscommiſſion geſchaffen, in welcher der Herzog von Otranto präſidirt und die aus drei Miniſtern, einem Staatsrath und einem kaiſerlichen General beſteht, die von Neuem ihren Herrn ausziehen. Das waren Fouché, Caulaincourt, Carnot, Quinette und Grenier.

Während dieſer Vergleiche geſtaltete Napoleon ſeine Ideen in ſeinem Kopfe um. „Ich habe keine Armee mehr," ſagte er, „ich habe nur noch Flüchtlinge. Die Majorität der Deputirtenkammer iſt gut; ich habe bloß Lafayette, Lanjuinais und einige Andere gegen mich. Wenn die Nation ſich erhebt, ſo wird der Feind zerſchmettert; wenn man ſtatt einer allgemeinen Erhebung ſich herumzankt, ſo iſt Alles verloren. Die Nation hat die Deputirten nicht geſchickt, um mich zu ſtürzen, ſondern um mir Beiſtand zu leiſten.

Ich fürchte ſie nicht, was ſie auch thun mögen; ich werde immer das Idol des Volkes und der Armee ſein; auf ein Wort von mir, würden ſie umgebracht. Wenn wir aber ſtreiten, ſtatt uns zu verſtändigen, ſo werden wir das Loos des römiſchen Kaiſerthums in ſeinem Verſinken haben."

Als ihn eine Deputation der Repräſentantenkammer zu ſeiner neuen Abdankung beglückwünſchte, antwortete er: „Ich danke Euch, ich wünſche, meine Abdankung möge Frankreich zum Glück gereichen, hoffe es aber nicht."

Er bereute ſie bald nachher, als er vernahm, daß die Repräſentantenkammer eine aus fünf Mitgliedern beſtehende Regierungscommiſſion ernannt habe. Er ſagte zu den Miniſtern: „Ich habe nicht zu Gunſten eines neuen Directoriums, ſondern zu Gunſten meines Sohnes abgedankt; wird er nicht proclamirt, ſo iſt meine Abdankung null und ungeſchehen. Die Kammern werden die Verbündeten nicht zwingen, die Nationalunabhängigkeit anzuerkennen, wenn ſie ſich knieend und mit geſenkten Ohren vor ihnen präſentiren."

Er beklagte ſich, daß Lafayette, Sebaſtiani, Pontecoulant, Benjamin Conſtant gegen ihn conſpirirt und zudem die Kammern nicht genug Energie hätten. Er behauptete, er allein könnte Alles wieder gut machen, die Führer würden jedoch nicht einwilligen, ſondern ſich lieber in dem Abgrund begraben, als mit ihm, Napoleon, vereinigen, um ihn ſtark zu machen.

Am 27. Juni ſchrieb er in Malmaiſon jenen erhabenen Brief, in welchem er ſagt: „Indem ich die Macht niederlege, habe ich nicht auf das edelſte Recht des Bürgers, auf das Recht verzichtet, mein Land zu vertheidigen. In dieſen ernſten Verhältniſſen biete ich meine Dienſte als General an, indem ich mich immer noch als den erſten Soldaten des Vaterlandes betrachte."

Als ihm der Herzog von Baſſano vorgeſtellt hatte, daß die Kammern nicht für ihn wären, ſagte er: „Dann ſehe ich wohl, daß ich immer nachgeben muß. Dieſer niederträchtige Fouché

hintergeht Euch; nur Caulaincourt und Carnot taugen Etwas; aber was können sie machen mit einem Verräther, Fouché, zwei Einfaltspinseln, Quinette und Grenier, und zwei Kammern, die nicht wissen, was sie wollen? Ihr glaubt Alle, gleich Dummköpfen, an die schönen Versprechungen der Fremden; Ihr glaubt, sie werden Euch die Henne in den Topf legen und einen Fürsten nach ihrem Schnitte geben, nicht wahr? Ihr täuscht Euch." *)

Es wurden Bevollmächtigte an die Verbündeten abgesandt. Napoleon suchte am 29. um zwei bei Rochefort stationirte Fregatten an, die ihn außer Landes bringen sollten; inzwischen hatte er sich nach Malmaison zurückgezogen.

In der Pairskammer fanden lebhafte Discussionen statt. Seit langer Zeit ein Feind Bonaparte's, hatte Carnot, welcher den Befehl zu den Hinrichtungen in Avignon unterzeichnete, ohne Zeit zu haben, denselben zu lesen, während der hundert Tage Zeit gehabt; seinen Republikanismus dem Grafentitel aufzuopfern. Am 22. Juni hatte er im Luxemburg einen Brief des Kriegsministers gelesen, welcher einen übertriebenen Bericht über die militärischen Hülfsquellen Frankreichs enthielt. Ney, der kurz zuvor angekommen war, konnte diesen Bericht nicht ohne Zorn anhören. In seinen Bülletins hatte Napoleon von dem Marschall mit einer schlecht verhehlten Unzufriedenheit gesprochen, und Gourgaud beschuldigte Ney, die Hauptursache von dem Verlust der Schlacht bei Waterloo gewesen zu sein. Ney erhob sich und sagte:

„Dieser Bericht ist falsch, falsch in allen Beziehungen, Grouchy kann höchstens zwanzig bis fünfundzwanzig tausend Mann unter seinen Befehlen haben. Nicht ein einziger Soldat der Garde ist hinzuzurechnen; ich befehligte sie und sah sie vollständig hingemetzelt, bevor ich das Schlachtfeld verließ. Der Feind steht mit achtzigtausend Mann bei Nivelle, er kann in sechs Tagen in Paris

*) Man sehe Napoleon's Werke, erster Theil, die letzten Seiten.

ſein. Ihr habt kein anderes Mittel, das Vaterland zu retten, als Unterhandlungen."

Der Adjutant Flahaut wollte den Bericht des Kriegsminiſters vertheidigen; Ney erwiederte mit neuer Heftigkeit: „Ich wiederhole Euch, es verbleibt Euch kein anderer Weg zur Rettung, als die Unterhandlung. Ihr müßt die Bourbonen zurückrufen. Was mich betrifft, ſo werde ich mich in die Vereinigten Staaten zurückziehen."

Auf dieſe Worte hin überhäuften Lafayette und Carnot den Marſchall mit Vorwürfen; Ney antwortete ihnen höhniſch: „Ich gehöre nicht zu jenen Menſchen, welche nur Sinn für ihr eigenes Intereſſe haben; was würde ich bei der Rückkehr Ludwig's XVIII gewinnen? Für das Verbrechen der Deſertion erſchoſſen zu werden. Ich bin aber meinem Lande Wahrheit ſchuldig."

In der Sitzung der Pairs vom 23. brachte der General Drouot dieſe Scene wieder zur Sprache und ſagte: „Ich habe geſtern mit Bekümmerniß vernommen, was geſprochen wurde, um den Ruhm unſerer Waffen zu verringern. Mein Erſtaunen war um ſo größer, als dieſe Behauptungen von einem ausgezeichneten General (Ney), der durch ſeine große Tapferkeit und ſeine militäriſchen Kenntniſſe ſo oft den Dank der Nation verdient hat, aufgeſtellt wurden."

In der Sitzung des 22. brach in Folge des erſten Sturmes ein zweiter aus; es handelte ſich um Bonaparte's Abdankung. Lucian drang darauf, daß man ſeinen Neffen als Kaiſer anerkenne. Herr von Pontecoulant unterbrach den Redner und fragte, mit welchem Rechte Lucian, als Ausländer und römiſcher Prinz, ſich erlaube, Frankreich einen Monarchen zu geben. „Wie," fügte er hinzu, „ein Kind anerkennen, das im Auslande wohnt?"

Auf dieſe Frage hin erhob ſich La Bedoyère ſtürmiſch von ſeinem Sitze und ſagte: „Ich habe in der Umgebung des Thrones des glücklichen Monarchen Stimmen gehört, die ſich jetzt, wo er im Unglück iſt, von ihm entfernen. Es gibt Leute, die Napoleon II nicht anerkennen wollen, weil ſie das Geſetz vom Ausland, dem ſie den Namen der Verbündeten geben, empfangen wollen."

„Bonaparte's Abdankung iſt unantaſtbar. Will man ſeinen Sohn nicht anerkennen, ſo muß er, umgeben von Franzoſen, die ihr Blut für ihn vergoſſen haben und noch über und über mit Wunden bedeckt ſind, das Schwert führen.

„Er wird von ſchlechten Generalen, die ihn ſchon einmal verrathen haben, verlaſſen werden.

„Wenn man aber erklärt, daß jeder Franzoſe, der ſeine Fahne verläßt, der Schande und Verachtung preisgegeben, daß ſein Haus dem Erdboden gleich gemacht, ſeine Familie geächtet wird, dann gibt es keine Verräther, keine dergleichen Manöver mehr, welche die letzten Kataſtrophen herbeiführten und wovon vielleicht einige Urheber hier ſitzen."

Die Kammer erhebt ſich mit Tumult. „Zur Ordnung! zur Ordnung! zur Ordnung!" brüllt man, von dem Hiebe getroffen. „Junger Mann, Sie vergeſſen ſich!" rief Maſſena. „Sie glauben wohl, Sie ſeien noch bei der Garde?" ſagte Lameth.

Alle Vorzeichen zu der zweiten Reſtauration waren bedrohlich, Bonaparte war an der Spitze von vierhundert Franzoſen zurückgekehrt. Ludwig XVIII kehrte hinter viermal hunderttauſend Fremden zurück; er kam bei dem Blutſumpfe von Waterloo vorbei, um nach Saint-Denis gleichſam in ſeine Gruft zu gehen.

Während die Legitimität ſolchergeſtalt anrückte, wiederhallte die Pairskammer von Interpellationen. Es kamen, ich weiß nicht welche von jenen fürchterlichen Revolutionsſcenen darin vor, wo in den großen Tagen unſers Unglücks im Gerichtsſaal der Dolch von einer Hand der Opfer zur andern ging. Einige Militärperſonen, deren unheilvolle Beſtrickung durch die Veranlaſſung eines zweiten Einfalls der Fremden Frankreichs Ruin herbeigeführt hatte, zankten ſich auf der Schwelle des Palaſtes; ihre prophetiſche Verzweiflung, ihre Geberden, ihre Grabesworte ſchienen einen dreifachen Tod anzukündigen, ihren eigenen Tod, den Tod des Mannes, den ſie geprieſen, den Tod des Stammes, den ſie geächtet hatten.

Abreiſe von Gent. — Ankunft in Mons. — Ich verfehle die erſte Gelegenheit, um in der politiſchen Laufbahn mein Glück zu machen. — Herr von Talleyrand in Mons. — Szene mit dem König. — Ich intereſſire mich dummerweiſe für Herrn von Talleyrand.

Während Bonaparte ſich mit dem zu Ende gegangenen Kaiſerreiche nach Malmaiſon zurückzog, reisten wir mit der wieder beginnenden Monarchie von Gent ab. Pozzo, welcher wußte, wie wenig es ſich höheren Ortes um die Legitimität handle, beeilte ſich, Ludwig XVIII zu ſchreiben, er müſſe ſchleunigſt abreiſen und ſich hieher begeben, wenn er regieren wolle, bevor ſein Platz eingenommen ſei. Dieſem Schreiben verdankte Ludwig XVIII ſeine Krone im Jahr 1815.

In Mons verfehlte ich die erſte Gelegenheit, um in der politiſchen Laufbahn mein Glück zu machen; ich war mein eigenes Hinderniß und war mir unabläſſig im Wege. Dießmal ſpielten mir meine guten Eigenſchaften den ſchlechten Streich, den mir meine Fehler hätten bereiten können.

In dem ganzen Stolz auf eine Unterhandlung, die ihn bereichert hatte, behauptete Herr von Talleyrand, der Legitimität die größten Dienſte erwieſen zu haben, und kehrte als Gebieter zurück. Erſtaunt, daß man zur Rückkehr nach Paris ſchon nicht mehr den von ihm vorgezeichneten Weg eingeſchlagen habe, war er noch viel unzufriedener, Herrn von Blacas wieder bei dem König zu finden. Er betrachtete Herrn von Blacas als die Geißel der Monarchie, doch das war nicht der wahre Grund ſeines Widerwillens gegen ihn. Er ſah in Herrn von Blacas den Günſtling und demzufolge einen Nebenbuhler; er fürchtete auch Monſieur und war unwillig geworden, als Monſieur ihm vierzehn Tage zuvor ſein Hotel an der Lys hatte anbieten laſſen. Nichts war

natürlicher, als um die Entfernung des Herrn von Blacas zu bitten; ſie fordern, hieß zu ſehr an Bonaparte erinnern.

Herr von Talleyrand traf gegen ſechs Uhr Abends, vom Abbé Louis begleitet, in Mons ein; Herr von Rice, Herr von Jaucourt und einige andere Genoſſen flogen zu ihm. In einer üblen Laune, wie man noch keine an ihm geſehen hatte, in der üblen Laune eines Königs, der ſeine Autorität mißachtet glaubt, weigerte er ſich Anfangs, zu Ludwig XVIII zu gehen, und antwortete Denen, welche deßhalb in ihn drangen, mit ſeiner prahleriſchen Phraſe: „Ich preſſire niemals; es iſt morgen noch Zeit dazu.“

Ich beſuchte ihn, er verſchwendete alle jene Schmeicheleien an mich, mit welchen er die kleinen Ehrgeizigen und die wichtigthuenden Einfaltspinſel verführte. Er nahm mich beim Arm, lehnte ſich auf mich hin und ließ ſich in Vertraulichkeiten ein, die von hoher Gunſt zeugen ſollten und berechnet waren, mir den Kopf zu verdrehen, bei mir aber gänzlich verloren waren; ich verſtand ihn nicht einmal. Ich lud ihn ein, zu dem König zu kommen, wohin ich mich ebenfalls begab.

Ludwig XVIII befand ſich in ſchmerzvoller Lage; es handelte ſich darum, ſich von Herrn von Blacas zu trennen. Dieſer konnte nicht nach Frankreich zurückkehren; die öffentliche Meinung hatte ſich gegen ihn erhoben. Obwohl ich mich in Paris über den Günſtling zu beklagen gehabt, hatte ich ihm in Gent keinerlei Groll gezeigt. Der König hatte mir für mein Benehmen Dank gewußt; in ſeiner Rührung behandelte er mich trefflich. Man hatte ihm die Aeußerungen des Herrn von Talleyrand ſchon hinterbracht. „Er rühmt ſich,“ ſagte er zu mir, „mir zum zweiten Mal die Krone auf das Haupt geſetzt zu haben, und droht mir, wieder nach Deutſchland zurückzukehren. Was halten Sie davon Herr von Chateaubriand?“ Ich antwortete: „Ew. Majeſtät wird falſch berichtet ſein; Herr von Talleyrand iſt bloß ermüdet. Wenn der König einwilligt, ſo will ich zu dem Miniſter zurückkehren.“

Der König ſchien froh darüber; was ihm am meiſten zuwider war, das waren dergleichen Stänkereien; er wünſchte Ruhe, ſelbſt auf Unkoſten ſeiner Neigungen.

Herr von Talleyrand war in Mitte ſeiner Schmeichler hochfahrender als je. Ich ſtellte ihm vor, daß er in einem ſo kritiſchen Augenblicke an eine Entfernung nicht denken dürfe. Pozzo predigte ihm in eben dieſem Sinne; obwohl er nicht die geringſte Neigung zu ihm ſpürte, ſah er ihn in dieſem Augenblick als einen alten Bekannten gern bei den Verhandlungen zugegen; zudem vermuthete er, daß er beim Czaren in Gunſten ſtehe. Ich vermochte Herrn von Talleyrand nicht umzuſtimmen, die Spießgeſellen des Fürſten bekämpften meine Anſichten; Herr Mounier ſelbſt hielt dafür, daß Herr von Talleyrand ſich entfernen müſſe. Der Abbé Louis, welcher Jedermann biß, ſagte unter dreimaligem Schütteln ſeiner Kinnlade zu mir: „An der Stelle des Fürſten würde ich keine Viertelſtunde in Mons bleiben.“

Ich antwortete ihm: „Herr Abbé, Sie und ich, wir können gehen, wohin wir wollen, Niemand wird es bemerken; bei Herrn von Talleyrand iſt dieß jedoch nicht der Fall. „Ich drang fortwährend in den Fürſten und ſagte zu ihm: „Wiſſen Sie, daß der König ſeine Reiſe fortſetzt?“ Herr von Talleyrand ſchien überraſcht, dann entgegnete er ſtolz, wie der Valafré Denen, welche ihn bereden wollten, gegen die Abſichten Heinrich's III auf der Hut zu ſein: „Er wird es nicht wagen!“

Ich kehrte zu dem König zurück, wo ich Herrn von Blacas fand. Ich ſagte Sr. Majeſtät, um ſeinen Miniſter zu entſchuldigen, der Letztere wäre krank, werde aber morgen ganz beſtimmt die Ehre haben, dem König ſeine Aufwartung zu machen.

„Wie ihm beliebt,“ erwiederte Ludwig XVIII, „ich reiſe um drei Uhr ab.“ Dann fügte er wohlwollend hinzu: „Ich werde mich von Herrn von Blacas trennen; die Stelle iſt alſo erledigt, Herr von Chateaubriand.“

Mit dieſen Worten war das Haus des Königs zu meinen

Füßen gelegt. Ein geſcheidter Politiker hätte, ohne ſich weiter um Herrn von Talleyrand zu bekümmern, anſpannen laſſen, um dem König zu folgen oder vorauszueilen. Ich blieb dummerweiſe in meinem Gaſthofe.

Herr von Talleyrand, welcher nicht glauben konnte, daß der König ſich fortbegeben werde, hatte ſich niedergelegt; um drei Uhr weckt man ihn, um ihm zu ſagen, daß der König abreiſt. Er traut ſeinen Ohren nicht. „Zum Beſten gehalten! verrathen!" ruft er. Man hilft ihm in die Kleider und zum erſten Mal in ſeinem Leben ſieht man ihn um drei Uhr Morgens auf der Straße; er ſtützte ſich auf den Arm des Herrn von Rieé. Er kommt vor dem Hotel des Königs an, die beiden erſten Pferde waren ſchon halb zum Thorweg hinaus. Man gibt dem Poſtillion ein Zeichen, zu halten, der König fragt, was es gebe; man ruft ihm zu: „Sire, Herr v. Talleyrand." — „Er ſchläft," ſagte Ludwig XVIII. — „Da iſt er, Sire." — „Gehen wir!" antwortet der König.

Doch die Pferde machen eine rückgängige Bewegung mit dem Wagen, man öffnet den Schlag, der König ſteigt aus, ſchleppt ſich, gefolgt von dem hinkenden Miniſter, in ſeine Zimmer zurück. Hier beginnt Herr von Talleyrand zornig eine Erklärung; Se. Majeſtät hört ihn an und antwortet ihm: „Fürſt von Benevent, Sie verlaſſen uns? Die Bäder werden Ihnen wohlthun; geben Sie uns Nachricht von Ihnen." Der König läßt den Fürſten verblüfft ſtehen, ſich zu ſeiner Berline zurückführen und reiſt ab.

Herr von Talleyrand ſchäumte vor Zorn; der Gleichmuth Ludwig's XVIII hatte ihn außer Faſſung gebracht. Er, der Herr von Talleyrand, der ſich ſo viel auf ſeinen Gleichmuth zu gut that, auf ſeinem eigenen Gebiete geſchlagen, hier in Mons wie der unbedeutendſte Menſch ſtehen gelaſſen werden; er konnte ſich nicht erholen! Er bleibt ſtumm, ſchaut dem ſich entfernenden Wagen nach, faßt dann den Herzog von Levis bei einem Knopfe ſeines Wammſes und bricht endlich in die Worte aus: „Gehen Sie, Herr Herzog, ſagen Sie, wie man mich behandelt: Ich

habe dem König die Krone wieder auf das Haupt geſetzt (er kam immer auf dieſe Krone zurück) und gehe nun nach Deutſchland, um die neue Emigration zu beginnen."

Herr von Levis, der ihm bloß in der Zerſtreuung zugehört hatte, ſtellte ſich auf die Zehenſpitze und ſagte: „Fürſt, ich reiſe ab; es muß wenigſtens ein großer Herr in der Umgebung des Königs ſein."

Herr von Levis warf ſich in ein gemiethetes Carriol, das den Kanzler von Frankreich trug; die beiden Großen der Capet'ſchen Monarchie folgten ihr neben einander auf gemeinſame Koſten in einer merovingiſchen Benne auf dem Fuße nach.

Ich hatte Herrn von Duras gebeten, an der Ausſöhnung zu arbeiten und mir die erſten Nachrichten darüber zukommen zu laſſen. „Wie!" ſagte Herr von Duras zu mir, „Sie bleiben nach dem, was Ihnen der König geſagt hat!" Herr von Blacas, der ebenfalls von Mons abreiste, dankte mir für die ihm bewieſene Theilnahme.

Ich fand Herrn von Talleyrand in Verlegenheit; er bereute, meinen Rath nicht befolgt und wie ein ſtörriſcher Unterlieutenant ſich geweigert zu haben, im Laufe des Abends noch zum König zu gehen. Er fürchtete, die Anordnungen möchten ohne ihn ſtattgefunden haben und er die politiſche Macht nicht theilen und aus den Geldmuckmackeleien, die ſich bereiteten, keinen Nutzen ziehen können.

Ich ſagte ihm, daß, obwohl meine Anſichten von den ſeinigen abwichen, ich nichts deſto weniger zu ihm halten werde, wie ein Geſandter zu ſeinem Miniſter; daß ich zudem Freunde in der Umgebung des Königs hätte und hoffte, bald etwas Gutes zu erfahren. Herr von Talleyrand war die Zärtlichkeit ſelbſt, er lehnte ſich auf meine Schulter; unſtreitig hielt er mich in dieſem Augenblick für einen ſehr großen Mann.

Es ſtand nicht lange an, ſo empfing ich ein Billet von Herrn von Duras, worin er mir von Cambrai aus ſchrieb, daß die

Angelegenheit in Ordnung ſei und Herrn von Talleyrand den Befehl erhalten werde, ſich auf den Weg zu begeben. Dießmal ermangelte der Fürſt nicht, zu gehorchen.

Was für ein Teufel leitete mein Benehmen? Ich war dem König nicht gefolgt, der mir ſo zu ſagen das Miniſterium ſeines Hauſes angeboten oder vielmehr übertragen hatte und durch meine Halsſtarrigkeit, in Mons zu bleiben, verletzt ward. Ich brach mir den Hals wegen Herrn von Talleyrand, den ich kaum kannte, den ich nicht achtete, nicht bewunderte; wegen Herrn von Talleyrand, der im Begriff ſtand, ſich in Verbindungen einzulaſſen, die mir keineswegs zuſagten, der in einer Atmoſphäre der Verderbniß lebte, in welcher ich nicht athmen konnte!

Mitten unter allen ſeinen Verlegenheiten in Mons, ſchickte der Fürſt von Benevent Herrn Duperey nach Neapel, um dort die Millionen für einen der in Wien von ihm abgeſchloſſenen Mäkeleien zu erheben. Zu gleicher Zeit wanderte Herr von Blacas mit einem Geſandtſchaftsdiplom in der Taſche und andern Millionen, welche der großmüthige Exilirte von Gent ihm in Mons gegeben hatte, nach Neapel. Ich hatte mich in gutem Vernehmen zu Herrn von Blacas erhalten, gerade weil Jedermann ihn haßte; ich hatte die Freundſchaft des Herrn von Talleyrand erworben, weil ich ihm bei einer von ſeiner übeln Laune eingegebenen Grille treu blieb; Ludwig XVIII hatte mich poſitiv in ſeine nächſte Umgebung berufen und ich zog die Schande eines charakter- und gewiſſenloſen Menſchen der Gunſt des Königs vor; es war nur zu billig, daß ich den Lohn für meine Dummheit erhielt, daß ich von Allen im Stich gelaſſen wurde, weil ich Allen dienen wollte. Ich kehrte nach Frankreich zurück, ohne nur die Unkoſten der Reiſe beſtreiten zu können, während es Schätze auf die in Ungnade Gefallenen regnete. Dieſe Züchtigung verdiente ich. Man kann wohl als armer Ritter fechten, wenn alle Welt mit Gold gepanzert iſt; aber auch dann muß man keine ſo ungeheuern Fehler begehen. Wäre ich bei dem König geblieben, ſo müßte die Vereinigung des

Miniſteriums Talleyrand und Fouché faſt zur Unmöglichkeit geworden ſein. Die Reſtauration begann mit einem moraliſchen und ehrenwerthen Miniſterium, alle Berechnungen der Zukunft konnten ſich umgeſtalten. Die Gleichgültigkeit, die ich gegen meine Perſon hegte, täuſchte mich über die Wichtigkeit der Thatſachen. Die meiſten Menſchen haben den Fehler, ſich zu hoch anzuſchlagen; ich habe den, mich zu gering anzuſchlagen; ich hüllte mich in die gewöhnliche Geringſchätzung meines Glückes, ich hätte ſehen ſollen, daß das Glück Frankreichs in dieſem Augenblick an das meines unbedeutenden Geſchickes geknüpft war. Es ſind dieß ziemlich gewöhnliche, hiſtoriſche Verwicklungen.

Von Mons nach Goneſſe. — Ich widerſetze mich mit dem Grafen Beugnot der Ernennung Fouché's zum Miniſter. — Meine Gründe dafür. — Der Herzog von Wellington trägt den Sieg davon. — Arnouville. — Saint-Denis. — Letzte Unterhaltung mit dem König.

Nachdem ich endlich Mons verlaſſen, kam ich nach Chateau-Cambreſis, wo Herr von Talleyrand zu mir ſtieß. Wir ſahen aus, als wollten wir hier den Friedensvertrag vom Jahr 1559 zwiſchen Heinrich II von Frankreich und Philipp II von Spanien noch einmal ſchließen.

In Cambrai fand es ſich, daß der Marquis de la Suze, ſchon zur Zeit Fenelon's Hausmarſchall, über die Quartierbillete der Frau von Levis, der Frau von Chateaubriand und über das meine verfügt hatte. Wir blieben ſomit auf der Straße, inmitten der Freudenfeuer, der uns umwogenden Menge und der Bewohner, die Es lebe der König! riefen. Ein Student, welcher meine Anweſenheit vernommen hatte, führte uns in das Haus ſeiner Mutter.

Die Freunde der verſchiedenen franzöſiſchen Monarchien

begannen zu erscheinen; sie kamen nicht der Liga gegen Venedig wegen nach Cambrai, sondern um sich gegen die neuen Constitutionen zu verbinden; sie eilten herbei, um ihre successive Treue und ihren Haß gegen die Charte dem König zu Füßen zu legen, als ein Reisepaß, den sie bei Monsieur für nothwendig erachteten. Ich und zwei bis drei vernünftige Gilles, wir rochen schon den Jacobinismus.

Am 23. Juni erschien die Erklärung von Cambrai. Der König sagte darin: „Ich will von meiner Person nur diejenigen Männer entfernen, deren Ruf ein Gegenstand des Schmerzes für Frankreich und des Schreckens für Europa ist.“ Nun seht, Fouché's Name wurde vom Pavillon Marsan mit Dank ausgesprochen! Der König lachte über die neue Leidenschaft seines Bruders und sagte: „Er hat sie nicht durch göttliche Eingebung bekommen.“ Ich habe schon erzählt, daß, als ich nach den hundert Tagen durch Cambrai kam, ich vergeblich meine Wohnung aus der Zeit des Regiments von Navarra und das Kaffeehaus suchte, in das ich mich so häufig mit La Martinière begab, Alles war mit meiner Jugend verschwunden.

Nach Cambrai übernachteten wir in Roye; die Wirthin hielt Frau von Chateaubriand für die Frau Dauphine; sie wurde im Triumph in einen Saal getragen, wo eine Tafel mit dreißig Gedecken in Bereitschaft stand; in dem durch Wachskerzen, Lichter und ein großes Feuer erhellten Saale herrschte eine erstickende Hitze. Die Wirthin wollte keine Bezahlung annehmen, indem sie sagte: „Ich sehe mich scheel an, daß ich nicht im Stande war, mich für unsere Könige guillotiniren zu lassen.“ Letzter Funken eines Feuers, das die Franzosen so manche Jahrhunderte durch beseelt hatte!

Der General Lamothe, Schwager des Herrn Laborie, kam von den Behörden der Hauptstadt gesandt, uns zu benachrichtigen, daß wir uns ohne die dreifarbige Kokarde unmöglich in Paris zeigen könnten. Herr von Lafayette und andere Commissäre, die

überdieß von den Verbündeten ſehr ſchlecht empfangen wurden, wanderten von Generalſtab zu Generalſtab und erbettelten bei den Fremden irgend einen Herrn für Frankreich; jeder König nach der Wahl der Koſacken wäre trefflich, vorausgeſetzt, daß er nicht vom heiligen Ludwig und Ludwig XVI abſtamme.

In Roye wurde Rath gehalten. Herr von Talleyrand ließ zwei Schindmähren an ſeine Kutſche ſpannen und begab ſich zu Sr. Majeſtät. Seine Equipage nahm die Breite des Platzes vom Gaſthof des Miniſters bis zu der Thür des königlichen Hotels ein. Er ſtieg mit einem Memorial aus dem Wagen, das er uns vorlas und in welchem er das Benehmen, das man bei der Ankunft zu befolgen hätte, in's Auge faßte; er wagte einige Worte über die Nothwendigkeit, beim Austheilen der Plätze ohne Unterſchied Jedermann zuzulaſſen; er gab zu verſtehen, daß man dieß großmüthig ſogar auf die Richter Ludwig's XVI ausdehnen könnte. Se. Majeſtät erröthete und rief, mit den Fäuſten auf die Lehnen ſeines Armſtuhls ſchlagend: „Nie!“ Ein Nie, das vierundzwanzig Stunden dauerte!

In Senlis führten wir uns bei einem Kanonikus ein; ſeine Magd empfing uns wie Hunde; der Kanonikus, der nicht St. Rieul, der Schutzpatron der Stadt, war, wollte uns nicht einmal ſehen. Seine Haushälterin hatte Befehl, uns keinen andern Dienſt zu erzeigen, als uns für unſer Geld das benöthigte Eſſen zu kaufen; der Geiſt des Chriſtenthums trug mir hier Nichts ein. Und doch hätten wir in Senlis auf eine gute Aufnahme rechnen ſollen, denn in dieſer Stadt entkam Heinrich IV im Jahre 1576 den Händen ſeiner Kerkermeiſter. „Ich vermiſſe nur Zweierlei, was ich in Paris zurücklaſſen mußte,“ rief auf der Flucht der König, der Landsmann Montaigne's, „die Meſſe und meine Frau.“

Von Senlis begaben wir uns zu der Wiege Philipp Auguſt's nach Goneſſe. Als wir uns dem Dorfe näherten, gewahrten wir zwei Perſonen, die auf uns zu kamen. Es war der Marſchall Macdonald und mein treuer Freund Hyde von Neuville. Sie

ließen unſern Wagen halten und fragten nach Herrn von Talleyrand. Ohne Umſtände zu machen, theilten ſie mir mit, daß ſie ihn aufſuchten, damit er den König benachrichtigen möge, daß Se. Majeſtät nicht daran denken ſolle, die Barrière zu überſchreiten, bevor er Fouché zum Miniſter ernannt habe. Ich gerieth in Unruhe, denn trotz der Art und Weiſe, wie Ludwig XVIII ſich in Roye ausgeſprochen hatte, war ich meiner Sache nicht ganz gewiß. Ich ſtellte verſchiedene Fragen an den Marſchall und ſagte: „Wie, Herr Marſchall, können wir wirklich nur unter ſo harten Bedingungen wieder zurückkehren?“ „Meiner Treu, Herr Vicomte“, antwortete mir der Marſchall, „ich bin nicht ſehr davon überzeugt.“

Der König hielt zwei Stunden in Goneſſe. Ich ließ Frau von Chateaubriand mitten auf der Landſtraße in ihrem Wagen ſitzen und begab mich auf die Mairie in den Rath. Hier wurde eine Maßregel berathen, von welcher das künftige Schickſal der Monarchie abhängen ſollte. Es entſpann ſich eine Discuſſion, ich vertheidigte mit Herrn Beugnot allein die Anſicht, daß Ludwig XVIII in keinem Falle Herrn Fouché in ſeinen Rath zulaſſen ſolle. Der König hörte zu, ich ſah, daß er ſein in Roye gegebenes Wort gern gehalten hätte; er ward jedoch von Monſieur übermannt und von dem Herzog von Wellington zur Annahme gedrängt.

In einem Kapitel der Monarchie nach der Charte habe ich den Hauptinhalt der Gründe zuſammengeſtellt, die ich in Goneſſe geltend machte. Ich war ergriffen; das zu einer Macht geſprochene Wort ſcheint matter, wenn es geſchrieben iſt.

„Ueberall wo eine Tribüne eröffnet iſt“, ſagte ich in dieſem Kapitel, „kann eine Perſon, der Vorwürfe einer gewiſſen Natur unterſtellt werden können, nicht an die Spitze der Regierung geſetzt werden. Es gibt Reden, Worte, welche einen ſolchen Miniſter nöthigen würden, ſobald er ſich aus der Kammer entfernt hat, ſeine Entlaſſung einzureichen. Dieſe aus dem freien Princip der Repräſentativ-Regierungen entſpringende Unmöglichkeit fühlte man

nicht, als alle Illusionen sich vereinigten, um trotz der allzugegründeten Abneigung der Krone einen berüchtigten Mann in's Ministerium zu bringen. Die Erhebung dieses Mannes mußte Eines von Beiden herbeiführen, entweder die Abschaffung der Charte oder den Sturz des Ministeriums bei Eröffnung der Sitzung. Man stelle sich den Minister vor, von dem ich reden will, der in der Deputirtenkammer die Discussion über den 21. Januar anhört, jeden Augenblick von irgend einem Deputirten von Lyon einen Verweis erhalten kann und immer mit dem furchtbaren Tu es ille vir! bedroht ist! Männer dieses Schlages können offenbar nur bei den Stummen von Bajezet's Serail oder den Stummen von Bonaparte's gesetzgebendem Körper angestellt werden. Was muß aus einem Minister werden, wenn ein Deputirter mit einem Moniteur in der Hand die Tribüne besteigt und den Bericht des Convents vom 9. August 1795 verliest, wenn er, kraft dieses Berichtes, der Fouché verjagt, seine Entfernung als die eines Unwürdigen verlangt, ihn, Fouché (ich führe die Stelle wörtlich an), als einen Dieb und Terroristen verjagt, dessen grausames und verbrecherisches Verfahren über jede Gesellschaft, deren Mitglied er werden würde, Unehre und Schmach brächte?!

Das ist's, was man vergessen hat!

Und konnte man im Grunde genommen so unglücklich sein, zu glauben, ein Mensch dieses Schlages könnte je nützlich werden? Man hätte ihn hinter dem Vorhang lassen, die an ihm gemachten traurigen Erfahrungen in Erwägung ziehen sollen; aber der Krone und der öffentlichen Meinung Gewalt anthun, ungescheut einen solchen Minister an die Geschäfte berufen, einen Mann, den Bonaparte in dem nämlichen Augenblick als einen Schurken behandelte, hieß das nicht erklären, daß man auf Freiheit und Tugend verzichte? Ist eine Krone ein solches Opfer werth? Man durfte Niemand mehr entfernen. Wen konnte man ausschließen, nachdem man Fouché angenommen hatte?

Die Parteien handelten, ohne an die angenommene Regierungsform zu denken; Jedermann ſprach von der Conſtitution, von Freiheit, Gleichheit, Volksrechten, und Niemand wollte ſich dazu hergeben; bloßes Modegeſchwätz! Man fragte, ohne daran zu denken, nach den Ausſichten der Charte, während man hoffte, daß ſie bald zum Kukuk gehen werde. Liberale und Royaliſten neigten ſich der durch die Sitten verbeſſerten abſoluten Regierungsform zu; das iſt Frankreichs Art und Temperament. Die materiellen Intereſſen waren vorherrſchend; man wollte auf das, was man, wie man ſagte, während der Revolution gethan, nicht verzichten; Jeder hatte mit ſeinem eigenen Leben zu ſchaffen und wollte dem Nachbar damit beſchwerlich fallen; das Uebel, verſicherte man, ſei zum Volkselement geworden, welches ſich künftig mit den Regierungen vereinigen und ſich als Lebensprincip in die Geſellſchaft einführen müſſe.

Mein närriſcher Einfall bezüglich einer Charte, welche durch religiöſe und moraliſche Wirkungen ſich geltend machen ſollte, wurde die Urſache, daß ich mir das Uebelwollen gewiſſer Parteien zuzog. In den Augen der Royaliſten liebte ich die Freiheit zu ſtark, in denen der Revolutionäre verachtete ich die Verbrechen zu ſehr. Hätte ich mich nicht zu meinem großen Nachtheil anweſend befunden, um mich zum Schulmeiſter des Conſtitutionalismus aufzuwerfen, ſo würden die Ultras und die Jakobiner ſchon in den erſten Tagen die Charte in die Taſche ihrer lilienbeſetzten Fräcke oder ihrer Carmagnole à la Caſſius geſteckt haben.

Herr von Talleyrand war kein Freund Fouché's; Herr Fouché verabſcheute und, was das Auffallendſte iſt, verachtete Herrn von Talleyrand; es hielt ſchwer, zu dieſem Erfolg zu gelangen. Herr von Talleyrand, welcher Anfangs froh geweſen wäre, nicht mit Herrn Fouché gepaart zu werden, fühlte, daß dieſer unvermeidlich ſei und reichte die Hand zu dem Plane; er ſah nicht ein, daß mit der Charte (beſonders bei einer Zuſammenſtellung ſeiner Perſon

mit dem Kartätſchenmanne von Lyon) er kaum möglicher ſei, als Fouché.

Was ich verkündigt hatte, beſtätigte ſich raſch. Man erntete keinen Vortheil von der Zulaſſung des Herzogs von Otranto, ſondern nur die Schmach davon; der Schatten der herannahenden Kammern reichte hin, um die Miniſter, welche dem Freimuth der Tribüne zu ſehr ausgeſetzt waren, verſchwinden zu laſſen.

Meine Oppoſition war vergeblich; der König hob nach Art der ſchwachen Charaktere die Sitzung auf, ohne etwas zu beſchließen; die Verordnung ſollte erſt im Schloß von Arnouville feſtgeſetzt werden.

In dieſer letzteren Reſidenz wurde kein ordentlicher Rath gehalten; nur die Vertrauten und die in das Geheimniß Eingeweihten waren verſammelt. Herr von Talleyrand, der uns vorausgeeilt war, nahm mit ſeinen Freunden Rückſprache. Der Herzog von Wellington kam an, ich ſah ihn in ſeiner Kaleſche vorbeifahren; die Federn ſeines Hutes wiegten ſich in der Luft; er hatte Frankreich ſo eben Herrn Fouché und Herrn von Talleyrand als doppeltes Geſchenk octroyirt, das der Sieg bei Waterloo unſerm Vaterlande machte. Als man ihm vorſtellte, daß der Königsmord des Herrn Herzogs von Otranto vielleicht Schwierigkeiten bereiten könnte, antwortete er: „Das iſt dummes Zeug.“ Ein proteſtantiſcher Irländer, ein engliſcher General, dem unſere Sitten und unſere Geſchichte fremd waren, ein Geiſt, der im franzöſiſchen Jahre 1793 nur den Nachkommen des engliſchen Jahres 1649 ſah, war beſtimmt, unſere Geſchicke zu leiten. Bonaparte's Ehrgeiz hatte uns in dieſes Elend geſtürzt.

Ich machte abgeſonderte Streifereien in den Gärten, von wo aus der General-Controleur Machault ſich im dreiundneunzigſten Jahre nach Madelonnettes begeben hatte, um dort zu erlöſchen; denn damals vergaß der Tod bei ſeiner großen Muſterung Niemand. Ich wurde nicht mehr gerufen, die Vertraulichkeiten des gemeinſamen Unglücks zwiſchen dem Monarchen und dem Unterthan

hatten aufgehört; der König ſchickte ſich an, in ſeinen Palaſt, ich, in meine Einſiedelei zurückzukehren. Sobald die Monarchen wieder zur Macht gelangen, bildet ſich auch wieder eine Leere um ſie herum. Selten kam ich durch die ſtillen und unbewohnten Säle der Tuilerien, die mich in das Cabinet des Königs führten, ohne ernſthafte Betrachtungen anzuſtellen; für mich waren ſie auf andere Weiſe verödet, waren ſie unendliche Einſamkeiten, in welchen ſelbſt die Welten vor Gott, dem einzigen wirklichen Weſen, verſchwinden.

In Arnouville mangelte es an Brod; ohne einen Offizier, Namens Dubourg, der wie wir ſein Neſt in Gent verlaſſen hatte, hätten wir faſten müſſen. Herr Dubourg ging auf Beute aus *) und brachte uns einen halben Hammel in die Wohnung des auf der Flucht begriffenen Maire. Hätte die Magd dieſes Maire, eine Heldin von Beauvais, welche allein zurückgeblieben war, Waffen gehabt, ſo würde ſie uns wie Jeanne Hachette empfangen haben.

Wir begaben uns nach Saint-Denis; zu beiden Seiten der Landſtraße zogen ſich die Bivouacs der Preußen und Engländer hin; in der Ferne konnte man die Thurmſpitzen der Abtei wahrnehmen, in deren Fundamente Dagobert ſeine Kleinodien warf und in deren unterirdiſche Gewölbe die nachfolgenden Geſchlechter ihre Könige und ihre großen Männer begruben. Vor vier Monaten hatten wir hier die Gebeine Ludwig's XVI beigeſetzt, um die Stelle der andern Staubgewordenen zu vertreten. Als ich im Jahr 1800 aus meinem erſten Exil zurückkehrte, kam ich über eben dieſe Ebene von Saint-Denis. Dazumal campirten nur Napoleon's Soldaten hier und Franzoſen erſetzten noch die alten Banden des Connetable von Montmorency.

Ein Bäcker beherbergte uns. Gegen neun Uhr Abends machte

*) Wir werden meinen Freund, den General Dubourg, in den Julitagen wiederfinden.

ich dem König meine Aufwartung. Seine Majeſtät wohnte in den Gebäuden der Abtei; nur mit aller erdenklicher Mühe konnte man die kleinen Mädchen der Ehrenlegion verhindern, zu rufen: Es lebe Napoleon! Ich trat zuerſt in die Kirche ein. Eine mit dem Kloſter in Verbindung ſtehende Mauer war eingeſtürzt; das alte Chor war nur durch eine Lampe erhellt. Am Eingange der Gruft, in welche ich Ludwig XVI verſenken ſah, ſagte ich ein Gebet. Voller Befürchtung für die Zukunft weiß ich nicht, ob je mein Herz in tieferer und religiöſerer Traurigkeit ſchwamm. Dann begab ich mich zu Sr. Majeſtät. Ich ward in eines der Vorgemächer zu des Königs Zimmern geführt, wo ich mich allein befand. Ich ſetzte mich in eine Ecke und wartete. Plötzlich öffnet ſich eine Thüre und ſchweigend tritt das Laſter, auf den Arm des Verbrechens gelehnt, ein, nämlich Herr von Talleyrand, unterſtützt durch Herrn Fouché. Die höllſche Viſion zieht langſam an mir vorbei, geht in das Cabinet des Königs und verſchwindet. Fouché kam, um ſeinem Herrn zu huldigen und Treue zu ſchwören; auf ſeinen Knieen legte der getreue Königsmörder die Hände, welche das Haupt Ludwig's XVI abſchlugen, in die Hände des Bruders des königlichen Märtyrers; der abtrünnige Biſchof war Zeuge des Eides.

Am folgenden Tage langte die Vorſtadt Saint-Germain an; Alles miſchte ſich in die ſchon erlangte Ernennung Fouché's, die Religion wie die Gottloſigkeit, die Tugend wie das Laſter, der Royaliſt wie der Revolutionär, der Fremde wie der Franzoſe; von allen Seiten ſchrie man: „Ohne Fouché keine Sicherheit für den König, ohne Fouché kein Heil für Frankreich; er allein hat ſchon das Vaterland gerettet, er allein kann ſein Werk vollenden.“

Eine der lauteſten vornehmen Damen bei dem Hymnus war die Herzogin von Duras; der Balley von Cruſſol, einer der noch lebenden Malthefer, ſtimmte in den Chorus ein und erklärte, daß er den Kopf nur noch auf ſeinen Schultern trage, weil Herr Fouché es erlaubt habe. Die Furchtſamen hatten einen ſolchen

Schrecken vor Bonaparte, daß ſie den Schlächter von Lyon für einen Titus hielten. Mehr als drei Monate lang betrachteten mich die Salons der Vorſtadt Saint-Germain wie einen Ungläubigen, weil ich die Ernennung ihrer Miniſter mißbilligte. Die armen Leute, ſie knieten vor Emporkömmlingen, machten aber nichtsdeſtoweniger großen Lärm aus ihrem Adel, ihrem Haß gegen die Revolutionäre, ihrer erprobten Treue, der Unwandelbarkeit ihrer Grundſätze und .... beteten Fouché an.

Fouché hatte die Unvereinbarkeit ſeiner miniſteriellen Exiſtenz mit dem Spiel der Repräſentativ-Monarchie gefühlt; da er ſich mit den Elementen einer legalen Regierung nicht zu vereinbaren vermochte, ſo verſuchte er, die politiſchen Elemente ſeiner eigenen Natur anzupaſſen. Er hatte einen erkünſtelten Schrecken geſchaffen; indem er eingebildete Gefahren vorausſetzte, wollte er die Krone zwingen, die beiden Kammern Bonaparte's anzuerkennen und die Erklärung der Rechte anzunehmen, die zu vollenden man ſich beeilt hatte; man munkelte ſogar etwas von der Nothwendigkeit, Monſieur und ſeine Söhne zu exiliren; es wäre allerdings ein Meiſterſtück geweſen, den König zu iſoliren.

Man wurde fort und fort zum Beſten gehalten; vergeblich ſchritt die Nationalgarde über die Mauern von Paris und fand ſich ein, um ihre Ergebung zu betheuern; man verſicherte, dieſe Garde ſei ſchlecht geſtimmt. Die Faction hatte die Barrièren ſchließen laſſen, um das Herbeieilen der während der hundert Tage royaliſtiſch gebliebenen Bevölkerung zu verhindern, und man gab vor, dieſes Volk drohe, Ludwig XVIII auf ſeinem Wege zu erwürgen. Man befand ſich in einer merkwürdigen Verblendung, denn die franzöſiſche Armee zog ſich an die Loire zurück, hundertfünfzigtauſend Verbündete hielten die äußeren Poſten der Hauptſtadt beſetzt und man behauptete immer, der König ſei nicht ſtark genug, um in eine Stadt einzuziehen, in welcher ſich nicht ein Soldat, ſondern nur noch Bürger befanden, die wohl im Stande waren, eine Handvoll Föderirte, denen es etwa einfallen möchte, Unruhe

17*

zu ſtiften, im Zaum zu halten. Zufolge einer Reihe unſeliger Zuſammentreffen ſchien unglücklicherweiſe der König das Haupt der Engländer und der Preußen; er glaubte ſich von Befreiern umgeben und war von Feinden begleitet; er ſchien von einem Ehrengeleite umgeben und in Wirklichkeit beſtand dieſes Geleite nur aus den Gendarmen, welche ihn aus ſeinem Königreiche führten; er zog nur in Geſellſchaft der Fremden in Paris ein, deren Andenken eines Tages als Vorwand zur Verbannung ſeines Namens dienen ſollte.

Die proviſoriſche Regierung, welche ſich bei Bonaparte's Abdankung gebildet hatte, wurde in Folge einer Art von Anklageact gegen die Krone aufgelöst; ein Grundſtein, auf welchen man eines Tages eine neue Revolution zu bauen hoffte.

Bei der erſten Reſtauration war ich der Meinung, man ſolle die dreifarbige Kokarde beibehalten; ſie ſtrahlte damals in all ihrem Ruhm und die weiße Kokarde war vergeſſen. Indem man Farben beibehielt, welche durch ſo viele Triumphe gerechtfertigt waren, hielt man keineswegs ein Feldzeichen für eine vorausſichtliche Revolution bereit. Die weiße Kokarde nicht annehmen, wäre vernünftig geweſen, ſie aufzugeben, nachdem ſie ſelbſt von Bonaparte's Grenadieren getragen worden, war eine Feigheit; man geht nicht ungeſtraft unter dem caudiniſchen Joch durch; was entehrt, iſt bedauerlich; eine Ohrfeige fügt nur phyſiſch kein Uebel zu und doch tödtet ſie uns.

Bevor man Saint-Denis verließ, ward ich von dem König empfangen und hatte folgende Unterredung mit ihm:

„Nun?“ ſagte Ludwig XVIII zu mir, indem er das Geſpräch mit dieſem Ausruf eröffnete.

„Nun, Sire, Sie nehmen den Herzog von Otranto.“

„Ich mußte wohl. Von meinem Bruder an bis zum Balley von Cruſſol (und dieſer iſt nicht verdächtig) ſagten Alle, wir könnten nichts Anderes thun; was halten Sie davon?“

„Sire, die Sache iſt geſchehen; ich bitte Ew. Majeſtät um Erlaubniß, zu ſchweigen.“

„Nein, nein, reden Sie, Sie wiſſen, wie ich von Gent aus immer Widerſtand geleiſtet habe.“

„Sire, ich gehorche nur Ihren Befehlen; verzeihen Sie meiner Treuherzigkeit, aber ich glaube, mit der Monarchie iſt's aus.“

Der König ſchwieg; ich begann meiner Kühnheit wegen zu zittern, als Se. Majeſtät entgegnete:

„Wohlan, Herr von Chateaubriand, ich glaube es auch.“

Dieſe Unterredung ſoll den Schluß meiner Erzählung der hundert Tage bilden.

Durchgeſehen im December 1840.

Bonaparte in Malmaiſon. — Gänzliche Verlaſſenheit.

Wenn ein Menſch aus den lärmendſten Scenen des Lebens plötzlich an das ſtille Ufer des Eismeers verſetzt würde, müßte er empfinden, was ich bei Napoleon's Grab empfinde, denn jetzt ſtehen wir plötzlich am Rande dieſes Grabes.

Napoleon, welcher Paris am 29. Juni verließ, wartete in Malmaiſon den Augenblick ſeiner Abreiſe aus Frankreich ab. Ich kehre zu ihm zurück, werde noch einen Blick auf die verfloſſenen Tage werfen, den künftigen Zeiten vorgreifen und ihn erſt nach ſeinem Tode wieder verlaſſen.

Malmaiſon, wo der Kaiſer ruhte, ſtand leer. Joſephine war todt, Bonaparte befand ſich an dieſem Zufluchtsort allein. Hier hatte ſein Glück begonnen, hier war er glücklich geweſen, hier hatte er ſich in dem Weihrauch der Welt berauſcht, von hier, dem Schooße ſeines Grabes, gingen die Befehle aus, welche die Erde beunruhigten. In dieſen Gärten, in welchen ehemals die Füße

der Menge die besandeten Alleen harkten, grünte jetzt Gras und wucherten Brombeerstauden; ich hatte mich auf einem Spaziergange in denselben davon überzeugt. Schon siechten aus Mangel an Pflege die fremden Baumarten hin, die schwarzen Schwäne aus Oceanien schwammen nicht mehr in den Kanälen, der Vogelbauer beherbergte keine Gefangenen der Tropenländer mehr; sie waren entflogen, um ihren Wirth in ihrem Vaterlande zu erwarten.

Bonaparte hätte indessen einen Gegenstand des Trostes finden können, wenn er den Blick auf seine ersten Tage gewendet hätte; die gefallenen Könige kränken sich hauptsächlich, weil sie aufwärts steigend von ihrem Falle nur einen ererbten Glanz und den Prunk ihrer Wiege sehen; aber was nahm Napoleon vor seiner Glücksperiode wahr? .... Die Krippe, in der er in einem Dorfe Corsika's geboren war. Er hätte sich größer gezeigt, wenn er beim Abwerfen des Purpurmantels stolz den Hirtenstab wieder ergriffen hätte, allein die Menschen vermögen sich nicht zu ihrer Abkunft zurückzuversetzen, wenn diese eine niedere war; es ist, als ob der ungerechte Himmel sie ihres Erbguts beraube, wenn sie in der Schicksalslotterie bloß verlieren, was sie gewonnen hatten, und nichtsdestoweniger rührt Napoleon's Größe daher, daß er aus sich selbst hervorging; Keiner von seinem Blute war ihm vorhergegangen und hatte seiner Macht den Weg gebahnt.

Beim Anblick dieser verlassenen Gärten, dieser unbewohnten Zimmer, dieser durch die Feste verblichenen Galerieen, dieser Säle, in welchen Gesänge und Musik verstummt waren, konnte Napoleon seine Laufbahn durchgehen; er konnte sich fragen, ob er sich bei etwas mehr Mäßigung sein Glück nicht bewahrt hätte. Jetzt verbannten ihn nicht die Fremden, die Feinde; er ging nicht beinahe als Sieger von dannen, indem er nach dem merkwürdigen Feldzuge noch die Bewunderung der Nationen besaß; er zog sich geschlagen zurück. Franzosen, Freunde, forderten seine unmittelbare Abdankung, drangen auf seine Abreise, wollten ihn nicht einmal

mehr als General, sandten Couriere auf Couriere an ihn ab, um ihn zu nöthigen, den Boden zu verlassen, über den er eben so viel Ruhm als Plagen gebracht hatte.

Mit dieser so harten Lection verbanden sich andere Mahnungen; die Preußen streiften in der Umgegend von Malmaison umher; von Wein benebelt und taumelnd befahl Blücher, den Eroberer, welcher den Fuß auf den Nacken der Könige gesetzt hatte, zu ergreifen und aufzuhängen. Der schnelle Glückswechsel, die Gemeinheit der Sitten, das rasche Steigen und Fallen der neueren Persönlichkeiten wird, fürchte ich, der Geschichte einen Theil ihres Adels rauben. Rom und Griechenland haben nie davon gesprochen, Alexander und Cäsar zu hängen.

Die Scenen, welche im Jahr 1814 stattgefunden hatten, erneuerten sich im Jahr 1815, nur noch etwas verletzender, weil die Undankbaren durch die Furcht aufgehetzt waren. Man mußte sich Napoleon's schnell entledigen; die Verbündeten langten an; Alexander war im ersten Augenblick nicht da, um den Triumph zu mäßigen und den Uebermuth des Glücks im Zaum zu halten; Paris war nicht mehr mit seiner geweihten Unverletzlichkeit geziert, ein erster Einfall hatte schon das Heiligthum befleckt; nicht mehr der Zorn Gottes, sondern die Verachtung des Himmels fiel auf uns; der Blitz war erloschen.

Durch die hundert Tage hatten alle Niederträchtigkeiten einen neuen Grad von Bösartigkeit erlangt. Indem man sich stellte, als erhöbe man sich aus Liebe zum Vaterlande über alle persönliche Anhänglichkeit, schrie man, Bonaparte sei schon deßhalb sehr strafbar, daß er die Verträge von 1814 verletzt habe. Waren aber die wahren Schuldigen nicht die, welche seine Absichten begünstigten? Hätten sie ihm im Jahr 1815, statt ihm Armeen zu bilden, nachdem sie ihn einmal im Stich gelassen hatten, um ihn wieder im Stich zu lassen, gesagt, als er in den Tuilerien abstieg: „Ihr Genie hat Sie irre geleitet; die öffentliche Meinung ist nicht mehr für Sie, haben Sie Mitleid mit Frankreich! Ziehen Sie sich

nach dieſem letzten Beſuche auf dem Feſtlande in das Vaterland Waſhington's zurück. Wer weiß, ob die Bourbonen keine Fehler begehen werden? Wer weiß, ob Frankreich nicht eines Tages ſeine Blicke wieder auf Sie richten wird, wenn Sie in der Schule der Freiheit Achtung vor den Geſetzen gelernt haben? Sie werden dann zurückkehren, aber nicht als Räuber, der ſich auf ſeine Beute ſtürzt, ſondern als großer Bürger, der ſeinem Vaterlande Frieden bringt."

Sie redeten keineswegs dieſe Sprache mit ihm, ſie richteten ſich nach den Leidenſchaften ihres zurückgekehrten Oberhauptes, ſie trugen zu ſeiner Verblendung bei, überzeugt ſeinen Sieg oder ſeine Niederlage zu nützen. Der Soldat allein ſtarb mit bewunderungswürdiger Treue für Napoleon; die Uebrigen waren nur eine weidende Heerde, die ſich nach rechts und links hin fett fraß. Wenn ſich die Vezire des ausgeplünderten Kalifen nur noch begnügt hätten, ihm den Rücken zu wenden; aber nein! Sie machten ſich ſeine letzten Augenblicke zu Nutze, ſie überhäuften ihn mit ihren ſchmutzigen Bitten, Alle wollten Geld aus ſeiner Armuth ziehen.

Nie befand ſich Jemand in vollſtändigerer Verlaſſenheit. Bonaparte hatte ſelbſt Anlaß dazu gegeben; unempfindlich für die Leiden Anderer, vergalt ihm die Welt Gleichgültigkeit mit Gleichgültigkeit. Wie die meiſten Deſpoten, war er gegen ſein Hausgeſinde gut, im Grunde hing er aber an Nichts. Als ſeltener Menſch, genügte er ſich ſelbſt; das Unglück gab ihn nur der Einſamkeit ſeines Lebens zurück.

Wenn ich meine Erinnerungen ſammle, wenn ich mich denke, daß ich Waſhington in ſeinem kleinen Hauſe in Philadelphia und Bonaparte in ſeinen Paläſten geſehen habe, ſo dünkt mich, Waſhington müſſe in der Zurückgezogenheit ſeines Landgutes in Virginien nicht die Gewiſſensangſt Bonaparte's empfunden haben, der in ſeinen Gärten von Malmaiſon das Exil erwartete. Im Leben des Erſteren hatte ſich Nichts verändert, er fiel in ſeine

bescheidenen Gewohnheiten zurück; er hatte sich nicht über das Glück der von ihm befreiten Bauern erhoben. Im Leben des Andern war dagegen Alles umgestürzt worden.

Abreise von Malmaison. — Rambouillet. — Rochefort.

Napoleon verließ Malmaison in Begleitung der Generale Bertrand, Rovigo und Becker, welch' Letzterer ihm in der Eigenschaft eines Aufsehers oder Commissärs beigegeben war. Unterwegs bekam er Lust, sich in Rambouillet aufzuhalten. Von hier reiste er ab, um sich zu Rochefort einzuschiffen, wie sich Karl X zu Cherbourg einschiffte. Rambouillet ist ein ruhmloser Zufluchtsort, wo sich das Geschick Mancher, die von hoher Abstammung oder als Mensch groß waren, verfinsterte; der verhängnißvolle Ort, wo Franz I starb, wo der den Barricaden entronnene Heinrich III sich auf der Durchreise in den Stiefeln zu Bette legte, wo Ludwig XVI seinen Schatten hinterließ! Glücklich Ludwig, Napoleon und Karl, wenn sie nur die unbekannten Hüter der Heerden von Rambouillet gewesen wären!

In Rochefort angekommen, wollte Napoleon zögern. Die Executiv-Commission schickte gebieterische Befehle. „Die Garnisonen von Rochefort und La Rochelle", lauteten die Depeschen, „sollen mit bewaffneter Mannschaft die Einschiffung Napoleon's betreiben .... Wendet Gewalt an .... macht, daß er abreist .... seine Dienste können nicht angenommen werden."

Napoleon's Dienste konnten nicht angenommen werden! Und hattet ihr nicht seine Wohlthaten und seine Fesseln angenommen? Napoleon ging nicht von selbst; er ward verjagt und von wem?

Bonaparte hatte nur an das Glück geglaubt und dem Unglück weder Feuer noch Wasser gewährt; er hatte zum Voraus die Undankbaren unschuldig gesprochen; eine gerechte Wiedervergeltung

ließ ihn vor ſeinem Syſtem wie vor einem Richter erſcheinen. Als das Gelingen aufhörte, ſeine Perſon zu begünſtigen, und auf ein anderes Individuum überging, verließen die Schüler den Meiſter um der Schule willen. Hätte ich, der ich an die Legitimität der Wohlthaten und die Souveränität des Unglücks glaube, Bonaparte je gedient, ſo würde ich ihn nie verlaſſen, ſondern ihm durch meine Treue das Falſche ſeiner politiſchen Grundſätze bewieſen haben; ich hätte ſeine Mißgeſchicke getheilt und dadurch ſeine unfruchtbaren Doctrinen und den geringen Werth der Rechte des Wohlergehens Lügen geſtraft.

Seit dem 1. Juli erwarteten ihn Fregatten auf der Rhede von Rochefort; Hoffnungen, die nie erſterben, Erinnerungen, die von einem letzten Lebewohl unzertrennlich ſind, hielten ihn auf. Wie mußte er ſich in die Tage ſeiner Kindheit zurückwünſchen, wo ſeine reinen Augen noch nicht den erſten Regen fallen geſehen!

Er ließ der engliſchen Flotte Zeit, heranzukommen. Noch hätte er ſich auf zwei Luggern einſchiffen können, welche auf dem hohen Meere zu einem dänliſchen Fahrzeug ſtoßen ſollten (ſein Bruder Joſeph ergriff dieſes Auskunftsmittel); allein es gebrach ihm an Kraft zu dieſem Entſchluſſe, wenn ſeine Blicke auf Frankreichs Ufer fielen. Er hegte Abneigung gegen die Republiken, die Freiheit und Gleichheit der Vereinigten Staaten war ihm zuwider. Er neigte ſich zu dem Vorſatze hin, die Engländer um ein Aſyl zu bitten. „Was für Nachtheile fürchten Sie von dieſem Entſchluſſe?“ fragte er die, welche er darüber zu Rathe zog. „Den Nachtheil, daß Sie ſich entehren“, antwortete ihm ein Marineoffizier, „Sie ſollen nicht einmal todt in die Hände der Engländer fallen. Dieſe würden Sie ausſtopfen, um Sie für einen Schilling à Perſon zeigen zu laſſen.“

Bonaparte wählt die engliſche Flotte als Zufluchtsort. — Er ſchreibt an den Prinz Regenten.

Ungeachtet dieſer Bemerkungen beſchloß der Kaiſer, ſich ſeinen Ueberwindern auszuliefern. Ludwig XVIII befand ſich ſchon ſeit fünf Tagen in Paris, als Napoleon dem Capitän des engliſchen Schiffes Bellerophon folgenden Brief für den Prinz Regenten zuſtellen ließ:

„Königliche Hoheit! Den Parteien, welche mein Land ſpalten, und den Feindſeligkeiten der größten europäiſchen Mächte in bedrohlicher Weiſe ausgeſetzt, habe ich meine politiſche Laufbahn beſchloſſen und komme, mich, wie Themiſtokles, am Herde des britiſchen Volkes niederzulaſſen. Ich ſtelle mich unter den Schutz ſeiner Geſetze, um den ich Ew. Königliche Hoheit, als den mächtigſten, beſtändigſten und edelmüthigſten meiner Feinde erſuche.

„Rochefort, am 13. Juli 1815."

Würde Bonaparte nicht zwanzig Jahre hindurch das engliſche Volk, deſſen Regierung, deſſen König und den Erben dieſes Königs mit Schmähungen überhäuft haben, ſo hätte man den Ton dieſes Briefes einigermaßen anſtändig finden können; aber woher kam es, daß dieſe von Napoleon ſo ſchwer verhöhnte, ſo ſehr verachtete Königliche Hoheit plötzlich der mächtigſte, beſtändigſte, edelmüthigſte ſeiner Feinde wurde? . . . Aus dem einfachen Grunde, daß ſie ſiegreich war. Was er ſagte, konnte nicht ſeine Ueberzeugung ſein; nun iſt aber die Sprache, die keine wahre iſt, auch nie eine beredte. Das die Thatſache darſtellende Wort einer gefallenen Größe, die ſich an einen Feind wendet, iſt ſchön; das abgegriffene Beiſpiel von Themiſtokles iſt überflüſſig.

In Bonaparte's Schritt liegt aber noch etwas Schlimmeres, als ein Mangel an Aufrichtigkeit, das Vergeſſen Frankreichs; der Kaiſer beſchäftigt ſich nur mit ſeinem individuellen Unfall; nach erfolgtem Sturze hatte er keinen Sinn mehr für uns. Ohne zu

bedenken, daß, wenn er England den Vorzug vor Amerika gäbe, ſeine Wahl ein Schimpf oder Schmerz für das Vaterland ſein müßte, ſuchte er bei der Regierung, die ſeit zwanzig Jahren Europa gegen uns beſoldete, um ein Aſyl nach, bei der Regierung, deren Commiſſär bei der ruſſiſchen Armee, General Wilſon, während des Rückzuges von Moskau Kutuzoff beſtürmte, uns vollends aufzureiben, bei den Engländern, die nun nach dem für ſie glücklichen Ausgang der letzten Schlacht im Walde von Boulogne campirten.

So geh denn, o Themiſtokles, und laß dich ruhig am brittiſchen Herde nieder, während die Erde das für dich bei Waterloo vergoſſene franzöſiſche Blut noch nicht vollends getrunken hat! Welche Rolle hätte der vielleicht gefeierte Flüchtling dem von Feinden überſchwemmten Frankreich gegenüber, Wellington gegenüber, der im Louvre Dictator geworden war, an den Ufern der Themſe geſpielt? Napoleon's beſonderes Glück meinte es beſſer mit ihm; indem ſich die Engländer von ihrem Grolle und einer engherzigen Politik hinreißen ließen, verdarben ſie ſich ihren letzten Triumph. Statt den Bittſteller zu Grunde zu richten, indem ſie ihm Zutritt in ihre Schlöſſer oder zu ihren Feſten gewährten, verurſachten ſie, daß die Krone, die ſie ihm geraubt zu haben glaubten, bei der Nachwelt nur in hellerem Glanze ſtrahlte. Seine Gefangenſchaft ſteigerte die ungeheure Angſt der Mächte! Vergeblich feſſelte ihn der Ocean, das bewaffnete Europa campirte am Ufer und heftete die Blicke beſtändig auf das Meer.

Bonaparte auf dem Bellerophon. — Torbay. — Beſchluß, welcher Bonaparte auf die Inſel St. Helena verweist. — Er geht auf den Northumberland über und ſegelt ab.

Am 15. Juli brachte der Epervier Bonaparte auf den Bellerophon. Das franzöſiſche Fahrzeug war ſo klein, daß man vom Bord des engliſchen Schiffes aus den auf den Wogen

einherziehenden Riesen nicht bemerkte. Als der Kaiser vor den Capitän Maitland trat, redete er ihn mit den Worten an: „Ich komme, mich unter den Schutz der englischen Gesetze zu stellen.“ So erkannte denn der Verächter der Gesetze wenigstens einmal ihre Autorität an!

Die Flotte steuerte nach Torbay; eine Menge Barken drängten sich um den Bellerophon her; das Gleiche fand bei Plymouth statt. Am 30. Juli stellte Lord Keith dem Bittsteller den Beschluß zu, welcher ihn auf St. Helena verwies. „Das ist schlimmer, als der Käfig, in welchen Tamerlan den besiegten Bajazet sperrte,“ äußerte sich Napoleon darüber.

Diese Verletzung der Menschenrechte und der Achtung vor der Gastfreundschaft war empörend. Wer auf irgend einem Schiffe, wenn es unter Segel ist, zur Welt kommt, wird als geborener Engländer anerkannt; alten Gebräuchen von London zufolge werden die Wellen für Albions Boden angesehen. Und ein englisches Schiff war für einen Bittenden nicht ein unverletzlicher Altar, es stellte den großen Mann, welcher sich dem Bellerophon in die Arme warf, nicht unter den Schutz des brittischen Dreizacks.

Bonaparte protestirte, er berief sich auf die Gesetze, sprach von Verrath und Niederträchtigkeit, forderte die Zukunft zum Richter auf. Stand ihm das wohl an? Hatte er nicht die Gerechtigkeit verlacht? Hatte er nicht in den Zeiten seiner Macht das Heilige, dessen Schutz er jetzt anrief mit Füßen getreten? Hatte er nicht Toussaint-Louverture und den König von Spanien gefangen genommen? Hatte er nicht die englischen Reisenden, die sich im Augenblicke des Bruches des Vertrags von Amiens in Frankreich befanden, verhaften und Jahre lang als Gefangene festhalten lassen? Es war daher der Krämerin England erlaubt, seine eigenen Thaten nachzuahmen und eine unedle Wiedervergeltung zu üben; allein man hätte anders handeln können.

Die Herzensgröße Napoleon's entsprach keineswegs seiner Geisteskraft; seine Händel mit den Engländern sind erbärmlich; sie

empören Lord Byron. Warum geruhte er, ſeine Kerkermeiſter auch nur eines Wortes zu würdigen? Man ſieht es mit Schmerz an, wie er ſich mit Lord Keith in Torbay, mit Sir Hudſon-Lowe auf Helena zu Wortklaubereien erniedrigt, Facta veröffentlicht, weil man das ihm gegebene Wort nicht hält, die Leute eines Titels etwas mehr oder weniger Goldes oder Ehrenbezeugungen wegen chikanirt. Auf ſich ſelbſt angewieſen, war Bonaparte auf ſeinen Ruhm angewieſen und das hätte ihm genügen ſollen. Er brauchte von den Menſchen Nichts zu verlangen, er behandelte das Mißgeſchick nicht deſpotiſch genug; man würde ihm verziehen haben, wenn er das Unglück zu ſeinem letzten Sklaven gemacht hätte. Ich finde in ſeiner Proteſtation gegen die Verletzung der Gaſtfreundſchaft nichts Bemerkenswerthes, als das Datum und die Unterſchrift dieſer Proteſtation! „An Bord des Bellerophon, auf dem Meere. Napoleon.“ Das ſind Harmonien von Unermeßlichkeit!

Vom Bellerophon ging Napoleon auf den Northumberland über. Zwei mit der künftigen Garniſon von St. Helena beladene Fregatten begleiteten ihn. Einige Offiziere dieſer Garniſon hatten bei Waterloo gefochten. Man erlaubte dieſem Ausbeuter der Weltkugel, Herrn uud Madame Bertrand, die Herren von Montholon, Gourgaud und Las Caſes, freiwillige und großmüthige Paſſagiere ſeines geſcheiterten Schiffes, in ſeiner Umgebung zu behalten. Laut einem Artikel der dem Capitän ertheilten Inſtructionen ſollte Bonaparte entwaffnet werden. Napoleon, allein, Gefangener auf einem Schiffe, mitten auf dem Ocean, entwaffnet! Welche großartige Furcht vor ſeiner Macht! Aber auch welche Lection des Himmels für Menſchen, die das Schwert mißbrauchen. Die ſtupide Admiralität behandelte den Verbrecher am Menſchengeſchlecht wie einen nach Botany-Bay Verurtheilten. Ließ der ſchwarze Prinz König Johann entwaffnen?

Das Geſchwader lichtete die Anker. Seit jener Barke, welche Cäſar trug, war kein Schiff mehr mit einem ſolchen Schickſal

beladen geweſen. Bonaparte näherte ſich jenem Meer der Wunder, durch welches der Araber des Sinai ihn ziehen geſehen hatte. Der letzte Fleck Frankreichs, den Napoleon ſah, war das Cap Hogue, eine weitere Trophäe der Engländer.

Der Kaiſer hatte ſich in der Theilnahme, die man ſeinem Andenken zollen werde, getäuſcht als er in Europa zu bleiben gewünſcht hatte; er wäre bald nur noch ein gewöhnlicher oder beſchimpfter Gefangener geweſen; ſeine alte Rolle war ausgeſpielt. Jenſeits dieſer Rolle aber brachte ihm eine neue Stellung einen neuen, verjüngten Ruf. Kein Menſch von weltumfaſſendem Rufe hat ein ſolches Ende wie Napoleon gehabt. Man ernannte ihn nicht, wie bei ſeinem erſten Sturze, zum Alleinherrſcher über einige Eiſen- und Marmorwerke, deren eine ihm einen Degen, die anderen eine Statue liefern konnten; als einem Adler gab man ihm einen Felſen, auf deſſen Spitze er ſich bis zu ſeinem Tode ſonnte und von wo aus er der ganzen Erde im Geſichtskreis blieb.

Urtheil über Bonaparte.

In dem Augenblick, wo Bonaparte Europa verläßt, wo er ſein Leben aufgibt, um ſein Schickſal im Tode zu ſuchen, iſt es paſſend, dieſen Mann mit den zwei Exiſtenzen einer näheren Betrachtung zu unterwerfen, den falſchen und den wahren Napoleon zu ſchildern. Sie verſchmelzen ſich und bilden aus der Miſchung ihrer Wirklichkeit und ihrer Lüge ein Ganzes.

Aus der Vereinigung dieſer Bemerkungen geht hervor, daß Bonaparte ein Poet im Handeln, ein unermeßliches Genie im Kriege, ein unermüdlicher, gewandter und im Adminiſtrationsfache ausgezeichneter Geiſt, ein thätiger und vernünftiger Geſetzgeber war. Deßhalb gewann er ſo viel Boden in der Einbildungskraft der Völker und vermochte er ſo viel über das Urtheil der poſitiven

Menſchen. Als Politiker wird er jedoch immer eine mangelhafte Perſon in den Augen der Staatsmänner ſein. Dieſe den meiſten ſeiner Lobredner entſchlüpfte Bemerkung dürfte, ich bin es überzeugt, die Hauptanſicht bleiben, die ſich von ihm erhalten wird; ſie wird den Contraſt ſeiner an Wunder gränzenden Thaten und ihrer erbärmlichen Reſultate erklären. Auf St. Helena hat er ſelbſt mit Strenge ſein politiſches Verfahren in zwei Punkten verdammt, nämlich den Krieg mit Spanien und den mit Rußland; er hätte ſeine Bekenntniſſe noch auf andere Sündenſchulden ausdehnen dürfen. Sogar ſeine begeiſterten Verehrer werden vielleicht nicht behaupten, daß er bei ſeinem Tadel über ſich ſelbſt im Irrthum geſtanden ſei. Recapituliren wir.

Ohne von Neuem über das Abſcheuliche der That ſelbſt zu ſprechen, handelte Bonaparte gegen alle Klugheit, als er den Herzog von Enghien tödtete; er band ſich dadurch einen Gewichtſtein an die Füße. Trotz aller der kindiſchen Vertheidigungen war dieſer Tod, wie wir geſehen haben, die geheime Triebfeder zu den Zerwürfniſſen, welche in der Folge zwiſchen Alexander und Napoleon, wie zwiſchen Preußen und Frankreich ausgebrochen waren.

Das Unternehmen auf Spanien war durchaus widerrechtlich, die Halbinſel gehörte dem Kaiſer, er konnte alle erdenklichen Vortheile daraus ziehen, ſtatt deſſen machte er eine Schule für die engliſchen Soldaten daraus und brach durch die Erhebung eines Volkes dem Princip ſeiner eigenen Zerſtörung Bahn.

Die Gefangennehmung des Papſtes und die Vereinigung des Kirchenſtaats mit Frankreich war nur eine Laune der Tyrannei, durch welche er den Vortheil verlor, für den Wiederherſteller der Religion zu gelten.

Bonaparte hielt nicht inne, wie er hätte thun ſollen, als er die Tochter der Cäſaren geheirathet hatte. Rußland und England riefen ihm Dank zu.

Er ließ keinen Auferſtehungsmorgen für Polen anbrechen, als

von der Wiederherſtellung dieſes Königreichs das Heil Europa's abhing.

Er ſtürzte ſich auf Rußland trotz aller Gegenvorſtellungen ſeiner Generäle und Räthe.

Nachdem die Thorheit einmal begonnen war, ging er über Smolensk hinaus; Alles ſagte ihm, er müſſe vorderhand nicht weiter gehen, ſein erſter Feldzug im Norden ſei beendigt und der zweite (er fühlte es ſelbſt) werde ihn zum Herrn des Czarenreichs machen.

Er wußte weder die Tage zu berechnen, noch die Wirkung des Klima's vorauszuſehen, was Jedermann in Moskau berechnete und voraussah. Man ſehe nach, was ich ſeiner Zeit über die Continentalſperre und den Rheinbund geſagt habe, über das Erſtere, als einen Rieſengedanken, aber ein zweifelhaftes Unternehmen, über das Zweite, als ein wichtiges, in der Ausführung aber durch den Soldaten- und Fiscalgeiſt verdorbenes Werk. Napoleon erhielt die alte franzöſiſche Monarchie zum Geſchenk, wie die Jahrhunderte und eine ununterbrochene Folge großer Männer ſie geſtaltet, wie die Majeſtät Ludwig's XIV und die Bündniſſe Ludwig's XV ſie gelaſſen, wie die Republik ſie vergrößert hatte. Er ſetzte ſich auf dieſes prachtvolle Fußgeſtell, ſtreckte die Arme aus, bemächtigte ſich der Völker und ſammelte ſie um ſich; trotz ſeiner wunderbaren militäriſchen Gaben brachte er uns die Verbündeten zweimal nach Paris. Er hatte die Welt zu ſeinen Füßen und gewann dadurch für ſich nur ein Gefängniß, für ſeine Familie ein Exil und den Verluſt aller ſeiner Eroberungen und eines Theils des alten franzöſiſchen Bodens.

Das iſt die durch die Thatſachen bewieſene Geſchichte, die Niemand wird leugnen können. Woraus entſprangen die ſo eben angedeuteten Fehler, denen eine ſo raſche und ſo unheilvolle Entwicklung folgte? Sie entſprangen aus Bonaparte's Unvollkommenheit im Fache der Politik.

Bei ſeinen Bedürfniſſen feſſelte er die Regierungen nur durch die Gebietsverleihungen, deren Grenzen er bald abänderte. Indem er unabläſſig den Hintergedanken zeigte, wieder zu nehmen, was er gegeben hatte, immer den Unterdrücker fühlen ließ, vollbrachte er in keiner ſeiner Eroberungen eine neue Organiſation, ausgenommen in Italien. Statt nach jedem Schritte ſtill zu ſtehen, um hinter ſich das Niedergetretene unter einer neuen Geſtalt aufzuſtellen, mäßigte er ſeine unter Ruinen fortſchreitende Bewegung nie und ſchritt ſo ſchnell fort, daß er auf ſeinem Wege kaum Zeit zum Athmen hatte. Hätte er durch eine Art weſtphäliſchen Frieden die Exiſtenz der Staaten in Deutſchland, Preußen und Polen regulirt und geſichert, ſo hätte er ſich auf ſeinem erſten rückgängigen Marſche an befriedigte Völker anlehnen können und Zufluchtsſtätten gefunden. Allein ſein poetiſches Siegesgebäude, das aller feſten Grundlage ermangelte und durch ſein Genie in die Luft gebaut war, ſtürzte zuſammen, als dieſes Genie zu weichen begann. Der Macedonier gründete in unaufhaltſamem Laufe Reiche, Bonaparte wußte ſie in ſeinem unaufhaltſamen Laufe nur zu zerſtören; ſein einziges Ziel war, perſönlich der Herr der Welt zu ſein, ohne ſich um die Mittel zur Erhaltung dieſer Herrſchaft zu kümmern.

Man wollte aus Bonaparte ein vollkommenes Weſen, einen Typus von Gefühl, Zartſinn, Moral und Gerechtigkeit, einen Schriftſteller gleich Cäſar und Thucydides, einen Redner und Hiſtoriker gleich Demoſthenes und Tacitus machen. Die öffentlichen Reden Napoleon's, ſeine Phraſen im Zelte oder im Rathe ſind um ſo weniger von prophetiſchem Hauche beſeelt, als die von ihnen angekündigten Kataſtrophen nicht eintraten, während der Jeſaias des Schwertes ſelbſt verſchwunden iſt; Worte aus Ninive, welche nach Staaten haſchen, ohne ſie einzuholen und zu zerſtören, ſind kindiſch, ſtatt erhaben zu ſein. Sechszehn Jahre lang war Bonaparte wirklich das Schickſal; das Schickſal iſt ſtumm und Bonaparte hätte es auch ſein ſollen. Bonaparte war nicht Cäſar; ſeine Erziehung war weder eine gelehrte, noch ausgezeichnete; als halber Fremd-

ling waren ihm die erſten Regeln unſerer Sprache unbekannt. Und was liegt eigentlich daran, wenn auch ſein Wort grammatikaliſch unrichtig war? Er richtete an das Weltall Befehlshaberworte. Seine Bülletins tragen die beredte Sprache des Sieges. Im Siegesrauſche heftete man ſie zuweilen auf eine Trommel; mitten unter dumpfen Klagetönen brach dann plötzlich ein ärgerliches Gelächter aus. Ich habe aufmerkſam durchgeleſen, was Bonaparte geſchrieben hat, die erſten Manuſcripte aus ſeiner Kindheit, ſeine Romane, dann ſeine in Buttafuoco verfaßten Brochüren, das Abendeſſen in Beaucaire, ſeine Privatbriefe an Joſephine, die fünf Bände ſeiner Reden, ſeiner Befehle und ſeiner Bülletins, ſeine nicht zum Druck beförderten und durch die Redactionsbureaux des Herrn von Talleyrand verſtümmelten Depeſchen. Ich verſtehe mich darauf; ich habe nur in einer ſchlechten auf der Inſel Elba zurückgelaſſenen Handſchrift folgende Gedanken gefunden, welche der Natur des großen Inſelbewohners gemäß ſind:

„Mein Herz iſt für gemeine Freuden wie für gewöhnlichen Schmerz ſtumpf.“

* * *

„Da ich mir das Leben nicht gegeben habe, ſo werde ich es mir auch nicht nehmen, ſo lange es Etwas von mir will.“

* * *

„Mein böſer Genius erſchien mir und verkündete mir mein Ende, das ich in Leipzig fand.“

* * *

„Ich habe den furchtbaren Geiſt der Neuheit, welcher die Welt durchzog, beſchworen.“

* * *

Hierin finden wir gewiß den wahren Bonaparte!

Wenn die Bülletins, die Reden, die Anſprachen, die Procla-

mationen Bonaparte's ſich durch Energie auszeichnen, ſo gehörte dieſe Energie ihm doch nicht ganz allein, ſie gehörte ſeiner Zeit an und entſprang aus der revolutionären Begeiſterung, die in Bonaparte erkaltete, weil er im umgekehrten Sinne dieſer Begeiſterung vorwärts ſchritt. Danton ſagte: „Das Metall kocht; wenn ihr den Ofen nicht bewacht, ſo werdet ihr Alle verbrennen.“ Saint-Juſt ſagte: „Wagt!“

Dieſes Wort ſchließt die ganze Politik unſerer Revolution in ſich; die, welche Revolutionen bloß halb machen, graben ſich nur ihr Grab.

Kommen Bonaparte's Bülletins dieſer ſtolzen Sprache nahe?

Was die zahlreichen Bände anbetrifft, welche unter dem Titel: Memoiren von St. Helena, Napoleon im Exil u. ſ. w. u. ſ. w. veröffentlicht wurden, ſo enthalten dieſe aus Bonaparte's Munde geſammelten oder von ihm verſchiedenen Perſonen dictirten Documente einige ſchöne Stellen über Kriegsthaten, einige merkwürdige Urtheile über gewiſſe Männer; im Ganzen aber zeigt ſich Napoleon nur bemüht, eine Vertheidigungsſchrift zu verfaſſen, ſeine Vergangenheit zu rechtfertigen, auf abgegriffene Ideen, geſchehene Ereigniſſe Dinge zu bauen, an die er im Verlauf dieſer Ereigniſſe nie gedacht hatte. In dieſer Zuſammenſtoppelung, wo das Für und das Wider unmittelbar auf einander folgen, wo jede Meinung eine günſtige Aufnahme und ſchließlich eine Widerlegung findet, iſt es ſchwierig, auszuſondern, was Napoleon oder ſeinen Secretären angehört. Es iſt wahrſcheinlich, daß er für Jeden von ihnen eine verſchiedene Verſion hatte, damit die Leſer nach ihrem Geſchmack wählen und ſich in Zukunft Napoleone nach ihrer Weiſe ſchaffen könnten. Er dictirte ſeine Geſchichte, wie er ſie hinterlaſſen wollte; er war ein Autor, der Artikel über ſein eigenes Werk ſchrieb. Nichts iſt daher abgeſchmackter, als über Sachregiſter von allerlei Händen in Entzücken zu gerathen, die nicht wie Cäſar's Commentare ein kurzes, aus einem großen Kopfe entſprungenes und von einem ausgezeichneten Schriftſteller

abgefaßtes Werk ſind, und doch nach Aſinius Pollio's Anſicht weder genau, noch getreu waren. Das Memorial von St. Helena iſt gut und durchgängig mit Offenherzigkeit und bewunderungswürdiger Einfachheit gehalten.

Etwas, das am meiſten beitrug, Napoleon bei ſeinen Lebzeiten verhaßt zu machen, war ſein Hang, Alles herabzuwürdigen; ſo paarte er in einer brennenden Stadt Decrete über die Wiederanſtellung einiger Komödianten mit Urtheilen, welche Monarchen abſetzten. Eine Parodie der Allmacht Gottes, welche das Schickſal der Welt und einer Ameiſe leitet! Mit dem Sturz von Reichen vermiſchte er Beſchimpfungen gegen Frauen; er fand Gefallen an der Erniedrigung deſſen, was er zu Boden geſchmettert hatte; er verleumdete und verwundete beſonders, was gewagt hatte, ihm Widerſtand zu leiſten. Seine Anmaßung kam ſeinem Glücke gleich; er glaubte um ſo größer zu erſcheinen, je mehr er die Anderen erniedrigte. Eiferſüchtig auf ſeine Generäle, gab er ihnen ſeine eigenen Fehler Schuld, denn er ſelbſt konnte nie gefehlt haben. Ein Verächter aller Verdienſte, tadelte er ihre Irrthümer hart. Er hätte nach dem Unglück bei Ramillies nie geſagt, wie Ludwig XIV zum Marſchall von Villeroi ſagte: „Herr Marſchall, in unſerm Alter iſt man nicht glücklich.“ Eine rührende Hochherzigkeit, die Napoleon fremd war! Das Jahrhundert Ludwig's XIV wurde durch Ludwig den Großen gemacht; Napoleon hat ſein Jahrhundert gemacht.

Die Geſchichte des Kaiſers, welche durch falſche Ueberlieferungen ſchon Veränderungen erlitten hat, wird noch durch den Zuſtand der Geſellſchaft während der Kaiſerepoche verfälſcht. Jede unter Preßfreiheit geſchriebene Revolutionsgeſchichte kann das Auge auf den Grund der Dinge bringen laſſen, weil ein Jeder ſie berichtet, wie er ſie geſehen hat. Die Regierung Cromwell's iſt bekannt, denn man ſagte dem Protector, was man von ſeinen Handlungen und ſeiner Perſon hielt. In Frankreich drang ſelbſt unter der Republik trotz der unerbittlichen Cenſur des Henkers die Wahr-

heit durch; die triumphirende Partei war nicht immer dieselbe; ſie unterlag ſchnell und die nachfolgende Partei brachte bald an den Tag, was ihre Vorgängerin verborgen hatte; von einem Schaffot zum andern, zwiſchen zwei abgeſchlagenen Köpfen war Freiheit. Als aber Bonaparte die Macht zur Hand nahm, ward der Gedanke geknebelt, hörte man nur noch die Stimme eines Deſpotismus, der bloß ſprach, um ſich zu loben, und nicht erlaubte, von etwas Anderem, als von ihm zu ſprechen, und da verſchwand die Wahrheit.

Die ſogenannten authentiſchen Documente dieſer Zeit ſind verfälſcht; weder Bücher, noch Journale, Nichts durfte ohne Erlaubniß des Herrſchers veröffentlicht werden. Bonaparte überwachte die Artikel des Moniteur; ſeine Präfecten der verſchiedenen Departements ſchickten ihm Berichte, Gratulationen, Beglückwünſchungen, wie die Behörden von Paris ſie dictirt und ihnen als den Ausdruck der öffentlichen Meinung, die zwar von der wirklichen Meinung ganz verſchieden war, zugeſandt hatten. Man ſchreibe eine Geſchichte nach ſolchen Documenten! Führt zum Beweiſe eurer unparteiiſchen Studien die authentiſchen Quellen an, aus denen ihr geſchöpft habt; ihr werdet nur eine Lüge zur Unterſtützung einer Lüge citiren.

Wenn man dieſen Univerſalbetrug in Zweifel ziehen könnte, wenn Männer, welche die Tage des Kaiſerreichs nicht geſehen haben, beharrlich für wahr halten würden, was ſie in den gedruckten Documenten finden, oder was ſie etwa aus gewiſſen Miniſtermappen herausfiſchen, ſo wäre es hinreichend, ſich auf ein unverwerfliches Zeugniß, auf den Erhaltungsſenat zu berufen. Hier haben wir in dem weiter oben angeführten Decrete als deſſen eigene Worte die Stelle gefunden: „In Betracht, daß die Freiheit der Preſſe beſtändig der willkürlichen Cenſur ſeiner Polizei unterworfen war und er ſich zugleich immer der Preſſe bedient hat, um Frankreich und Europa mit erfundenen That-

ſachen und falſchen Maximen zu erfüllen; daß Acten und Berichte, welche vom Senate angehört wurden, bei deren Veröffentlichung Veränderungen erlitten haben, u. ſ. f."

Iſt auf dieſe Erklärung noch Etwas zu antworten?

Bonaparte's Leben war eine unbeſtreitbare Wahrheit, mit deren Beſchreibung der Betrug ſich befaßt hatte.

Bonaparte's Charakter.

Ein ungeheurer Stolz und ein immerwährend erkünſteltes Weſen beeinträchtigen Napoleon's Charakter. Was brauchte er zur Zeit ſeiner Herrſchaft ſeine Natur zu vergrößern, da der Gott der Schlachten ihm jenen Wagen mit lebendigen Rädern geliefert hatte?

Er hatte italieniſches Blut in den Adern, ſeine Natur war eine complicirte. Die großen Männer, deren Familie auf Erden ſehr klein iſt, finden leider Niemand als ſich ſelbſt zur Nachahmung. Modell und Copie zugleich, die wirkliche Perſon und der Schauſpieler, welcher dieſe Perſon vorſtellte, war Napoleon ſein eigener Mimiker; er würde ſich nicht für einen Helden gehalten haben, wenn er ſich nicht in das Coſtüm eines Helden gehüllt hätte. Dieſe ſeltſame Schwäche verleiht ſeinen erſtaunenswerthen wirklichen Eigenſchaften etwas Falſches und Zweideutiges; man fürchtet, den König der Könige für Roscius, oder Roscius für den König der Könige zu halten.

Napoleon's Eigenſchaften ſind in Zeitungen, Brochüren, Verſen und ſogar in Liedern, deren ſich der Imperialismus bemächtigt hat, ſo verfälſcht worden, daß dieſe Eigenſchaften völlig unkenntlich ſind. Alles, was man Bonaparte Rührendes über die Gefangenen, die Todten, die Soldaten ſagen läßt, iſt

albernes Geſchwätz, das durch die Handlungen ſeines Lebens Lügen geſtraft wird. *)

Die Großmutter meines berühmten Freundes Beranger iſt nur ein bewunderungswürdiger Pont-neuf; Bonaparte hatte keine Aehnlichkeit mit dem guten Manne. Die perſonificirte Herrſchaft, war er trocken; dieſe Kälte war ein Gegengift für ſeine glühende Einbildungskraft; er fand kein Wort, ſondern nur eine That in ſich, eine That, die immer bereit war, ſich über die geringſte Unabhängigkeit zu erzürnen; eine Mücke, die nicht auf ſeinen Befehl flog, war in ſeinen Augen ein empöreriſches Inſect.

Nicht genug, die Ohren zu belügen, mußten auch die Augen belogen werden; hier ſieht man auf einem Kupferſtiche Bonaparte, welcher vor den verwundeten Oeſtreichern den Hut abzieht; dort iſt er abgebildet, wie ihm ein kleiner Tourlourou den Weg verſperrt, wieder, wie Napoleon die Peſtkranken zu Jaffa berührt, die er nie berührt hat; wie er auf einem wilden Pferde unter Schneegeſtöber den St. Bernhard überſchreitet, und ſein Uebergang fand beim ſchönſten Wetter der Welt ſtatt.

Und will man nicht ſogar den Kaiſer heutzutage zu einem Römer aus den erſten Tagen des Aventiniſchen Berges, zu einem Miſſionär der Freiheit, zu einem Bürger machen, welcher die Sklaverei nur aus Liebe zu ihrem Gegenſatze, zur Tugend, einführte? Man beurtheile den großen Gründer der Gleichheit nach folgenden zwei Zügen: Er befahl, die Heirath ſeines Bruders Jerome mit Fräulein Paterſon für ungültig zu erklären, weil Napoleon's Bruder ſich nur mit fürſtlichem Blute verbinden könnte; ſpäter, als er von der Inſel Elba zurückgekehrt war, belehnt er die neue demokratiſche Conſtitution mit einer Pairie und die Krone mit dem Zuſatzartikel.

Ich will nicht beſtreiten, daß Bonaparte als der Fortpflanzer

*) Man ſehe oben Bonaparte's Handlungen in ihrer chronologiſchen Ordnung.

der glücklichen Erfolge der Republik überall Grundſätze der Unabhängigkeit ſäete, daß ſeine Siege zur Lockerung der Bande zwiſchen den Völkern und den Königen behülflich waren, dieſe Völker der Macht der alten Sitten und der alten Ideen entriſſen, und daß er in dieſem Sinne zur ſocialen Befreiung beigetragen habe; daß er aber aus eigenem Willen geſchickt an der politiſchen und bürgerlichen Befreiung der Nationen gearbeitet, daß er den engherzigſten Deſpotismus in der Abſicht eingeführt habe, Europa und beſonders Frankreich eine Conſtitution auf der breiteſten Grundlage zu geben, daß er ein als Tyrann verkleideter Tribun geweſen ſei, dieſer Annahme kann ich unmöglich beipflichten.

Bonaparte hat, wie alle Fürſten, nur die Macht gewollt und geſucht, wenn er auch durch die Freiheit dazu gelangte, weil er im Jahr 1793 auf der Bühne der Welt debütirte. Die Revolution, welche Napoleon's Amme war, erſchien ihm bald als eine Feindin, die er unabläſſig ſchlug. Uebrigens kannte der Kaiſer das Böſe recht gut, wenn das Böſe nicht unmittelbar von dem Kaiſer herrührte, denn es fehlte ihm nicht an moraliſchem Sinn. Der in den Vordergrund geſtellte Sophismus hinſichtlich Bonaparte's Liebe zur Freiheit beweist nur Etwas, den Mißbrauch nämlich, den man mit der Vernunft treiben kann; heutzutage gibt ſie ſich zu Allem her. Iſt nicht die Behauptung aufgeſtellt worden, daß die Schreckenszeit eine Zeit der Humanität war? Und verlangte man in der That nicht die Abſchaffung der Todesſtrafe, als man ſo viele Leute tödtete? Haben die großen Civiliſatoren, wie man ſie nennt, nicht immer Menſchen hingeopfert, und war nicht deßhalb, wie man beweiſen will, Robespierre der Fortſetzer des Werkes Chriſti?

Der Kaiſer miſchte ſich in Alles, ſein Geiſt ruhte nie; er befand ſich beſtändig in einer Art Ideenfieber. Statt frei und ſtätig ſeinen Gang zu gehen, trieb ihn der Ungeſtüm ſeiner Natur und ſein hochfahrender Kopf in Sprüngen vorwärts; er warf ſich auf das Weltall und verſetzte ihm Stöße; er wollte Nichts mit dieſem

Weltall zu ſchaffen haben, wenn er warten mußte. Unbegreifliches Weſen, welches das Geheimniß beſaß, durch Geringſchätzung ſeine hervorragendſten Thaten zu verkleinern, und das ſeine unbedeutendſten Handlungen bis zu ſeiner Höhe emporhob! Ungeduldig im Willen, geduldig von Charakter, unvollkommen und gleichſam unvollendet, hatte Napoleon's Genie Lücken; ſein Verſtand glich dem Himmel jener andern Hemiſphäre, unter welchem er ſterben ſollte, jenem Himmel, deſſen Sterne durch leere Räume getrennt ſind.

Man fragt ſich, durch welchen Zauber der ſo ariſtokratiſche und gegen das Volk ſo feindlich geſtimmte Bonaparte zu der Popularität gelangen konnte, deren er genoß; denn gewiß iſt, daß dieſer Schmid von Jochen bei einer Nation, die ſich rühmte, der Freiheit und Gleichheit Altäre errichtet zu haben, populär geblieben iſt. Die Löſung des Räthſels iſt folgende:

Die tägliche Erfahrung zeigt, daß die Franzoſen inſtinctmäßig der Macht huldigen; ſie lieben die Freiheit nicht, nur die Gleichheit iſt ihr Idol. Nun ſtehen aber die Gleichheit und der Deſpotismus in geheimem Zuſammenhange. In dieſen zwei Beziehungen hatte Napoleon ſeine Quelle im Herzen der Franzoſen, deren Militärgeiſt ſich zur Macht hinneigt, während ihr demokratiſcher Sinn in die Gleichheit verliebt iſt. Als er den Thron beſtiegen, ließ er das Volk ſeinen Sitz neben ihm einnehmen; ein Proletarierkönig, demüthigte er die Könige und den Adel in ſeinen Vorzimmern; er hob den Unterſchied des Ranges nicht durch Erniedrigung des höheren, ſondern durch Erhöhung des niedrigeren auf; die Herabſetzung des hohen Ranges hätte dem Plebejerneid größere Freude bereitet; die Höherſtellung des niedrigen hat ſeinem Stolze mehr geſchmeichelt. Die franzöſiſche Eitelkeit blähte ſich auch mit der Ueberlegenheit, welche Bonaparte uns über das übrige Europa verſchaffte; eine weitere Urſache der Popularität Napoleon's liegt in der Trübſal ſeiner letzten Tage. Als man nach ſeinem Tode erfuhr, was er auf St. Helena gelitten hatte, ward man gerührt; man vergaß ſeine Tyrannei, um ſich zu erinnern, daß, nachdem

er zuerſt unſere Feinde beſiegt und ſie dann nach Frankreich gezogen, er uns gegen ſie vertheidigt hatte; wir bilden uns ein, er würde uns heutzutage von der Schmach, die auf uns liegt, erlöſen. Sein Ruf wurde uns durch ſein Mißgeſchick zurückgebracht; ſein Ruhm gewann durch ſein Unglück.

Endlich haben die Wunder ſeiner Waffen die Jugend behert, indem ſie uns die rohe Macht anbeten lehren. Sein unerhörtes Glück hat der Vermeſſenheit jedes Ehrgeizes die Hoffnung gelaſſen, es ebenſo weit zu bringen, als er es gebracht hat.

Und doch war dieſer Mann, der durch die Laſt, welche er über Frankreich gewälzt hatte, ſo populär geworden war, der Todfeind der Gleichheit und der größte Organiſator der Ariſtokratie in der Demokratie.

Ich kann nicht in das falſche Lob einſtimmen, mit dem man Bonaparte beſchimpft, indem man Alles in ſeinem Betragen rechtfertigen will; ich kann nicht meine Vernunft wegwerfen und über Etwas, das Abſcheu oder Mitleid bei mir erregt, in Entzücken gerathen.

Wenn mir die Schilderung deſſen, was ich gefühlt habe, hier gelungen iſt, ſo habe ich ein getreues Bild einer der erſten geſchichtlichen Geſtalten geliefert; ich habe jedoch Nichts von jenem phantaſtiſchen Geſchöpfe darin aufgenommen, das aus Lügen zuſammengeſetzt iſt, aus Lügen, deren Entſtehung ich ſah, die, Anfangs für das, was ſie waren, gehalten, mit der Zeit durch thörichtes Vorurtheil und die dumme menſchliche Leichtgläubigkeit ſich als Wahrheit geltend zu machen wußten. Ich will kein dummer Gimpel ſein und von der Sucht der Bewunderung befallen werden. Ich laſſe mir angelegen ſein, die Perſonen gewiſſenhaft zu ſchildern, ohne ihnen zu nehmen, was ſie haben, und ohne ihnen zu geben, was ſie nicht haben. Wenn das Glück für Unſchuld gehalten, wenn es ſogar die Nachwelt verführen und ſie mit ſeinen Feſſeln beladen würde, wenn dieſe verleitete Nachwelt, eine künftige Sklavin, von einer ſklaviſchen Vergangenheit erzeugt, die Mitſchuldige eines jeden Siegers würde, wo wäre das Recht, wo wäre

der Preis der Opfer? Da das Gute und das Böſe dann nur noch relativ wären, ſo würde jede Moral aus den menſchlichen Handlungen entſchwinden.

Dieſe Verlegenheit bereitet dem unparteiiſchen Schriftſteller ein glänzender Ruf; er ſchiebt ihn, ſo viel er kann, auf die Seite, um die nackte Wahrheit darzuſtellen; allein der Ruhm zieht wie ein ſtrahlender Dunſt einher und bedeckt augenblicklich das Gemälde.

Ob Bonaparte uns an Ruhm erſetzt, was er uns an Kraft geraubt hat.

Um die Verringerung an Gebiet und Macht, die wir Bonaparte verdanken, nicht geſtehen zu müſſen, tröſtet ſich die gegenwärtige Generation durch die Einbildung, daß er uns an Berühmtheit erſetzt, um was er uns an Kraft gebracht hat. „Sind wir nicht," ſagt ſie, „fortan an allen Enden der Welt berühmt? Wird ein Franzoſe nicht in jedem Lande gefürchtet, mit Auszeichnung behandelt, aufgeſucht?"

Waren wir aber zwiſchen dieſe zwei Bedingungen geſtellt: entweder Unſterblichkeit ohne Macht, oder Macht ohne Unſterblichkeit? Alexander machte den Namen der Griechen weltbekannt und hinterließ ihnen nichtsdeſtoweniger vier Reiche in Aſien; die Sprache und die Civiliſation der Helenen erſtreckten ſich vom Nil bis Babylon und von Babylon bis an den Indus. Bei ſeinem Tode hatte ſein ererbtes Königreich Macedonien, ſtatt ſich verkleinert, an Stärke hundertfach gewonnen. Bonaparte hat uns überall bekannt gemacht; unter ſeinem Befehl warfen die Franzoſen Europa ſo tief unter ihre Füße, daß Frankreichs Name noch jetzt über den andern ſteht und der Triumphbogen de l'Etoile ſich erheben kann, ohne eine kindiſche Trophäe zu ſcheinen; doch vor unſeren Mißgeſchicken wäre dieſes Monument ein Zeuge ſtatt eine

bloße Chronik geweſen. Hatte indeß nicht Dumouriez mit Conſcribirten dem Ausland die erſten Lectionen gegeben, Jordan die Schlacht von Fleurus gewonnen, Pichegru Belgien und Holland erobert, Hoche den Rhein überſchritten, Maſſena bei Zürich, Moreau bei Hohenlinden triumphirt; Alles äußerſt ſchwierige Heldenthaten, welche den andern vorarbeiteten? Bonaparte hat dieſen zerſtreuten Siegen einen Mittelpunkt gegeben; er hat ſie fortgeſetzt, er hat dieſen Siegen Glanz verliehen; hätte er aber ohne dieſe erſten Wunder die letzteren verlangt? Er überragte nur Alles, wenn die Vernunft die Eingebungen des Poeten ausführte.

Die Berühmtheit unſeres Oberherrn hat uns jährlich nur zwei- bis dreimal hundert tauſend Mann gekoſtet, wir haben ſie nur mit drei Millionen unſerer Soldaten bezahlt; unſere Mitbürger haben ſie nur durch Leiden und den fünfzehnjährigen Verluſt ihrer Freiheiten erkauft. Können ſolche Kleinigkeiten in Anſchlag gebracht werden? Strahlen die nachherigen Generationen nicht in deſto ſchönerem Glanze? Um ſo ſchlimmer für die, welche verſchwunden ſind! Die Trübſale unter der Republik werden Allen zum Heile dienen; unſer Unglück unter dem Kaiſerreiche hat weit mehr bewirkt, es hat Bonaparte vergöttert! Das genügt uns.

Mir genügt es nicht, ich werde mich nicht erniedrigen; meine Nation hinter Bonaparte zu verbergen; er hat Frankreich nicht gemacht, Frankreich hat ihn gemacht. Nie wird mich ein Talent, ein überlegener Geiſt zur Einwilligung in die Macht bringen, welche mich durch ein einziges Wort meiner Unabhängigkeit, meines Herdes, meiner Freunde berauben kann; wenn ich nicht ſage, meines Vermögens und meiner Ehre, ſo geſchieht es nur, weil das Vermögen mir nicht der Mühe werth ſcheint, daß man es vertheidige. Was aber die Ehre betrifft, ſo entſchlüpft ſie der Tyrannei, ſie iſt die Seele der Märtyrer; wohl umſchlingen ſie Bande, doch ſie vermögen ſie nicht zu feſſeln; ſie dringt aus Kerkergewölben und nimmt den ganzen Menſchen mit ſich.

Das Unrecht, welches die wahre Philoſophie Bonaparte nicht

verzeihen wird, ist, die Gesellschaft an passiven Gehorsam gewöhnt, die Menschheit in die Zeiten moralischen Verfalls zurückgestoßen und die Charaktere vielleicht so verdorben zu haben, daß man unmöglich sagen kann, wann die Herzen wieder beginnen werden, in edeln Regungen zu schlagen. Die Schwäche, in die wir uns selbst und Europa gegenüber versunken sind, und unsere jetzige Erniedrigung sind die Folge der Napoleonischen Tyrannei; nur die Gaben des Jochs sind uns geblieben. Bonaparte's Störungen greifen bis in die Zukunft hinein; es würde mich nicht wundern, wenn wir uns in der Unbehaglichkeit unserer Ohnmacht verschlechtern, wenn wir uns gegen Europa verbarricadiren, statt gegen dasselbe ziehen würden, wenn wir unsere Freiheiten im Innern aufgeben würden, um uns Außen von einem eingebildeten Schrecken zu befreien, wenn wir uns von einer unwürdigen Vorsicht, welche unserm Geiste und den vierzehn Jahrhunderten, die unsere Nationalsitten gebildet haben, widerstreben, irre leiten ließen. Der Despotismus, den Bonaparte in der Luft zurückgelassen hat, wird in Gestalt von Festungswerken auf uns herniedersteigen.

Es ist heutzutage Mode, die Freiheit mit einem sardonischen Lächeln aufzunehmen, sie als einen mit der Ehre zugleich in Verfall gerathenen alten Kram zu betrachten. Ich mache diese Mode nicht mit; ich denke, ohne die Freiheit sei die Welt Nichts, sie verleiht dem Leben Werth; müßte ich der Letzte bleiben, der sie vertheidigt, so werde ich nicht aufhören, ihre Rechte zu verkünden. Napoleon in vergangenen Dingen angreifen, ihn mit todten Ideen anfallen, heißt ihm neue Triumphe bereiten. Man kann ihn nur mit etwas Größerem, als er ist, bekämpfen, mit der Freiheit; er hat sich an der Freiheit und demzufolge an dem Menschengeschlecht vergangen.

Nutzloſigkeit der oben auseinandergeſetzten Wahrheiten.

Vergebliche Worte! Ich fühle ihre Nutzloſigkeit beſſer als irgend Jemand. Jede Bemerkung, ſo gemäßigt ſie auch ſein mag, wird als Entweihung angeſehen, man muß Muth haben, um zu wagen, dem Geſchrei der Menge zu trotzen, um nicht zu fürchten, aus dem einzigen Grunde, daß man bei aller lebhaften und wahren Bewunderung, die man für Napoleon hegt, dennoch nicht allen ſeinen Unvollkommenheiten Weihrauch ſtreuen kann, als ein beſchränkter Kopf behandelt zu werden, der unfähig ſei, Bonaparte's Genie zu verſtehen und aufzufaſſen. Die Welt gehört Bonaparte; was der Verheerer nicht vollends erobern konnte, uſurpirt ſein Ruf; bei ſeinen Lebzeiten iſt ihm die Welt entgangen, todt beſitzt er ſie. Welche Einwendungen man auch mache, die Generationen gehen darüber weg, ohne ihnen Gehör zu ſchenken. Das Alterthum läßt den Schatten von Priam's Sohn ſagen: „Beurtheile Hektor nicht nach ſeinem kleinen Grabe; die Ilias, Homer, die fliehenden Griechen, das iſt meine Gruft; unter dieſen großen Thaten liege ich begraben.“

Bonaparte iſt nicht mehr der wirkliche Bonaparte; er iſt die Perſon einer aus närriſchen Einfällen der Poeten, Soldatengeſchwätz und Volksgeſchichten zuſammengeſetzten Legende; wie wir ihn heutzutage ſehen, iſt er der große Karl und der Alexander der Heldengedichte des Mittelalters. Dieſer phantaſtiſche Held wird die wirkliche Perſönlichkeit bleiben; die andern Bilder von ihm werden verſchwinden. Die unumſchränkte Herrſchaft iſt ſo mit Napoleon verwachſen, daß, nachdem wir den Deſpotismus ſeiner Perſon erduldet, wir nun auch den Deſpotismus ſeines Andenkens erdulden müſſen. Dieſer letztere Deſpotismus iſt noch mächtiger als der erſtere, denn wenn man Napoleon, als er auf dem Throne ſaß, zuweilen bekämpfte, ſo zeigt ſich jetzt die ganze Welt einverſtanden, die Feſſeln zu tragen, die er als todt uns noch anlegt. Er iſt ein

Hinderniß für künftige Ereigniſſe, wie könnte eine aus Schlachtfeldern hervorgegangene Macht neben ihm aufkommen? Hat er nicht jeden militäriſchen Ruhm durch ſeine Unübertrefflichkeit getödtet? Wie konnte eine freie Regierung entſtehen, da er den Grundſatz aller Freiheit in den Herzen verdorben hat? Keine rechtmäßige Macht vermag aus dem Geiſt des Menſchen das Uſurpatorgeſpenſt zu verjagen; der Soldat wie der Bürger, der Republikaner wie der Anhänger der Monarchie, der Reiche wie der Arme führen die Büſten und Bildniſſe Napoleon's an ihrem Herde, in ihren Paläſten oder in ihren Hütten ein; die ehemaligen Beſiegten ſtimmen mit den ehemaligen Beſiegern überein; man kann keinen Schritt in Italien thun, ohne ihn zu finden; man betritt kaum den deutſchen Boden, ſo begegnet man ihm, denn in Deutſchland iſt die junge Generation, die ihn zurückſtieß, verſchwunden. Gewöhnlich ſetzen ſich die Jahrhunderte vor das Portrait eines großen Mannes und vollenden es durch lange und anhaltende Arbeit. Dießmal hat das Menſchengeſchlecht nicht warten wollen, vielleicht hat es ſich zu ſehr beeilt, ein Paſtellgemälde zu liefern. Es iſt Zeit, die vollendete Partie zur Vergleichung mit der mangelhaften Partie des Idols aufzuſtellen.

Bonaparte iſt nicht groß durch ſeine Worte, ſeine Reden, ſeine Schriften, durch die Liebe zur Freiheit, die er nie beſaß und nie gründen wollte; er iſt groß, weil er eine geordnete und mächtige Regierung, ein in verſchiedenen Ländern angenommenes Geſetzbuch, Gerichtshöfe, Schulen, eine ſtarke, thätige und weiſe Adminiſtration geſchaffen hat, unter der wir noch leben; er iſt groß, weil er Italien zu neuem Leben erweckt, aufgeklärt und ausgezeichnet verwaltet hat; er iſt groß, weil er in Frankreich aus dem Schooße des Chaos wieder Ordnung erſtehen ließ, weil er die Altäre wieder hergeſtellt, weil er wüthende Demagogen, hochmüthige Gelehrte, anarchiſche Literaten, Voltaire'ſche Atheiſten, Gaſſenredner, die Würger in den Gefängniſſen und Straßen, die Schwätzer auf Tribünen, in Clubs und bei Schaffoten, weil er

dieſe Alle dahin gebracht hat, unter ihm zu dienen; er iſt groß, weil er einen anarchiſchen Haufen gefeſſelt hat; er iſt groß, weil er den Vertraulichkeiten eines gemeinſamen Glücks ein Ende machte, weil er Soldaten, Seinesgleichen, Feldherren, ſeine Oberen oder ſeine Nebenbuhler, gezwungen hatte, ſich ſeinem Willen zu beugen; er iſt groß beſonders, weil er aus ſich ſelbſt entſtanden iſt, weil er ohne eine andere Macht, als die ſeines Genies, ſich zu einer Zeit, wo keine Illuſion die Throne umgab, von ſechsunddreißig Millionen Unterthanen Gehorſam zu verſchaffen wußte; er iſt groß, weil er alle Könige, ſeine Gegner, geſtürzt, weil er alle Armeen, wie verſchieden ſie auch in Disciplin und Tapferkeit waren, geſchlagen hat, weil er ſich bei wilden wie civiliſirten Völkern einen Namen machte, weil er alle ihm vorangegangenen Sieger übertroffen, weil er zehn Jahre lang ſo große Wunder gethan hat, daß man ſie heutzutage kaum zu faſſen vermag.

Der berühmte und triumphirende fragliche Delinquent iſt nicht mehr; die wenigen Menſchen, welche ſich noch edler Geſinnungen befleißen, können dem Ruhme huldigen, ohne ihn zu fürchten, aber auch ohne zu bereuen, daß ſie dargelegt haben, was dieſer Ruhm Unheilvolles hatte, ohne den Zerſtörer der Freiheiten als den Vater der Emancipationen anzuerkennen. Napoleon hat nicht nöthig, daß man ihm Verdienſte leihe, er wurde bei ſeiner Geburt begabt genug.

Da nun, losgeriſſen von ſeiner Zeit, ſeine Geſchichte beendigt iſt und ſein Heldengedicht beginnt, ſo wollen wir ihn an ſein Sterbebette begleiten, Europa verlaſſen und ihm unter den Himmel ſeiner Apotheoſe folgen! An der Stelle, wo ſeine Schiffe die Segel ſtrichen, weist uns das Rauſchen der Meere den Ort ſeines Verſchwindens. „Am äußerſten Ende unſerer Hemiſphäre“, ſagt Tacitus, „hört man das Geräuſch, das die Sonne im Untertauchen macht, sonum insuper immergentis audiri.“

Inſel St. Helena. — Bonaparte durchſchifft das Atlantiſche Meer.

Im Jahre 1502 hatte ſich Johann von Noya, ein portugieſiſcher Schiffer, in den Gewäſſern verirrt, welche Afrika von Amerika trennen; am 18. Auguſt, als dem Feſte der heiligen Helena, der Mutter des erſten chriſtlichen Kaiſers, traf er unter dem 16. Grade ſüdlicher Breite und dem 11. Längengrade eine Inſel an. Er landete und gab ihr den Namen des Tages ihrer Entdeckung.

Nachdem die Portugieſen dieſe Inſel einige Jahre fleißig beſucht hatten, vernachläſſigten ſie dieſelben wieder; nun ließen ſich die Holländer daſelbſt nieder, gaben ſie aber ſpäter für das Cap der guten Hoffnung auf, worauf die engliſch-oſtindiſche Geſellſchaft ſich derſelben bemächtigte; die Holländer nahmen ſie zwar wieder weg, allein die Engländer riſſen ſie von Neuem an ſich und ſetzten ſich daſelbſt feſt.

Als Johann von Noya auf St. Helena landete, war das Innere der unbewohnten Inſel bloß Wald. Fernand Lopez, ein portugieſiſcher und auf dieſe Oaſe deportirter Renegat, bevölkerte ſie mit Kühen, Ziegen, Hühnern, Perlhühnern und Vögeln aus allen vier Welttheilen. Allmälig führte man, wie in die Arche, alle Thiere der Schöpfung ein.

Die Bevölkerung der Inſel beſteht aus fünfhundert Weißen, fünfzehnhundert mit Mulatten, Japaneſen und Chineſen vermiſchten Negern. Die Stadt und zugleich der Hafen der Inſel heißt Jamestown. Bevor die Engländer Herren vom Cap der guten Hoffnung waren, gingen die Flotten der oſtindiſchen Compagnie auf der Rückkehr aus Indien in Jamestown vor Anker. Die Matroſen kramten am Fuße der Palmbäume ihre Waaren aus; ein ſtummer und einſamer Wald verwandelte ſich jährlich einmal in einen lärmenden und bevölkerten Markt.

Das Klima der Inſel iſt geſund, aber regneriſch; dieſe Burg

Neptun's, die nur ſieben bis acht Stunden im Umkreiſe hat, zieht die Dünſte des Oceans an. Zur Mittagszeit verſcheucht die Sonne des Aequators Alles, was athmet, nöthigt bis auf die Mücken hinab Alles zum Schweigen und zur Ruhe, und Menſchen und Thiere, ſich zu verſtecken. Nachts erglänzen die Wellen in dem ſogenannten Meeresleuchten, ein durch Myriaden von Inſecten hervorgebrachtes Leuchten, die in ihrer durch die Stürme elektriſirten Brunſt auf der Oberfläche des gähnenden Abgrundes die Illuminationen für ihre allgemeine Hochzeitnacht veranſtalten. Der Schatten der Inſel ruht dunkel und feſt mitten auf einer beweglichen Diamantenebene. Einen eben ſo prachtvollen Anblick bietet nach den Schilderungen meines gelehrten und berühmten Freundes, Herrn von Humboldt,*) der Himmel. „Man empfindet," ſagt er, „ein unerklärliches, unbekanntes Gefühl, wenn man ſich dem Aequator nähert und beſonders, wenn man von einer Hemiſphäre in die andere übergeht und die Sterne, die man von der erſten Kindheit auf kannte, in raſcher Folge untergehen und endlich ganz verſchwinden ſieht. Man fühlt, daß man nicht in Europa iſt, wenn man am Horizonte das ungeheure Sternbild des Schiffes oder die phosphoreſcirenden Wolken des Magellans ſieht.

„Wir ſahen", fährt er fort, „erſt in der Nacht vom 4. auf den 5. Juli, bei 16 Grad Breite zum erſten Mal das Kreuz des Südens deutlich.

„Ich erinnerte mich der erhabenen Stelle in Dante, welche die berühmteſten Commentatoren auf dieſes Bild angewendet haben:

„Jo mi volsi à man destra, etc.

„Bei den Portugieſen und den Spaniern knüpft ſich ein religiöſes Gefühl an ein Sternbild, deſſen Form ſie an jenes Zeichen des Glaubens erinnert, das durch ihre Vorfahren in die Einöden der neuen Welt aufgepflanzt wurde."

Die Poeten Frankreichs und Luſitaniens haben die Scenen

*) Reiſen in die Aequinoctialgegenden.

der Elegie an die Ufer von Melinda und der benachbarten Inſeln verſetzt. Dieſe erdichteten Schmerzen ſind himmelweit entfernt von den wirklichen Qualen Napoleon's unter dieſen von dem Sänger Beatrice's verherrlichten Geſtirnen und in dieſen Meeren Eleonorens und Virginie's. Kümmerten ſich die auf Inſeln Griechenlands verwieſenen Großen Roms um die Reize jener Geſtade und um die Gottheiten von Kreta und Naxos? Was Vasco de Gama und Camoens entzückte, konnte Bonaparte nicht rühren; im Hintertheil des Schiffes gelagert, bemerkte er nicht, daß über ſeinem Haupte unbekannte Sternbilder funkelten, deren Strahlen ſein Blick zum erſten Mal begegnete. Was galten ihm dieſe Geſtirne, die er nie von ſeinen Bivouacs aus geſehen, die nicht über ſeinem Reiche geleuchtet hatten? Und doch war ſeinem Schickſal kein Stern untreu; das halbe Firmament leuchtete über ſeiner Wiege; das andere war zum Prunke ſeines Grabes vorbehalten.

Das Meer, welches Napoleon durchſchiffte, war nicht jenes befreundete Meer, das ihn aus den Häfen Corſika's, von den ſandigen Geſtaden von Abukir, von den Felſen der Inſel Elba an die Ufer der Provence brachte; es war jener feindliche Ocean, der, nachdem er ihn in Deutſchland, Frankreich, Portugal und Spanien eingeſchloſſen, ſich nur auf ſeinem Wege vor ihm öffnete, um ſich wieder hinter ihm zu ſchließen. Wahrſcheinlich ſtellte er über ſeine Kataſtrophe nicht die Betrachtungen an, die ſie mir einflößt, als er ſah, wie ſein Schiff die Wogen durchſchnitt und der beſtändige Hauch der Paſſatwinde es immer weiterer Ferne zutrieb. Jeder Menſch empfindet ſein Leben nach ſeiner Weiſe; der, welcher der Welt ein großes Schauſpiel gibt, iſt weniger gerührt und weniger ergriffen, als der Zuſchauer. Mit der Vergangenheit beſchäftigt, als ob ſie wieder erſtehen könnte, in ſeinen Erinnerungen noch hoffend, bemerkte Bonaparte kaum, daß er die Linie überſchritt, und fragte nicht, welche Hand dieſe Kreiſe zeichnete, innerhalb deren die Welten gleich Gefangenen ihren ewigen Gang gehen müſſen.

Am 15. August feierte die irrende Colonie das St. Napoleonsfest an Bord des Schiffes, welches Napoleon nach seinem letzten Halt brachte. Am 15. October befand sich der Northumberland auf der Höhe von St. Helena. Der Passagier stieg auf das Verdeck; mit Mühe vermochte er in der blauen Unermeßlichkeit einen kaum bemerkbaren schwarzen Punkt zu entdecken; er nahm ein Fernrohr und recognoscirte dieses Fleckchen Land, wie er ehemals eine mitten in einem See gelegene Festung recognoscirt hätte. Er nahm den zwischen steilen Felsen eingekeilten Flecken Saint-James wahr; auf jedem Vorsprung dieser dürren Façade war eine Kanone aufgepflanzt; man schien den Gefangenen seinem Genie gemäß empfangen zu wollen.

Am 16. October 1815 landete Bonaparte auf der Klippe, seinem Mausoleum, wie am 12. October 1429 Christoph Columbus in der neuen Welt, seinem Monumente. „Da, beim Eingang in den indischen Ocean", sagt Walter Scott, „war Bonaparte der Mittel zu einem zweiten avatar oder einer zweiten Menschwerdung auf Erden beraubt."

Napoleon betritt den Boden von St. Helena. — Seine Niederlassung in Longwood. — Sein Leben daselbst.

Bevor Bonaparte nach Longwood transportirt wurde, bewohnte er eine Negerhütte in Briars, bei Balcomb's cottage. Am 9. December empfing Longwood, das in der Eile durch die Zimmerleute der englischen Flotte noch vergrößert worden war, seinen Gast. Das auf einem Gebirgsplateau gelegene Haus bestand aus einem Salon, einem Speisesaal, einer Bibliothek, einem Studircabinet und einem Schlafzimmer. Das war wenig Platz; doch hatten die, welche in den Thurm des Temple und in den Donjon von Vincennes verwiesen waren, eine noch weit geringere Woh-

nung, nur beſaß man allerdings die Aufmerkſamkeit, ihren Aufenthalt abzukürzen. Der General Gourgaud, Herr und Frau von Montholon mit ihren Kindern, Herr von Lascaſes und ſein Sohn campirten proviſoriſch unter Gezelten; Herr und Madame Bertrand nahmen ihre Wohnung in Hut'sgate, einem an der Grenze des Stadtkreiſes von Longwood gelegenen Gehöft.

Zum Spazierplatz war Bonaparte eine Strecke von zwölf Meilen angewieſen; innerhalb des ganzen Raumes befanden ſich Schildwachen und ebenſo waren Wachen auf den höchſten Klippen aufgeſtellt. Der Löwe konnte ſeine Wanderungen zwar weiter ausdehnen, mußte ſich dann aber durch einen engliſchen Thierwärter bewachen laſſen. Zwei Lager vertheidigten den in Bann gethanen Raum; Abends zog ſich der Kreis der Wache ſtehenden Soldaten um Longwood zuſammen. Um neun Uhr konnte der conſignirte Napoleon nicht mehr ausgehen; die Patrouillen machten die Runde; Reiterwachen, da und dort aufgeſtelltes Fußvolk hielten die kleinen natürlichen Seehäfen und die zum Geſtade ſich hinabziehenden Schluchten beſetzt. Zwei bewaffnete Briggs kreuzten, die eine unter dem Wind, die andere vor dem Wind der Inſel. Welche Vorſichtsmaßregeln, um einen einzigen Mann mitten in den Meeren zu bewachen! Nach Sonnenuntergang konnte keine Schaluppe mehr in's Meer ſtechen, die Schifferbarken waren gezählt und blieben Nachts unter der Verantwortlichkeit eines Marinelieutenants im Hafen. Der Generaliſſimus der Monarchen, welcher die Welt vor ſeine Füße citirt hatte, ſollte täglich zweimal beim Aufrufe vor einem Subalternoffizier erſcheinen. Bonaparte unterzog ſich dieſem Appell nicht; wenn er aus Zufall die Blicke des dienſtthuenden Offiziers nicht vermeiden konnte, ſo hätte dieſer Offizier nicht ſagen dürfen, wo und wie er den geſehen hätte, deſſen Abweſenheit der Welt ſchwerer darzuthun war, als der Beweis ſeiner Anweſenheit.

Sir George Cockburn, der Urheber dieſer ſtrengen Aufſichtsmaßregeln, wurde durch Sir Hudſon Lowe erſetzt. Von da an

begannen die kleinlichen Streitigkeiten, von denen alle Memoiren uns unterhalten haben. Würde man dieſen Memoiren glauben, ſo wäre der neue Gouverneur aus der Familie der ungeheuren Spinnen von St. Helena und das Gewürm jener Wälder geweſen, in welchen die Schlangen unbekannt ſind. England ließ es an Edelmuth, Napoleon an Würde fehlen. Um den Anforderungen der Etikette ein Ende zu machen, ſchien Bonaparte zuweilen entſchloſſen, ſich wie ein Monarch im Auslande, in einen falſchen Namen zu hüllen. Er kam auf den rührenden Gedanken, den Namen einer ſeiner in der Schlacht von Arcole getödteten Adjutanten anzunehmen. Frankreich, Oeſterreich, Rußland ernannten Commiſſäre, welche auf St. Helena ihren Sitz nehmen mußten. Der Gefangene pflegte die Geſandten der beiden letztern Mächte zu empfangen; die Legitimität, welche Napoleon nicht als Kaiſer anerkannt hatte, würde edler gehandelt haben, wenn ſie Napoleon auch nicht als Gefangenen anerkannt hätte.

Ein großes hölzernes, in London erbautes Haus wurde nach St. Helena geſchickt; Napoleon befand ſich jedoch ſchon nicht mehr wohl genug, um es zu beziehen. Seine Lebensweiſe in Longwood hatte er folgendermaßen eingerichtet; Er ſtand zu unbeſtimmter Zeit auf; Herr Marchand, ſein Kammerdiener, las ihm vor, ſo lange er ſich im Bette befand; ſtand er früh auf, ſo dictirte er den Generälen Montholon und Gourgaud und dem Sohn des Herrn von Lascaſes. Um zehn Uhr frühſtückte er, machte dann einen Spaziergang zu Pferde oder im Wagen bis gegen drei Uhr, kehrte um ſechs Uhr nach Hauſe zurück und legte ſich um elf Uhr nieder. Er kleidete ſich mit Vorliebe, wie er in dem Portrait von Iſabey abgezeichnet iſt; am Morgen hüllte er ſich in einen Caftan und ſchlang ein indiſches Tuch um ſeinen Kopf.

Besuche.

St. Helena liegt zwischen den beiden Polen. Die Schiffer, welche von da und dorther kommen, begrüßen diese erste Station, wo Land den vom Anblick des Oceans ermüdeten Blicken eine Erholung gewährt und den vom Salz erhitzten Gaumen Früchte und frisches Süßwasser bietet. Die Anwesenheit Bonaparte's hatte diese gelobte Insel in einen verpesteten Felsen umgewandelt; die fremden Schiffe landeten nicht mehr; sobald sie in einer Entfernung von zwanzig Meilen signalisirt wurden, segelte ihnen ein Kreuzer entgegen, um sie zu recognosciren, und bedeutete sie, das Weite zu suchen. Ausgenommen bei Sturm ließ man nur die Schiffe der brittischen Marine bei der Insel vor Anker gehen.

Einige der englischen Reisenden, welche die Wunder des Ganges sehen wollten oder von dorther kamen, besuchten auf ihrem Wege ein anderes Wunder. Das an die Eroberer gewöhnte Indien hatte einen solchen an seine Thore gefesselt.

Napoleon ließ sich nur mit Mühe zur Annahme solcher Besuche bewegen. Er empfing Lord Amherst auf der Rückkehr von seiner Gesandtschaftsreise nach China. Der Admiral Sir Pultney-Malcolm gefiel ihm. Eines Tages sagte er zu ihm:

„Hegt Ihre Regierung wohl die Absicht, mich bis zu meinem Tode auf diesem Felsen gefangen zu halten?“

Der Admiral antwortete, er befürchte es.

„Dann wird mich der Tod bald ereilen.“

„Ich hoffe nicht, mein Herr; Sie werden noch lange genug leben, um Ihre großen Thaten zu schreiben; und diese sind so zahlreich, daß eine solche Aufgabe Ihnen ein langes Leben sichert.“

Napoleon nahm an der einfachen Betitelung mein Herr keinen Anstoß; er erkannte sich in diesem Augenblick in seiner wahren Größe. Zum Glück für ihn hat er sein Leben nicht

beſchrieben, er hätte ſich nur darin verkleinert. Menſchen ſolcher Art müſſen jener unbekannten Stimme, die Niemandem angehört und von Völkern und Jahrhunderten ausgeht, die Erzählung ihrer Memoiren überlaſſen. Nur uns, dem gewöhnlichen Volk, iſt es erlaubt, von uns ſelbſt zu ſprechen, weil ſonſt Niemand von uns reden würde.

Der Capitän Baſil Hall fand ſich ebenfalls in Longwood ein; Bonaparte erinnerte ſich, den Vater des Capitäns in Brienne geſehen zu haben.

„Ihr Vater", ſagte er zu ihm, „war der erſte Engländer, den ich je geſehen hatte; deßhalb iſt er mir mein ganzes Leben durch im Andenken geblieben."

Er unterhielt ſich mit dem Capitän von der kurz zuvor ſtattgefundenen Entdeckung der Inſel Lu-Tſchu.

„Die Bewohner haben keine Waffen", ſagte der Capitän.

„Keine Waffen!" rief Bonaparte.

„Weder Kanonen noch Flinten."

„Doch wenigſtens Lanzen, Bogen und Pfeile?"

„Nichts von alledem."

„Auch keine Dolche?"

„Keine Dolche."

„Aber wie ſchlägt man ſich?"

„Alles, was in der Welt vorgeht, iſt ihnen fremd; ſie wiſſen nicht, daß es ein Frankreich, ein England gibt; ſie haben nie von Ew. Majeſtät reden hören."

Bonaparte lächelte auf eine Weiſe, die dem Capitän auffiel; je ernſter das Geſicht, deſto ſchöner iſt das Lächeln.

Alle die verſchiedenen Reiſenden bemerkten nie eine Spur von Farbe auf Bonaparte's Antlitz; ſein Kopf glich einer Marmorbüſte, deren Weiß durch die Zeit einen leichten gelblichen Anflug bekommen hatte. Weder auf Stirn noch Wangen zeigte ſich die geringſte Furche; ſeine Seele ſchien heiter. Dieſe ſcheinbare Ruhe veranlaßte den Glauben, die Flamme ſeines Genies ſei

erloſchen. Er ſprach langſam; ſein Ausdruck war wohlwollend und beinahe zärtlich; zuweilen ſchoß er blendende Blicke, doch dieſer Zuſtand ging ſchnell vorüber und ſeine Augen verhüllten ſich und wurden traurig.

Ach, an dieſen Geſtaden waren ehemals andere, Napoleon bekannte Reiſende erſchienen!

Nach der Exploſion der Höllenmaſchine ſprach am 5. Januar 1801 ein Senats-Conſult ohne Urtheil als bloße Polizeimaßregel die überſeeiſche Verbannung von hundertunddreißig Republikanern aus. Auf der Fregatte la Chiffonne und der Corvette la Flèche eingeſchifft, wurden ſie auf die Sechelleninſeln gebracht und kurze Zeit darauf in dem Archipel der Comoren, zwiſchen Afrika und Madagascar zerſtreut, wo beinahe Alle ſtarben. Zwei der Deportirten, Lefranc und Saunois, denen es gelungen war, auf einem amerikaniſchen Schiffe zu entfliehen, berührten auf ihrer Fahrt im Jahr 1803 St. Helena, wohin zwölf Jahre ſpäter die Vorſehung ihren großen Unterdrücker verſetzen ſollte.

Der nur zu berühmte General Roſſignol, ihr Unglücksgefährte, rief eine Viertelſtunde bevor er den letzten Seufzer ausſtieß: „Ich ſterbe unter den ſchrecklichſten Schmerzen, allein ich würde zufrieden ſterben, wenn ich denken dürfte, daß der Tyrann meines Vaterlandes einſt die gleichen Qualen erdulden muß.“

So erwarteten alſo den, der die Freiheit verrieth, ſelbſt in der andern Hemiſphäre die Verwünſchungen ihrer Anhänger!

Manzoni. — Bonaparte's Krankheit. — Ossian. — Napoleon's Träumereien beim Anblick des Meeres. — Entführungspläne. — Letzte Beschäftigung Bonaparte's. — Er legt sich nieder und steht nicht mehr auf. — Er dictirt sein Testament. — Religiöse Gefühle Napoleon's. — Der Almosenier Vignali. — Napoleon redet mit Antomarchi, seinem Arzte. — Er empfängt die Sterbesacramente. — Er stirbt.

Das durch Napoleon seinem langen Schlafe entrissene Italien richtete seine Augen auf das erlauchte Kind, welches dasselbe wieder zu Ruhm bringen sollte und mit dem es unter das Joch zurückgefallen war. Die Söhne der Musen, die edelsten und erkenntlichsten der Menschen, wenn sie nicht die schlechtesten und undankbarsten sind, schauten nach St. Helena hin. Der letzte Poet des Vaterlandes Virgil's besang den letzten Krieger des Vaterlandes Cäsar's:

Tutto ei provo, la gloria
Maggior dopo il periglio,
La fuga e la vittoria,
La reggia e il triste esiglio;
Due volte nella polvere.
Due volte sugli altar.

Ei si nomo; due secoli
L'un contro l'altro armato,
Sommes si a lui si vulsero,
Come aspettando il fato:
Ei fè silenzio ed arbitro
S'assise in mezzo a lor. *)

Alles erfuhr er — wie der Ruhm
Süßer nach bangster Spannung,
Die Angst der Flucht, des Sieges Rausch,
Die Herrschaft, die Verbannung,
Er, der zweimal im Staube lag,
Zweimal auf dem Altar!

Bonaparte nahte ſeinem Ende; von einer innerlichen Wunde verzehrt, durch den Kummer vergiftet, hatte er dieſe Wunde im Schooße des Glückes empfangen. Sie war das einzige Erbgut, das er von ſeinem Vater erhalten hatte, das Uebrige verdankte er der Freigebigkeit Gottes.

Schon zählte er ſechs Jahre der Verbannung; er hatte weniger Zeit zur Eroberung Europa's gebraucht. Er hielt ſich faſt immer eingeſchloſſen und las Oſſian in der italieniſchen Ueberſetzung von Ceſarotti. Alles ſtimmte ihn düſter unter einem Himmel, wo das Leben kürzer ſchien, da die Sonne in dieſer Hemiſphäre drei Tage weniger bleibt, als in der unſern. Zu Spaziergängen wählte Bonaparte holperige Fußwege, längs deren Aloen und wohlriechender Ginſter wucherten. Er wandelte unter den ſelten blühenden Gummibäumen, welche die großmüthigen Winde nach ſeiner Seite hin beugten, oder verbarg ſich in den dichten, am Boden einher ſich wälzenden Wolken. Man ſah ihn am Fuß des Pic der Diana, des Flay Staff, des Leader Hill ſitzen und zwiſchen den getrennten Bergſpitzen hindurch das Meer betrachten. Vor ihm rollte ſich jener Ocean auf, welcher auf der einen Seite die Küſten Afrika's, auf der andern die amerikaniſchen Ufer beſpült und ſich wie ein uferloſer Fluß in den auſtraliſchen Meeren verliert. Das nächſte civiliſirte Land iſt das Cap der Stürme. Wer könnte die Gedanken dieſes lebendig vom Tode verzehrten Prometheus ſchildern, wenn er, die Hand auf die ſchmerzdurchzuckte Bruſt gelegt, ſeine Blicke über die Wellen ſchweifen ließ? Chriſtus wurde auf den Gipfel eines Berges geführt, von wo aus er die Königreiche der Welt überblickte; aber in Bezug auf Chriſtus war

---

Auf trat er! Zwei Jahrhunderte
Feindlich, von Waffen ſtarrend,
Beugten zu ſeinen Füßen ſich,
Des Schickſalsſpruches harrend;
Schweigen gebot er; richtend nahm
Er zwiſchen ihnen Platz.

dem Verführer der Menſchen verheißen: „Du wirſt den Sohn Gottes nicht in Verſuchung ſetzen.“

Einen ſeiner ſchon erwähnten Gedanken (da ich mir das Leben nicht gegeben habe, ſo werde ich es mir auch nicht nehmen) vergeſſend, ſprach er davon, ſich zu tödten; eben ſo erinnerte er ſich ſeines bei Anlaß des Selbſtmords einer ſeiner Soldaten erlaſſenen Tagesbefehls nicht mehr. Er hoffte ſo viel von der Anhänglichkeit ſeiner Gefangenſchaftsgefährten, daß er glauben konnte, ſie würden ſich dazu hergeben, ſich mit ihm im Kohlendampfe zu erſticken; das war eine große Täuſchung. So weit kommt man durch die Berauſchung einer langen Herrſchaft; allein bei Napoleon's Ungeduld muß man immer wieder den Grad der Leiden in Anſchlag bringen, zu dem er gelangt war. Herr von Lascaſes, der, den Verordnungen zuwiderhandelnd, auf einem Stückchen weißen Seidenzeug an Lucian geſchrieben hatte, empfing den Befehl, St. Helena zu verlaſſen; ſeine Abweſenheit vermehrte die Leere in der Umgebung des Verbannten.

Am 18. Mai 1817 ſtellte Lord Holland im Oberhaus einen Antrag in Bezug auf die durch den General Montholon nach England berichteten Klagen. „Die Nachwelt,“ ſagte er, „wird nicht unterſuchen, ob Napoleon die gerechte Strafe für ſeine Verbrechen erduldete, ſondern ob England den Edelmuth bewieſen hat, der einer großen Nation ziemte.“ Lord Bathurſt bekämpfte die Motion.

Der Cardinal Feſch ſandte ſeinem Neffen zwei Prieſter aus Italien. Die Fürſtin Borgheſe ſuchte um die Erlaubniß nach, ihren Aufenthalt bei ihrem Bruder zu nehmen. „Nein,“ ſagte Napoleon, „ſie ſoll nicht Zeuge meiner Erniedrigung und der Beſchimpfung ſein, denen ich ausgeſetzt bin.“

Dieſe geliebte Schweſter, germana Jovis, durchſchiffte die Meere nicht, ſondern ſtarb da, wo Napoleon ſeinen Ruf zurückgelaſſen hatte.

Man ſchmiedete Entführungspläne. Ein Oberſt Latapie, der

ſich an der Spitze einer Bande amerikaniſcher Abenteurer befand, ging mit einer Landung auf St. Helena um. Johnſton, ein kühner Schleichhändler, gedachte Bonaparte mittelſt eines unterſeeiſchen Schiffes wegzubringen. Auf dieſe Pläne ließen ſich ſogar junge Lords ein; man conſpirirte, um die Feſſeln des Bedrückers zu brechen; den Befreier des Menſchengeſchlechts aber hätte man, ohne daran zu denken, in Feſſeln hinſchmachten laſſen.

Bonaparte hoffte von den politiſchen Bewegungen Europa's ſeine Erlöſung. Wenn er bis zum Jahr 1830 gelebt hätte, ſo hätten wir ihn vielleicht wieder bei uns geſehen; aber was würde er bei uns gethan haben? Er wäre mitten unter den neuen Ideen altersſchwach und hinter der Zeit zurückgeblieben erſchienen. Ehemals ſchien ſeine Tyrannei unſerer Knechtſchaft Freiheit; jetzt würde ſeine Größe unſerer Nichtigkeit Deſpotismus ſcheinen. Bei einer neuen Epoche iſt in einem Tage Alles abgelebt und alt; wer zu lange lebt, ſtirbt lebendig. Mit dem vorrückenden Alter laſſen wir drei bis vier von einander verſchiedene Bilder von uns zurück; wir ſehen ſie dann wie Bildniſſe aus unſeren verſchiedenen Lebensaltern im Nebel der Vergangenheit wieder.

Bonaparte wurde immer ſchwächer und beſchäftigte ſich nur noch wie ein Kind; er ergötzte ſich, in ſeinem Garten ein kleines Becken zu graben, das er mit einigen Fiſchen bevölkerte; da aber der Steinkitt des Beckens Kupfer enthielt, ſo ſtarben die Fiſche. Bonaparte ſagte: „Alles, was mich anzieht, trifft der Fluch.“

Gegen Ende des Februars 1821 mußte ſich Napoleon niederlegen, um nicht wieder aufzuſtehen. „Bin ich geſunken genug!“ murmelte er; „ich bewegte die Welt und kann nun nicht einmal meine Augenlider aufſchlagen.“ Auf die Arzneikunde hielt er nicht viel und widerſetzte ſich einer Berathung Antomarchi's mit Aerzten von Jamestown. Doch geſtattete er dem Doctor Arnold Zutritt an ſein Sterbebette. Vom 15. bis zum 25. April dictirte er ſein Teſtament; am 28. verordnete er, daß man nach ſeinem Tode ſein Herz Maria Luiſen ſchicke; er verbot, daß irgend ein engliſcher

Chirurg nach ſeinem Hinſcheiden Hand an ihn lege. Ueberzeugt, daß er der Krankheit unterliegen werde, an der auch ſein Vater ſtarb, befahl er, dem Herzog von Reichſtadt das Protokoll über den Leichenbefund zuzuſtellen. Die väterliche Anweiſung iſt unnöthig geworden, Napoleon II hat ſich mit Napoleon I vereinigt.

In ſeiner letzten Stunde erwachte das religiöſe Gefühl, von dem Bonaparte immer durchdrungen geweſen war. In ſeinen Memoiren über das Conſulat erzählt Thibaudeau bei Anlaß der Wiederherſtellung des Cultus, daß der erſte Conſul geſagt hatte:

„Letzten Sonntag ſpazirte ich unter dem feierlichen Schweigen der Natur in dieſen Gärten (in Malmaiſon); plötzlich ſchlug der Ton der Glocke von Rueil an mein Ohr und erneuerte alle die Eindrücke meiner Jugend in mir; ich wurde ergriffen, ſo ſtark iſt die Macht der erſten Gewohnheiten, und ſagte zu mir: „Wenn ich dieſer Herrſchaft unterliege, welche Wirkung müſſen ſolche Erinnerungen nicht bei einfachen und gläubigen Menſchen hervorbringen? Eure Philoſophen ſollen das beantworten! . . . . . und die Hände zum Himmel erhebend, rief ich aus: Wer iſt Der, der das Alles gemacht hat?“

Durch ſeine im Jahr 1797 in Macerata erlaſſene Proclamation geſtattet Bonaparte den in die päpſtlichen Staaten geflüchteten franzöſiſchen Prieſtern wieder den Aufenthalt in ihrem Vaterlande, verbietet, ſie zu beunruhigen, befiehlt den Klöſtern, ſie zu ernähren, und weiſt ihnen eine Beſoldung an Geld an.

Sein verändertes Benehmen in Egypten, ſein Unwille gegen die Kirche, deren Wiederherſteller er war, zeigen, daß ihn mitten in ſeinen Verirrungen ein Inſtinkt von Spiritualismus beherrſchte, denn ſein Fallen und ſeine Reizbarkeit ſind nicht philoſophiſcher Natur und tragen den Stempel des religiöſen Charakters.

Als Bonaparte Vignali das Nähere in Bezug auf das Trauergerüſte mittheilte, auf das er ſeine Hülle gelegt wiſſen wollte, glaubte

er wahrzunehmen, daß ſeine Anordnung Antomarchi mißfiel und erklärte ſich dann gegen den Doctor mit folgenden Worten:

„Sie ſind über ſolche Schwächen erhaben; aber was wollen Sie, ich bin weder Philoſoph noch Arzt; ich glaube an Gott und halte zu der Religion meines Vaters. Nicht ein Jeder, der möchte, kann Atheiſt ſein.

„ . . . . . Können Sie denn wirklich nicht an Gott glauben, während doch Alles ſein Daſein verkündet und die größten Geiſter an ihn geglaubt haben . . . . . Sie ſind Arzt . . . . . dieſes Volk hält ſich nur an die Materie; es glaubt nie Etwas."

Freigeiſter der Zeit, laßt Eure Bewunderung Napoleon's fahren; ihr habt nichts mit dieſem armen Menſchen zu ſchaffen; bildete er ſich doch ein, ein Komet hole ihn ab, wie ein ſolcher einſt Cäſar mit ſich nahm. Zudem glaubte er an Gott, er hielt zu der Religion ſeines Vaters, er war nicht Philoſoph, er war nicht Atheiſt; er hatte nicht, wie ihr, dem Ewigen eine Schlacht geliefert, obwohl er eine ſchöne Zahl von Königen beſiegt hatte; er meinte, Alles verkünde das Daſein des höchſten Weſens; er erklärte, die größten Geiſter hätten an dieſes Daſein geglaubt, und er wollte glauben, wie ſeine Väter. Und endlich, wie abſcheulich! dieſer erſte Mann der neueren Zeiten, dieſer Mann aller Jahrhunderte, war im neunzehnten Jahrhundert Chriſt! Sein Teſtament beginnt mit folgendem Artikel:

„Ich ſterbe in der apoſtoliſch-römiſchen Religion, im Schooße welcher ich vor mehr als fünfzig Jahren geboren wurde."

Im dritten Paragraphen des Teſtamentes Ludwig's XVI liest man:

„Ich ſterbe als ein Glied unſerer heiligen katholiſchen, apoſtoliſch-römiſchen Mutterkirche."

Die Revolution hat uns viele Lehren gegeben; iſt aber eine mit dieſer hier vergleichbar? Napoleon und Ludwig XVI legten

das gleiche Glaubensbekenntniß ab! Wollt ihr den Werth des Kreuzes kennen lernen? Sucht in der ganzen Welt, was die Tugend im Unglück oder den sterbenden Mann von Genie am meisten anspricht.

Am 3. Mai ließ sich Napoleon die letzte Oelung geben und empfing das heilige Abendmahl. Die Stille im Zimmer war nur durch das Röcheln des Todes und das regelmäßige Picken des Perpendikels einer Wanduhr unterbrochen; bevor der Schatten auf dem Zifferblatt stillstand, machte er noch einigemal die Runde; das Gestirn, das ihn zeichnete, konnte nur mit Mühe erlöschen. Am 4. erhob sich ein Sturm wie bei Cromwell's Sterben; fast alle Bäume von Longwood wurden entwurzelt. Am 5. endlich, um sechs Uhr weniger eilf Minuten Abends, hauchte Bonaparte unter Sturm, Regen und der donnernden Brandung der Wogen den mächtigsten Odem, der je den menschlichen Thon belebt hatte, in Gottes Schooß aus. Die letzten den Lippen des Eroberers entnommenen Worte waren: „Tête... armée, oder tête d'armée.“ *) Sein Gedanke irrte noch unter Schlachten. Als er auf immer die Augen schloß, lag sein mit ihm abgeschiedener Degen zu seiner Linken, auf seiner Brust ruhte ein Crucifix. Das auf Napoleon's Herz gelegte Friedenssymbol beschwichtigte die Schläge dieses Herzens, wie ein Strahl vom Himmel die Woge glättet.

Begräbniß.

Bonaparte wünschte zuerst, in der Kathedrale von Ajaccio beigesetzt zu werden; in einem vom 16. April 1821 datirten Codicill aber vermachte er seine Gebeine Frankreich. Der Himmel meinte

*) Haupt... Armee, oder Spitze der Armee.

es beſſer mit ihm, ſein wirkliches Mauſoleum iſt der Felſen, auf welchem er ſtarb; man möge meine Erzählung vom Tode des Herzogs von Enghien nachleſen. Als Napoleon dann voraussah, daß die brittiſche Regierung ſich der Vollſtreckung ſeines letzten Willens widerſetzen würde, wählte er eventuell eine Begräbnißſtätte auf St. Helena.

In einem engen Thale, das Geraniumthal oder das Thal der Slane, jetzt das des Grabes genannt, fließt eine Quelle. Die chineſiſchen Diener Napoleon's, treu wie Camoens' Javaneſe, pflegten die Amphora's dort zu füllen. Zwei Trauerweiden neigen ſich über den Brunnen hin; ringsum wächst ſaftiges, mit Tchampas beſäetes Gras. „Trotz ſeines Glanzes und ſeines Duftes iſt der Tchampas keine beliebte Pflanze, weil ſie auf den Gräbern blüht," ſagen die alten Sanskrit-Poeten. An den Abhängen der unbewaldeten Felſen vegetiren kümmerlich bittere Citronenbäume, Cocosnußbäume, Lärchenbäume und Coniſen, deren am Bart der Ziegen ſich anhängender Gummi geſammelt wird.

Bonaparte liebte den Platz unter den Trauerweiden des Brunnens, er ſuchte Frieden im Thale der Slane, wie der verbannte Dante Frieden im Kloſter von Corvo ſuchte. Aus Erkenntlichkeit für die zeitweiſe Ruhe, welche er in den letzten Tagen ſeines Lebens dort genoß, bezeichnete er dieſes Thal zu ſeiner ewigen Ruheſtätte. Von der Quelle ſprechend, äußerte er ſich: „Sollte Gottes Wille mich wieder geneſen laſſen, ſo ließe ich an dem Orte, wo ſie ſprudelt, ein Monument errichten." Dieſes Monument war ſein Grab. Noch zu Plutarch's Zeiten ſah man an den Ufern des Strymon an einem den Nymphen geweihten Orte einen ſteinernen Sitz, auf welchem Alexander geſeſſen war.

Im Tode wurde Napoleon, in der Uniform eines Gardeoberſten mit Stiefel und Sporen und mit dem Kreuz der Ehrenlegion geſchmückt, auf ſeiner eiſernen Bettſtelle ausgeſtellt. Die Seele hatte im Entfliehen auf dieſem Antlitz, das nie Verwunderung zeigte, eine erhabene Beſtürzung hinterlaſſen. Die Flaſchner und

Schreiner lötheten und nagelten Bonaparte in einen vierfachen Sarg von Mahagoni, von Blei, wieder von Mahagoni und von Sturzblech ein; man schien zu fürchten, er könne nie eingekerkert genug sein. Der Mantel, welchen der einstige Sieger an dem großen Begräbnißtage von Marengo trug, diente als Bahrtuch.

Das Leichenbegängniß fand am 28. Mai statt. Das Wetter war schön; vier von Stallknechten zu Fuß geführte Pferde zogen den Trauerwagen: vierundzwanzig unbewaffnete englische Grenadiere gingen ihm zur Seite, dann kam Napoleon's Pferd. Dem an Schluchten sich hinziehenden Wege entlang war die Garnison der Insel aufgestellt, drei Schwadronen Dragoner ritten dem Zuge voran, das 20. Infanterieregiment, die Marinesoldaten, die Freiwilligen von St. Helena, die königliche Artillerie mit fünfzehn Stück Kanonen schlossen denselben. Gruppen von Musikern, die von Strecke zu Strecke auf Felsen aufgestellt waren, spielten Trauermärsche. Bei einem Engpaß hielt der Wagen an, die vierundzwanzig unbewaffneten Grenadiere nahmen den Sarg auf die Schultern und hatten die Ehre, ihn bis zur Begräbnißstätte zu tragen. Drei Artilleriesalven salutirten die Ueberreste Napoleon's in dem Augenblicke, wo sie in die Gruft gesenkt wurden; all' der Lärm, den er auf dieser Erde gemacht hatte, drang nicht sechs Fuß unterhalb dieselbe. Ein Stein, welcher zum Bau eines neuen Hauses für den Verbannten verwendet werden sollte, wird gleichsam als Fallthür seines letzten Kerkers auf seinen Sarg niedergelassen.

Man sagte die Verse des 88. Psalms her: „Ich bin elend und in Ohnmacht von Jugend auf; ich erleide Deine Schrecken und bin verzagt. Dein grimmiger Zorn ist über mich ausgegangen . . . " Jede Minute löste das Admiralschiff einen Kanonenschuß. Diese in der Unermeßlichkeit des Oceans sich verlierenden Kriegsharmonien entsprachen dem requiescat in pace. Der von seinen Besiegern bei Waterloo begrabene Kaiser hatte den letzten Kanonenschuß jener Schlacht gehört; den letzten Schuß, mit welchem

20*

England ſeinen Schlaf auf St. Helena ſtörte und ehrte, hörte er nicht. Beim Auseinandergehen nahm Jedermann einen Weidenzweig mit ſich, wie man ſie am Palmſonntag trägt.

Lord Byron glaubte, der Dictator der Könige habe mit ſeinem Schwert auch ſeinen Ruhm abgelegt und werde in Vergeſſenheit erlöſchen. Der Poet hätte wiſſen ſollen, daß Napoleon's Schickſal eine Muſe war wie alle andern Geſchicke. Dieſe Muſe wußte einer geſcheiterten Entwicklung einen Ausgang zu geben, der ihren Helden zu neuem Leben rief. Die Einſamkeit von Napoleon's Exil und Grab hat noch eine Art von Zauber über ein glänzendes Andenken verbreitet. Alexander ſtarb nicht unter den Augen Griechenlands; er verſchwand in den prachtvollen Fernen Babylons. Bonaparte iſt nicht unter den Augen Frankreichs geſtorben: er hat ſich in dem herrlichen Himmelsſtriche der heißen Zone verloren. Er ſchläft wie ein Eremit oder wie ein Paria in einem Thale, an einem verlaſſenen Fußwege. Die Größe des Schweigens, das auf ihm liegt, kommt dem ungeheuren Lärm gleich, der ihn umgab. Die Nationen ſind abweſend, die Menge hat ſich verlaufen. Der, wie Büffon ſich ausdrückt, an den Sonnenwagen geſpannte Vogel der Tropenländer ſtürzt ſich vom Tagesgeſtirn herab; wo ruht er jetzt? Er ruht auf der Aſche, deren Gewicht den Erdball zum Wanken brachte.

Verfall der Napoleon'ſchen Welt.

Imposuerunt omnes sibi diademata post mortem ejus.... et multiplicata sunt mala in terra. (Maccab.)

Sie Alle*) ſetzten ſich nach ſeinem Tode Diademe auf..... und das Unheil nahm zu in der Welt.

*) Die Generale Alexander's des Großen.
Anm. d. Ueberſ.

Dieſe Worte des erſten Buchs der Maccabäer über Alexander den Großen ſcheinen ausdrücklich zur Anwendung auf Napoleon beſtimmt zu ſein. Die Diademe wurden von ihm genommen und die Uebel vermehrten ſich auf der Erde. Seit dem Tode Bonaparte's ſind kaum zwanzig Jahre verfloſſen und ſchon exiſtirt die franzöſiſche, ſchon exiſtirt die ſpaniſche Monarchie nicht mehr. Die Karte der Welt hat ſich verändert; man brauchte eine neue Geographie; von ihren legitimen Souveränen getrennt, fielen die Völker an Souveräne des Zufalls. Berühmte Schauſpieler haben die Bühne verlaſſen, namenloſe haben dieſelbe beſtiegen. Die Adler ſind von dem Gipfel der hohen in's Meer geſtürzten Pinie davongeflogen, während zerbrechliches Muſchelwerk ſich an die Seiten des immer noch Schutz verleihenden Baumſtumpfs anklebt. Wie einem letzten Reſultat eilt Alles ſeinem Ende zu. Der furchtbare Geiſt des Neuen durchzieht die Welt, ſagte der Kaiſer. Dieſer Geiſt, dem er die Schranke ſeines Genies entgegengeſtellt, nimmt ſeinen Lauf wieder auf. Die Inſtitutionen des Eroberers zerfallen. Er wird wohl die letzte der großen individuellen Exiſtenzen geweſen ſein. Keiner wird ferner über die abgeſchwächte und nivellirte Geſellſchaft hervorragen. Der Schatten Napoleon's allein wird am Ende der alten Welt bei ihrer Zerſtörung ſich erheben wie das Schreckgeſpenſt der Sündfluth am Rande ihres Abgrunds. Die ferne Nachwelt wird dieſen Schatten erblicken über dem ungeheuern Schlund, in welchen unbekannte Jahrhunderte fallen werden, bis der Tag der ſocialen Wiedergeburt gekommen ſein wird.

Meine letzten Beziehungen zu Napoleon.

Weil ich mein eigenes Leben beſchreibe, indem ich mit dem Leben Anderer, Großer oder Kleiner, mich beſchäftige, ſehe ich mich genöthigt, dieſes mein Leben mit Dingen und Menſchen in Verbindung zu bringen, wie der Zufall es gerade will. Konnte ich denn eine Strecke Weges zurücklegen, ohne anzuhalten bei der Erinnerung an den Deportirten, welcher in ſeinem Meergefängniß den Vollzug des Beſchluſſes Gottes erwartete? Nein.

Den Frieden, welchen er mit den Königen, ſeinen Kerkermeiſtern, nicht geſchloſſen, hatte Napoleon mit mir gemacht. Ich war ein Sohn des Meeres wie er, meine Wiege ſtand auf einem Felſen wie die ſeinige. Ich ſchmeichle mir, Napoleon beſſer gekannt zu haben, als die ihn kannten, welche ihn oft ſahen und in ſeiner Nähe lebten.

Napoleon's Zorn gegen mich erloſch auf Sanct Helena und er gab ſeine Feindſchaft auf. Ich meinerſeits war gerechter gegen ihn geworden und ſchrieb in den Conſervateur folgenden Artikel:

„Die Völker haben Bonaparte eine Geißel Gottes genannt. Aber die Gottesgeißeln haben Etwas von der Ewigkeit und der Größe des göttlichen Grimmes an ſich, deſſen Emanation ſie ſind. Ossa arida... dabo vobis spiritum et viveris, dürre Gebeine, ich will euch meinen Geiſt einhauchen und ihr werdet leben. Geboren auf einer Inſel, um auf einer an den Grenzen dreier Welttheile gelegenen Inſel zu ſterben, mitten in Meere geſchleudert, auf welchen Camoens ſein Kommen gleichſam prophezeite, indem er den Sitz des Geiſtes der Stürme dahin verlegte, kann ſich Bonaparte auf ſeinem Felſen nicht rühren, ohne daß wir eine Erſchütterung empfänden. Jeder Schritt des neuen Adamaſtor*) auf den

*) Camoens ſchildert in ſeinen „Luſiaden" (Geſang 5) dieſen Hüter des Vorgebirgs der guten Hoffnung alſo:

andern Pol macht ſich auf dem unſrigen fühlbar. Wenn Napoleon, ſeinen Kerkermeiſtern, entrinnend, in die Vereinigten Staaten ſich rettete, ſo würde ſchon ſein auf den Ocean gerichteter Blick hinreichen, die Völker der alten Welt in Verwirrung zu bringen. Seine Anweſenheit auf dem weſtlichen Ufer des atlantiſchen Meeres an und für ſich würde Europa zwingen, auf dem öſtlichen ſich zu lagern."

Dieſer Artikel kam Bonaparte auf St. Helena zu Handen.

Eine Hand, von der er glaubte, ſie gehöre einem Feinde an, träufelte den letzten Balſam in ſeine Wunden.

Er ſagte zu Herrn von Montholon:

„Wenn in den Jahren 1814 und 1815 das königliche Vertrauen nicht Leuten geſchenkt worden wäre, welche entweder dem Drang der Verhältniſſe in keiner Weiſe gewachſen waren oder welche, Verräther an ihrem Vaterlande, das Heil und den Ruhm des Thrones ihres Herrn einzig und allein in dem Joch der heiligen Allianz erblickten; wenn der Herzog von Richelieu, deſſen Ehrgeiz die Gegenwart fremder Bajonnette in ſeinem Lande nicht

---

— — — — In mächtiger Entfaltung
Ein Rieſenleib erſchien im Lüftereich,
Von häßlicher, gigantiſcher Geſtaltung:
Rauh war ſein Bart, ſein Antlitz kummerbleich,
Die Augen tief und hohl, furchtbar die Haltung,
Die Farbe blaß und fahl, der Erde gleich,
Die Haare voll von Erde, kraus und häßlich,
Die Lippen ſchwarz, die Zähne gelb und gräßlich.
So groß an Gliedern war er, traun! und ohne
Zu dichten darf ich ſagen, daß er leicht
Den rhodiſchen Coloſſus, dieſe Krone
Der ſieben Wunder einſt, an Höh' erreicht.
Er ſprach zu mir mit grauſem, dumpfem Tone,
Der, alſo ſchien's, aus tiefem Meere ſteigt;
Das Blut erſtarrt uns und die Haar' empören
Sich mir und Allen, die das ſeh'n und hören.

Anm. d. Ueberſ.

geduldet hätte, wenn Chateaubriand, der zu Gent so ausgezeichnete Dienste leistete, mit der Leitung der öffentlichen Angelegenheiten betraut worden wären: so würde Frankreich aus diesen beiden nationalen Krisen mächtig und gefürchtet hervorgegangen sein. Chateaubriand hat von der Natur das heilige Feuer empfangen. Seine Werke bezeugen dieß. Sein Styl ist nicht der Styl Racine's, aber es ist der Styl eines Propheten. Wenn Chateaubriand jemals an's Staatsruder gelangt, so ist es möglich, daß er auf Irrwege geräth; sind doch schon so Viele dabei zu Grunde gegangen! Aber das steht fest: Alles, was groß und national ist, entspricht seinem Geiste, und sicherlich würde er mit Entrüstung die schmählichen Maßregeln des dermaligen Regiments von sich gewiesen haben." (Denkwürdigkeiten zur Geschichte Frankreichs unter Napoleon von Montholon, Bd. 4, S. 243.)

Dieß sind meine letzten Beziehungen zu Napoleon.

Warum sollte ich nicht eingestehen, daß das angeführte Urtheil die stolze Schwäche meines Herzens kitzelte? Kleine Menschen, denen ich große Dienste geleistet, haben mich nicht so wohlwollend beurtheilt wie der Riese, dessen Gewalt ich anzugreifen gewagt hatte.

Sanct Helena seit dem Tode Napoleon's.

Während die Napoleon'sche Welt verschwand, interessirte mich der Ort, wo Napoleon selbst verschwunden war. Das Grab auf Sanct Helena hat schon eine seiner Trauerweiden eingebüßt, der verkümmerte und gestürzte Baum wurde täglich von Pilgern verstümmelt. Ein gußeisernes Gitter faßt die Gruft ein, drei quergelegte Steinplatten decken das Grab, einige Schwertlilien sprießen zu Füßen und Häupten desselben, die Quelle des Thales fließt noch da, wo ein so wundervolles Leben versiegte. Reisende, die der Sturm an die Insel verschlägt, glauben sich ihre Richtigkeit von

einem ſo großen Grabe bezeugen laſſen zu müſſen. Eine alte Frau hat ſich nebenan eingerichtet und lebt von dem Schatten einer Erinnerung; ein Invalide ſteht in einem Schilderhaus Wache.

Das alte Longwood, von dem neuen kaum zweihundert Schritte entfernt, iſt verödet. Einen mit Unrath angefüllten Raum durchſchreitend, gelangt man zu einem Stall. Er diente dem Kaiſer zum Schlafzimmer. Ein Neger zeigt euch eine Art Niſche, welche jetzt von einer Handmühle eingenommen wird, und ſagt euch: „There he head!“ (hier ſtarb er.) Das Gemach, in welchem Napoleon geboren wurde, war wahrſcheinlich weder größer noch zierlicher.

Im Hauſe des Gouverneurs zu Neu-Longwood (Plantation-Houſe) ſieht man ein Bild des Herzogs von Wellington und Abbildungen ſeiner Schlachten. Ein Glasſchrank enthält ein Stück von dem Baume, neben welchem der engliſche General bei Waterloo ſtand. Dieſer Reliquie zur Seite befindet ſich ein Olivenzweig aus dem Oelgarten bei Jeruſalem und verſchiedene Zierrathen der Wilden des Südmeers. Bizarre Zuſammenſtellung! Aber vergeblich will ſich der Sieger (Wellington) unter dem Schutze eines Zweiges aus dem heiligen Lande und eines Andenkens von Cook an den Platz des Beſiegten (Napoleon) ſtellen: man ſucht und will auf Sanct Helena nur finden die Einſamkeit, den Ocean und Napoleon.

Wenn man die Geſchichte der Umbildung der durch ihre Gräber, ihre Wiegen, ihre Paläſte berühmten Orte auffände, welch' ein mannigfaltiges Schauſpiel von Dingen und Geſchicken würde ſich da bieten, welche ſeltſamen Metamorphoſen würden ſich bewerkſtelligen in den obſcuren Behauſungen, an welche unſere armſelige Exiſtenz gefeſſelt iſt! In welcher Hütte wurde Chlodwig geboren? Auf was für einem Fuhrwerk erblickte Attila das Licht? Welcher Strom rollt ſeine Fluten über Alarich's Grab? Welcher Schakal bewohnt jetzt die Höhlung, welche den goldenen oder kryſtallenen Sarg Alexander's barg? Wie oft wohl hat dieſer Staub, haben

dieſe Gebeine ihren Platz verändert? Wem gehören jetzt alle die Mauſoleen Aegyptens und Indiens? Gott allein kennt die Urſache dieſer mit den Geheimniſſen der Zukunft eng verbundenen Veränderungen. Es gibt Wahrheiten, die, dem Menſchen verhüllt, in der Tiefe der Zeiten ſchlummern. Nur mit Hülfe der Jahrhunderte enthüllen ſie ſich, gerade wie es Sterne gibt, die von der Erde ſo weit entfernt ſind, daß ihr Licht noch nicht bis zu uns gedrungen iſt.

Heimholung der Aſche Bonaparte's.

Aber während ich dieſes ſchrieb, iſt die Zeit fortgeſchritten und hat ein Ereigniß gebracht, welches etwas Großes an ſich hätte, wenn nicht heutzutage die Ereigniſſe in den Koth fielen.

Man reclamirte zu London die Aſche Bonaparte's. Das Verlangen wurde erfüllt. Was lag den Engländern an ein paar alten Knochen? Sie werden uns ſo viele Geſchenke des Todes machen, als wir haben wollen. Die Gebeine Napoleon's kamen in einem Augenblick unſerer Demüthigung zu uns zurück. Sie hätten ſich eigentlich dem von den Engländern beanſpruchten Recht der Durchſuchung unterziehen müſſen — (bei Lebzeiten hätte ſich der Kaiſer nicht ſo bereitwillig viſitiren laſſen) — allein England war artig: es gab dem Leichnam einen Freipaß.

Die Heimholung der Ueberreſte Napoleon's iſt ein Verbrechen gegen den Ruhm. Eine Gruft zu Paris wiegt niemals das Thal der Slane auf. Wer möchte den Pompejus anders ſehen, als auf dem Uferſand emporgehalten von einem armen Freigelaſſenen, unterſtützt durch einen alten Legionär? Was ſollen uns inmitten unſeres Elends große Reliquien? Vermag der härteſte Granit die Ewigkeit der Thaten Bonaparte's zu repräſentiren? Ja, wenn wir wenigſtens einen Michel Angelo beſäßen, um die düſtere Statue zu meißeln! Welche Form wird man dem Monument geben?

Kleinen Menſchen Mauſoleen, großen einen Stein und einen Namen. Hätte man wenigſtens den Sarg Napoleon's in der Krone des Triumphbogens beigeſetzt, damit die Nationen ſchon von Weitem ihren Herrn erblicken konnten, getragen von den Schultern ſeiner Siege! War die Urne Trajans zu Rom nicht im Knaufe ſeiner Säule aufgeſtellt? Mitten unter uns wird ſich Napoleon in dem Schwarm der Todten verlieren, die ſich im Schweigen geborgen. Gott wolle nur, daß er der veränderlichen Stimmung unſerer politiſchen Umwälzungen nicht ausgeſetzt ſei, daß er ſicher ruhe unter dem Schutze Ludwig's XIV, Vauban's und Turenne's! Habt Acht auf die in unſerem Vaterlande ſo häufigen Entweihungen der Gräber! Laßt eine gewiſſe Seite der Revolution triumphiren und die Aſche des Eroberers könnte gar leicht das Schickſal jener Gebeine haben, welche unſere Leidenſchaften ausgewühlt und zerſtreut haben;*) man wird den Beſieger der Völker vergeſſen und ſich nur des Unterdrückers der Freiheit erinnern. Die Gebeine Napoleon's werden ſein Genie nicht reproduciren, aber ſie könnten leicht einem mittelmäßigen Soldaten ſeinen Deſpotismus lehren.

Wie dem auch ſei, eine Fregatte ward einem der Söhne Louis Philipp's übergeben. Ein von unſern alten Seeſiegen her theurer Name ſchützte ſie auf den Wogen. Von Toulon, wo ſich Bonaparte in den Tagen ſeines Glanzes zu ſeinen Siegen in Aegypten eingeſchifft hatte, abſegelnd fuhr die neue Argo nach Sanct Helena, um ein Nichts zurückzufordern. Das Grab mit ſeinem Schweigen erhob ſich noch immer unbeweglich in dem Thale der Slane. Von den zwei Trauerweiden, die es beſchattet hatten,

*) Chateaubriand ſpielt hier auf die Zerſtörung der Königsgräber zu Saint-Denis während der Revolution an. Lamartine hat in ſeiner Geſchichte der Girondiſten (Buch 52, Kap. 23) dieſe Scene mit dramatiſcher Lebendigkeit beſchrieben.

Anm. d. Ueberſ.

war die eine geſtürzt. Lady Dallas, die Frau eines Gouverneurs der Inſel, hatte an die Stelle des geſtürzten Baumes achtzehn junge Weiden und vierunddreißig Cypreſſen gepflanzt. Die Quelle murmelte noch immer, wie ſie gemurmelt, als Napoleon daraus trank. Eine ganze Nacht hindurch arbeitete man unter Beiſein eines engliſchen Capitains, Namens Alexander, an der Erbrechung des Grabmals. Die vier in einander geſchobenen Särge, einer von Mahagoniholz, ein bleierner, abermals ein mahagonihölzerner, endlich einer von Weißblech, wurden unverſehrt gefunden, Man ſchritt unter einem Zelte, in einem Kreiſe von Offizieren, deren mehrere Bonaparte gekannt hatten, zur Beſichtigung des mumienhaften Inhalts der Särge.

Als der Deckel des letzten Sarges abgenommen worden war, tauchten ſich die Blicke in denſelben. „Sie haſteten," erzählt der Abbé Coquereau, „zuerſt auf einer weißlichen Maſſe, welche den Körper ſeiner ganzen Länge nach bedeckte. Der Doctor Gaillard berührte dieſe Maſſe und fand, daß es ein Pfühl von weißem Atlas war, womit urſprünglich die zu Häupten des Todten befindliche Wand des Sarges gepolſtert war; der Atlas hatte ſich aber verſchoben und hüllte den Leichnam ein wie ein Leichentuch. Der ganze Körper ſchien mit leichtem Staub bedeckt und man hätte ſagen können, daß wir den Todten durch eine leichte Wolke hindurch wahrnahmen. Das war ſein Kopf. Das eine Ohr ſtand etwas hervor. Seine breite Stirne, ſeine Augen, deren Höhlen ſich unter den Lidern abzeichneten, waren noch von einigen Brauenhärchen bekränzt; ſeine Wangen waren aufgedunſen, ſeine Naſe allein hatte gelitten; ſein halboffener Mund ließ drei ſehr weiße Zähne ſehen; auf ſeinem Kinn ließ ſich der Schatten des Bartes deutlich wahrnehmen; ſeine beiden Hände ſchienen einem noch Lebenden anzugehören, ſo lebhaft waren Farbe und Ton; die eine, die linke, war mehr erhoben, als die rechte; ſeine Nägel waren nach dem Tode gewachſen und lang und weiß; an einem ſeiner

Schuhe war die Naht aufgegangen, so daß vier Zehen seines mattweißen Fußes sichtbar waren."

Was ist es, das diese Grabschänder in Erstaunen setzt? Etwa die Eitelkeit der irdischen Dinge? Die Eitelkeit des Menschen? Nein, die Schönheit des Todten. Seine Nägel waren gewachsen, um, wie ich mir vorstelle, den Rest von Freiheit, welcher der Welt geblieben, zu zerfleischen. Seine der Erde zurückgegebenen Füße stützten sich nicht mehr auf ein Polster von Diademen; nackt und bloß ruhten sie in ihrem Staub. Obgleich so gut conservirt, hatte Napoleon doch gerade nur die drei Zähne behalten, wie sie die Kugeln an dem Kiefer des Herzogs von Enghien übriggelassen hatten. Die Zeit verschont mit ihren Geschossen auch den Ruhm nicht.

Das auf Sanct Helena untergegangene Gestirn erschien zur großen Freude der Völker noch einmal. Der Erdkreis sah Napoleon wieder, aber Napoleon sah den Erdkreis nicht wieder. Dieselben Sterne, welche ihn dereinst in's Exil geleiteten, blickten auch jetzt hernieder auf die ruhelosen Gebeine des Eroberers. Bonaparte war durch das Grab hindurchgegangen, wie durch Alles, ohne sich aufzuhalten. In Havre ausgeschifft, kam der Leichnam unter dem Triumphbogen an, einem Thronhimmel, unter welchem die Sonne ihr Antlitz nur an gewissen Tagen des Jahres zeigt. Von dem Bogen bis zum Hotel der Invaliden sah man Nichts als Bohlenschranken, Büsten von Gyps, eine Statue des großen Condé — trauriges Erinnerungszeichen, welches zu weinen schien! — und Obelisken von Tannenholz, welche an das Leben des Siegers mahnten. Eine heftige Kälte machte die hinter dem Leichenwagen einherschreitenden Generale umsinken, wie einst auf dem Rückzug von Moskau. Nichts war schön, Nichts groß, außer das Todtenschiff, welches Napoleon und ein Crucifix schweigend die Seine heraufgetragen hatte.

Seines Felsen-Katafalks beraubt, hat sich Napoleon in den Unrath von Paris begraben. Anstatt der Schiffe, welche den

neuen, auf dem Berg Oeta vom Feuer verzehrten Herkules salutirten, werden jetzt nur die Wäscherinnen des Vaugirard oder unbekannte Invaliden der großen Armee in seiner Nähe umhergehen. Von dem ärmlichen Vorspiel zu dieser Unmacht, welches kleine Menschen arrangirten, ließ der Regen nach einigen Tagen nur schmutzige Fetzen übrig. Was man auch thun mag, stets wird man das wahre Grab des Triumphators inmitten der Meere erblicken; bei uns der Körper, aber auf Sanct Helena das unsterbliche Leben.

Napoleon hat die Aera der Vergangenheit abgeschlossen. Er hat den Krieg in zu großartiger Weise betrieben, als daß derselbe das menschliche Geschlecht ferner noch interessiren könnte, und das ist vielleicht das einzige Gute, welches von ihm übrig bleiben wird. Er hat die Pforten des Janustempels so heftig hinter sich zugeworfen und so große Haufen von Leichen hinter diesen Pforten aufgethürmt, daß sie sich nie wieder öffnen können.

Mein Besuch zu Cannes.

In Europa besuchte ich die Orte, wo Bonaparte gelandet, nachdem er seine Verbannung auf die Insel Elba gebrochen hatte.

Ich stieg in dem Wirthshaus von Cannes in demselben Augenblick ab, als Kanonendonner ertönte zur Erinnerung an den 29. Juli (1830), eines der Resultate von der Wiederkehr des Kaisers, welches er ohne Zweifel nicht vorausgesehen hatte. Die Nacht war angebrochen, als ich beim Golf Juan ankam. Ich stieg am Rande der Hochstraße bei einem isolirt stehenden Hause ab. Jacquemin, Töpfer und Gastwirth und Eigenthümer dieses Hauses, führte mich an's Meer. Der Weg, den wir einschlugen, lief zwischen den Oliven hin, unter welchen Bonaparte bivouakirt hatte. Jacquemin hatte ihn selbst empfangen und wies mir die Stelle. Zur Linken des Fußpfads erhob sich eine Art von Schoppen;

Napoleon, welcher allein kam, um Frankreich zu erobern, hatte unter dieſem Schoppen ſein ausgeſchiffteſ Gepäck niedergelegt.

Am Ufer angelangt, ſah ich vor mir ein ruhiges Meer, welches nicht der geringſte Windhauch kräuſelte. Ein kaum wahrnehmbarer Wellenſchlag brach ſich ohne Geräuſch und ohne Schaum auf dem Sand. Ueber mir wölbte ſich ein durchſichtiger, ganz von Sternen ſtrahlender Himmel. Die Mondſichel ging bald abwärts und barg ſich hinter einem Berge. Im Golf lagen nur eine einzige Barke und zwei Fiſchernachen vor Anker. Linkshin erblickte man den Leuchtthurm von Antibes, rechts die Lerin'ſchen Inſeln, geradeaus vor mir öffnete ſich die hohe See gegen Süden zu, gegen Rom zu, wohin Bonaparte mich einſt geſchickt hatte.

Vor Zeiten nahmen die Lerin'ſchen Inſeln, heutzutage die Inſeln von Sanct Margaretha geheißen, einige Chriſten auf, welche vor den Barbaren flohen. Der heilige Honoratus landete, aus Ungarn kommend, an einer ihrer Klippen. Er beſtieg einen Palmbaum und machte das Zeichen des Kreuzes und alle Schlangen ſtarben, d. h. das Heidenthum verſchwand und eine neue Civiliſation entſtand im Occident.

Vierzehn Jahrhunderte ſpäter ſchloß Bonaparte dieſe Civiliſation, dieſe geſchichtliche Periode da ab, wo der Heilige ſie begonnen hatte. Der letzte Einſiedler dieſes mönchiſchen Aufenthalts war die eiſerne Maske, wenn nämlich die eiſerne Maske eine Wirklichkeit iſt. Aus dem Schweigen des Golfes Juan, aus dem Inſelfrieden der alten Anachoreten ging das Getöſe von Waterloo hervor, welches über den atlantiſchen Ocean hinfuhr und auf Sanct Helena erſtarb.

Man kann ſich vorſtellen, was ich fühlte mitten unter den Erinnerungen von zwei Geſellſchaften, mitten zwiſchen einer geſtorbenen und einer dem Sterben nahen Welt. Ich verließ das Ufer in einer Art von religiöſer Beſtürzung, indem ich die Fluth über die Spuren des vorletzten Schrittes von Napoleon hinwogen ließ, ohne daß ſie ausgelöſcht worden wären.

Geht eine große Epoche zu Ende, so hört man gewöhnlich eine ſchmerzvolle, die Vergangenheit beklagende Stimme, eine Stimme, welche gleichſam die Löſchglocke läutet. So ſeufzten die, welche Karl den Großen, den heiligen Ludwig, Franz I, Heinrich IV und Ludwig XIV verſchwinden ſahen. Was könnte nicht meinerſeits ich Alles ſagen, ich, der ich Augenzeuge war vom Leben von zwei oder drei dahingegangenen Welten? Wenn man, wie ich, mit Waſhington und Bonaparte zuſammengetroffen, was ſollte Einem hinter dem Pflug des amerikaniſchen Cincinnatus und hinter dem Grab von Sanct Helena noch zu ſehen übrig bleiben? Warum mußte ich ein Jahrhundert und Menſchen überleben, zu welchen ich dem Datum meiner Geburt zufolge gehörte? Warum bin ich nicht untergegangen mit meinen Zeitgenoſſen, den Nachzüglern einer erſchöpften Race? Warum bin ich allein übriggeblieben, um ihre Gebeine in dem Dunkel und dem Staub übervoller Katakomben aufzuſuchen? Es macht mich muthlos, das zu ertragen. Ach, wenn ich wenigſtens die Sorgloſigkeit eines der alten Küſten-Araber beſäße, welche ich in Afrika getroffen! Mit gekreuzten Beinen auf kleinen Baſtmatten ſitzend, den Kopf mit dem Burnus verhüllt, bringen ſie ihre letzten Stunden damit zu, in das Azur des Himmels hineinzublicken, welches ſich ob den Ruinen Karthago's wölbt; eingezwingt von gedankenloſem Gemurmel, vergeſſen ſie ihr Daſein, ſingen mit leiſer Stimme ein Lied vom Meer und ſo ſterben ſie.

Bayerische
Staatsbibliothek
München

FSC
www.fsc.org
MIX
Papier aus verantwortungsvollen Quellen
Paper from responsible sources
FSC® C141904

Druck:
Customized Business Services GmbH
im Auftrag der KNV-Gruppe
Ferdinand-Jühlke-Str. 7
99095 Erfurt